Titre original: *Scarlett Fever*
Édition originale publiée aux États-Unis par Point,
un éditeur de Scholastic Inc.,
557 Broadway, New York, NY 10012

Maureen Johnson

Au secours, Scarlett !

Traduit de l'anglais (États-Unis)
par Cécile Dutheil de la Rochère

Gallimard

Pour Agnetha Fältskog, Benny Andersson,
Björn Ulvaeus, et Sa Majesté Anni Frid,
princesse Reuss von Plauen.

ACTE I

Gothammag.com

Bien que ce soit là de la folie, cependant elle a quelque méthode» (Hamlet, *à l'hôtel Hopewell).*

Et si nous campions la scène? Hamlet *donc. Mis en scène dans un hôtel. Non pas un somptueux palais, ni un gîte, mais une espèce beaucoup plus rare: un petit hôtel appartenant à une famille. Et un lieu qu'il serait juste, sinon généreux, de rappeler qu'il est «aux abois». Les planchers grincent, tout est recouvert d'une fine couche de poussière, et la plupart des meubles de l'entrée sont curieusement de guingois, à tel point que plusieurs fois je me suis surprise moi-même la tête penchée pour suivre leur pente.*

Ce qui saute aux yeux dès l'entrée, c'est le contraste entre cette apparence décatie et le style de l'hôtel, un chef-d'œuvre Art déco: bois de cerisier, motifs argentés en forme d'éclair aux endroits les plus inattendus, pourpre vénéneux et lis tigré, lumière orangée à travers les abat-jour de couleur.

On passe de l'entrée à la salle à manger, modeste, à présent transformée en salle de théâtre. Là encore, tout est de traviole; le lustre, par exemple, mais cette fois-ci il y a une raison: le fil électrique a été enveloppé de gaze argentée pour les besoins de la pièce. Les murs sont nus, mais animés par les ombres d'une centaine de petites bougies qui coulent et se meurent. Autrement dit, la salle à manger où a eu lieu la représentation est dans un état innommable, comme un lendemain de fête, après un mariage royal de deuxième zone.

*Bienvenu dans le monde d'*Hamlet.

Il est temps que je me découvre: en vérité, j'étais prête à rejeter cette mise en scène, à la considérer comme des répliques à effet, comme une mauvaise blague. Hamlet *dans un hôtel... Pourquoi pas* Othello *dans un bureau ou* Macbeth *dans un McDonald's? J'ai vu des spectacles montés dans les lieux les plus improbables, et je dois dire que celui-ci est en adéquation parfaite avec l'hôtel – avec un accès à la scène pour les clients derrière la scène de l'hôtel. J'en ai donc conclu que je venais d'assister à une nouvelle étape vers la chute lente et sûre de l'art de la mise en scène.*

*Pourtant la pièce fonctionne. À tel point qu'aujourd'hui je suis convaincue que toute mise en scène d'*Hamlet *devrait avoir lieu dans un hôtel décrépit.* Hamlet *est une pièce où les personnages (les membres de la cour, les officiers, les messagers, les serviteurs, les étudiants, les acteurs) ne cessent d'aller et venir, et où les choses vont de mal en pis, jusqu'au bout. Tout y est renversé, personne ne dort dans le bon lit, et votre séjour a toutes les chances d'être écourté. Alors pourquoi pas un hôtel?*

*En outre, cette mise en scène d'*Hamlet *évoque un immense carnaval, une espèce de cirque délirant et jamais vu. L'interprétation est volontairement très contrastée, parfois trop. Stéphanie Damler a du mal à maîtriser son inter-*

prétation de la folie d'Ophélie, par exemple, et Jeffery Archson incarne un Horatio que j'ai trouvé exaspérant. Cela dit, il y a des moments hilarants, notamment les passages avec Rosencrantz et Guildenstern, interprétés par deux acteurs s'inspirant de clowns, Eric Hall et Spencer Martin. Je pense surtout au moment, au début de la pièce où le jeune Martin traverse la salle sur son monocycle pour se heurter à une porte fermée. J'ai éclaté de rire et littéralement craché mon verre sur l'épaule de mon voisin, moi qui sais me tenir en temps normal.

Comme toutes les bonnes choses, celle-ci a une fin. Je vous encourage donc à acheter vos billets le plus vite possible. (FIN DES REPRÉSENTATIONS LE 28 AOÛT. BILLETS DISPONIBLES CHEZ TICKETPRO, ET GRATUITS POUR LES CLIENTS DE L'HÔTEL.)

Sécurité pour les crétins

Il était quatre heures et demie du matin et Scarlett avait besoin de réponses.

Hélas, les réponses telles qu'elles apparaissent à cette heure sont rarement de la même nature que celles qui apparaissent, disons, à quinze heures vingt, en plein après-midi. À quinze heures vingt, on se demande par exemple : « Qu'est-ce qu'il y a à dîner ce soir ? » ou : « Cette touche de mon portable est-elle coincée ou carrément fichue ? » Autant de questions dont on peut facilement se débarrasser, car elles disparaissent sur-le-champ.

À quatre heures et demie du matin, les questions qui vous hantent sont beaucoup plus difficiles à évacuer. On a beau leur taper dessus avec une pelle pour les enterrer, elles reviennent. « Que comptes-tu faire de ta vie ? » ou encore : « Qui es-tu, au fond ? »

Hamlet, lui, s'y connaissait de ce point de vue-là. « Être ou ne pas être, c'est la question. Est-il plus noble de subir les coups et les traits de l'outrageuse fortune, ou de prendre les armes contre un océan de peines, et, révolté, d'en finir ? »

Autrement dit, pourquoi ne pas abandonner ? À quoi bon ? La vie est dure – et si je cessais de me poser des questions ? Si je m'allongeais et arrêtais tout ? Si je me recroquevillais et mourais ? Scarlett Martin la connaissait par cœur, cette fameuse tirade déprimante, car elle avait assisté à toutes les représentations de la pièce qui s'était jouée pendant quatre semaines chez elle, sans compter les répétitions. Difficile d'échapper à un spectacle quand il a lieu dans votre salle à manger.

Soyons honnêtes. Les questions que se posait en ce moment Scarlett n'étaient pas aussi dramatiques, loin s'en faut. Ni aussi pointues. C'était plutôt une vibration sourde teintée de mauvaise humeur, une espèce de « Mais qu'est-ce qu'il se passe, nom de Dieu ? ».

Scarlett était allongée sur le plateau de scène de près de quatre mètres de largeur, les pieds appuyés sur un des monocycles. Un fin rideau mauve, suspendu juste au-dessus d'elle, se déployait à quelques centimètres de son front ; plus haut, étaient accrochées des bannières argentées et des tentures mauves elles aussi. Elle avait autour d'elle une série de projecteurs fixés sur des trépieds, et face à elle une centaine de chaises vides – comme un public absent.

Tel était le squelette du spectacle, une fois dépouillé de chair et de vie. Les représentations avaient pris fin deux jours plus tôt, et Scarlett avait passé deux nuits quasi blanches. La veille et l'avant-veille, elle s'était couchée et avait tourné dans son lit sans réussir à s'endormir, puis elle avait fini par se lever et descendre à pied les quatre étages (l'ascenseur était beaucoup trop bruyant) pour venir faire les cent pas sur le plateau. Non et non, elle ne regarderait pas les photos d'Eric sur son portable ; ni les messages sauvegardés. Exclu. Interdit. C'était une affaire classée.

Définitivement.

À jamais.

C'est pourquoi elle refusait de...

Trop tard. Elle était en train de parcourir les photos sur son portable, là, avec son pouce, sous son nez, comme si sa main s'agitait malgré elle. Comme si elle lui faisait la nique, déconnectée de son cerveau, voulant à tout prix voir et revoir ces photos, sans répit, encore et encore, une par une, cent cinquante-quatre photos en tout ! Certaines étaient des photos de répétitions. D'autres des clichés qu'elle avait pris en douce quand Eric ne regardait pas. Elle était assez fière, du reste, car elle était devenue carrément bonne. Tant qu'à poursuivre son amoureux, se disait-elle, autant le poursuivre avec talent. L'humiliation d'avoir été larguée était trop éprouvante.

Les portes de la salle à manger s'ouvrirent et une longue silhouette apparut dans l'encadrement. Scarlett se redressa brusquement, surprenant l'arrivant, qui lâcha un léger jappement et faillit trébucher contre une chaise.

– Pardon, je t'ai fait peur, s'excusa-t-elle.

– Mon Dieu ! Qu'est-ce que... Scarlett ?

C'était son frère, Spencer, toujours le premier réveillé dans l'hôtel et le premier en tenue : chemise blanche impeccable, pantalon noir et cravate noire. Car Spencer travaillait à l'hôtel Waldorf-Astoria, et comme il y servait le petit déjeuner, il se réveillait toujours à des heures pas possibles. À vrai dire, c'est tout juste s'il dormait. Contrairement à l'hôtel Hopewell, non seulement le Waldorf-Astoria exigeait de son personnel qu'il soit en uniforme, mais surtout il en avait, du personnel !

– Qu'est-ce que tu fais debout à cette heure ? demanda-t-il à sa sœur en s'asseyant au bord du plateau.

– Je crevais de chaud. La climatisation a encore lâché dans notre chambre.

C'était vrai. L'air conditionné de la suite Orchidée ne fonctionnait plus. À une époque, Scarlett et Lola, sa sœur, grelottaient, car la climatisation produisait de violentes rafales d'air froid qui dévoraient toute l'énergie et réduisaient la lumière, mais depuis quelque temps elle semblait avoir renoncé à émettre quoi que ce soit, si ce n'est un grincement insupportable. Les deux filles marinaient toute la nuit dans une chaleur moite.

Cela dit, si Scarlett était debout à cette heure, c'était pour une tout autre raison, et Spencer le savait parfaitement. Il jeta un œil sur le portable qu'elle avait en main.

– Tu attends un appel ?

L'histoire entre Scarlett et Eric avait créé une certaine tension entre le frère et la sœur au cours de l'été, tension qui avait fini par se résoudre le jour où Spencer avait fichu son poing dans la figure d'Eric en pleine répétition, comme par hasard, quelques minutes après qu'Eric avait plus ou moins largué Scarlett. À partir de là, l'affaire avait été étouffée par tous les trois, et les deux garçons avaient joué chaque soir sans problème. Les autres acteurs avaient, eux aussi, fermé les yeux sur l'incident. Tout avait été balayé comme un moment d'égarement, rien de plus; c'était fini.

Spencer avait donc passé un mois entier en prétendant que tout allait bien et en évitant les questions par des phrases du genre «Je ne veux pas le savoir»... Sauf qu'il avait évidemment remarqué la nervosité de sa sœur, de même que son mutisme dès qu'elle était avec Eric, et, inversement, les efforts excessivement polis et laborieux de celui-ci pour prouver qu'il n'y avait effectivement aucun problème. De son côté, Scarlett avait vu les comédiens de la troupe intervenir pour boucher les trous dans la conversation quand elle se retrouvait coincée avec Eric. Son histoire avec lui avait donc été une vraie source de tensions pour tout le monde. On n'en parlait jamais, mais elle était là, latente, prête à provoquer un sursaut d'énergie imprévisible.

– C'est rien, répondit Scarlett.

– Ouais... J'espère. Bon, puisque tu es debout, j'ai besoin que tu m'aides.

Scarlett n'avait vraiment pas envie de faire quoi que ce soit, mais elle se redressa et suivit son frère du côté de la cuisine. Elle s'assit sur une des immenses tables de préparation en bois pendant qu'il mettait la cafetière en route. C'était la mission matinale de Spencer, et il la remplissait de main de maître.

Il sortit un scénario de sa poche arrière et le lui tendit.

– Lis ce truc, ça me tue. L'audition a lieu à une heure. Je n'ai aucune idée de la façon de jouer ce rôle. Tu ne pourrais pas m'aider à trouver un angle d'attaque? Regarde les parties que j'ai soulignées.

– « L'homme a les deux extrémités de la ceinture de sécurité en main », lut Scarlett pendant que Spencer remplissait l'immense cafetière professionnelle. « Il cherche à emboîter les deux bouts. Il s'y reprend à plusieurs fois. Il appelle de la main une hôtesse de l'air ou un steward. » Fastoche, non?

– En apparence, oui. Sauf que c'est impossible.

Spencer arrêta l'eau et prit l'énorme pot pour aller le poser dans la salle à manger. Peu après il revint et s'assit sur la table. Il défit sa ceinture et se mit à l'examiner de près.

– Voilà, j'ai sous les yeux une ceinture de sécurité, dit-il, et je joue le type qui n'y comprend rien. Quel est mon problème? Regarde... Il enroula la ceinture autour de sa taille et enfila le bout dans la boucle. C'est aussi bête que ça: tu insères l'extrémité et ça s'emboîte. Je ne vois pas comment ça peut mal se passer. Alors comment je fais pour jouer un type qui n'est pas foutu de piger ça? Je me demande pourquoi ils projettent des démonstrations de sécurité dans les avions.

– Si je prenais l'avion je pourrais te répondre. C'est pour quelle compagnie aérienne cette vidéo? Air Naze?

– Arrête, je sais. Sauf que la compagnie aérienne ne veut pas que le gars ait l'air débile. Je suis censé jouer le client lambda. Crétin, mais sans en avoir l'air. Avoir l'air débile, ça va. C'est facile. Mais ça, cette histoire de ceinture, c'est plus difficile que Shakespeare. Tout le monde sait que c'est pour ce genre de rôle que les acteurs reçoivent des oscars, pour le rôle, justement, du pauvre type qui n'arrive pas à boucler sa ceinture.

– Tu crois vraiment que les gens que tu vois sur les démos reçoivent des oscars ?

– En tout cas, ils devraient. L'angoisse ! Je sens que ça va être pire que le « jour de la chaussette ».

Le « jour de la chaussette » était une journée traumatisante que Spencer avait vécue quatre semaines plus tôt, mais il ne s'en était toujours pas remis. Le soir de la première d'*Hamlet*, un directeur de casting était venu voir la pièce. Impressionné par les cascades de Spencer, il lui avait proposé de passer une audition pour une publicité de machine à laver dans laquelle il devait jouer le rôle d'une chaussette coincée dans un faux sèche-linge gigantesque. Spencer avait passé plus de huit heures dans le sèche-linge à obéir à toutes sortes d'instructions jusqu'à ce qu'il se retrouve face à face avec un second acteur. La pilule avait été d'autant plus difficile à avaler que c'était l'autre type qui avait décroché le rôle. La seule chose qu'il y avait gagnée, c'était une migraine durant presque deux jours.

Aux yeux de Spencer, le « jour de la chaussette » était devenu le symbole de la malédiction qui semblait peser sur sa carrière d'acteur. Et qui jetait un voile noir sur son moral, qu'il avait en général très bon. Depuis le « jour de la chaussette », pas une semaine ne passait sans qu'il soit convoqué à deux ou trois auditions. Il avait la cote auprès des directeurs de casting. On n'arrêtait pas de le solliciter. Mais, au dernier moment, c'était toujours un autre qui décrochait le rôle. Il n'en pouvait plus.

– C'est peut-être parce que tu n'as jamais pris

l'avion ? suggéra Scarlett en tâchant d'avoir l'air positive.

– Si, je l'ai pris deux fois et je n'ai jamais eu de problème avec la ceinture de sécurité. Personne n'a jamais de problème avec une ceinture de sécurité, nom de Dieu ! Ça s'attache presque automatiquement.

Il s'affaissa légèrement et passa la main dans ses cheveux sombres. Scarlett remarqua alors sa cravate noire.

– Ta cravate, dit-elle. Et si elle se prenait dans la ceinture ? Ce serait pour ça que tu n'arriverais pas à la boucler !

Spencer se redressa et défit sur-le-champ sa cravate.

– O.K., répondit-il en la faisant pendouiller. Je me penche un peu en avant, comme ça, j'essaie de boucler cette maudite ceinture...

Il s'exécuta de façon que le bout de sa cravate frôle la boucle imaginaire...

– ... et mince ! Je n'arrive plus à la boucler !

Là-dessus, il se lança dans une imitation plutôt convaincante du pauvre type qui manque de s'étouffer à cause de sa cravate prise dans la boucle de sa ceinture, et finit presque étranglé au sol.

– Tu trouves ça comment ? demanda-t-il en rouvrant les yeux après avoir fait le mort. C'est juste un début. Il faut que je travaille un peu le numéro.

– J'aime bien.

Il se leva, remit sa chemise et sa cravate en place et alla ouvrir le volet en accordéon de l'une des grandes fenêtres de la cuisine pour observer le jour qui se levait. Le soleil n'avait pas encore fait son apparition. Le ciel était gris-mauve et l'on sentait déjà la chaleur moite.

Spencer observa le petit espace qui séparait l'hôtel de l'immeuble situé derrière : un petit carré bétonné avec une table et deux ou trois chaises que personne n'utilisait jamais. Il poussa un long soupir.

– Qu'est-ce qu'il y a ? demanda Scarlett.

Il referma le volet-accordéon.

– Rien. Faut que j'y aille. Tu m'accompagnes ?

Le vélo de Spencer était dans un état encore pire que d'habitude. Depuis qu'il était au lycée, Spencer circulait sur un vieux biclou qui s'était peu à peu métamorphosé en un monument de ruban adhésif, mais désormais c'était un des guidons qui, telle une corne de taureau, était complètement tordu en l'air.

– Tu as eu un accrochage ? l'interrogea sa sœur.

– Oui et non. C'est ma petite surprise d'hier. Je suis allé chercher des tirages de photos de ma pomme, et quand je suis sorti de la boutique, je l'ai retrouvé dans cet état. Le cadre est complètement déformé. Je pense qu'il a été cogné par une voiture. On ne peut pas dire que j'aie du pot ces jours-ci.

Il attacha la chaîne antivol de son vélo autour de sa taille et s'accroupit pour soulever l'engin et l'examiner d'en dessous : c'était clair, il était complètement tordu. Il se redressa et avança en poussant son vélo de la main, mais celui-ci n'arrêtait pas de dévier du côté de Scarlett et il était obligé de le retenir.

– Tu crois que tu vas pouvoir remonter dessus ? demanda Scarlett.

– Je n'ai pas le choix. Ça va à peu près, sauf qu'il a tendance à aller vers la gauche. Il suffit que je force un peu vers la droite pour compenser.

– Tu ne crois pas que c'est dangereux? Avec un vélo dans cet état, tu as au moins une douzaine de façons de mourir.

Spencer s'arrêta et la regarda comme si elle était géniale.

– Une douzaine de façons de mourir... Ça y est, j'ai trouvé!

– Quoi?

– Le passager de l'avion, je vais te l'étrangler d'une douzaine de façons différentes en imaginant les pires scénarios. Par exemple le masque à oxygène tombe et il s'étrangle avec le cordon. Pareil avec le gilet de sauvetage gonflable. Tu vas voir, je vais en faire le passager le plus débile de tous les temps. Tu es trop forte, ma petite sœur!

Là-dessus, il lança un «Salut!» à tue-tête et fonça au milieu de la circulation.

Un rayon de soleil aveuglant apparut entre deux immeubles à l'est. Scarlett sortit son portable de son short de pyjama. L'écran était vide et triste à pleurer. Il indiquait l'heure, l'état de la batterie, celui du réseau... mais à part ça, rien.

Elle s'assit sur les marches de l'hôtel et observa Mrs Foo, la voisine, qui ouvrait le rideau de fer de sa blanchisserie. Toutes deux se saluèrent, mais Scarlett se sentait lasse, tellement lasse, quoique, quand même... il y avait ce petit quelque chose de revigorant lié au lever du jour. Et si... Et si... c'était l'occasion de tourner la page? L'aube d'un nouveau départ? Le lycée reprenait dans moins d'une semaine. La pièce venait de finir. Dans quelques heures elle avait rendez-vous avec sa bande de copains pour la première fois depuis le début des vacances d'été.

C'était l'occasion ou jamais: partir sur de nouvelles bases, abandonner Eric, penser à la prochaine étape. Elle sentit un frisson d'excitation, un mélange d'épuisement et d'enthousiasme, et entendit une petite voix lui dire qu'elle avait raison. Telle était la bonne voie.

Elle reprit son portable. Cette fois-ci, elle s'autorisa à faire apparaître les photos d'Eric. Elle vit la touche «effacer tout». Il suffisait qu'elle appuie. Ce serait le meilleur moyen de commencer.

Son doigt hésita, frôla la touche comme pour la taquiner, sur le point de... Non, elle n'appuya pas.

Elle décida de faire tout le contraire. De visionner chaque photo et de les effacer une par une à la main. Ça aurait un petit côté rituel de purification. Elle s'y mettrait d'ailleurs tout de suite, effaçant consciencieusement les cent cinquante-quatre photos là, en pyjama, sur les marches de l'hôtel familial, sous les premiers rayons du soleil, au vu et au su de tous les passants et de Mrs Foo.

Photo n° 1: prise très tôt, peu après leur rencontre. Eric s'achète un sandwich et n'a pas remarqué qu'elle le prend en photo. Quasi historique. Celle-là, pour l'instant elle la gardait, elle y reviendrait plus tard.

Photo n° 2: prise au cours d'une des premières répétitions. Pareil. Elle y reviendrait. Il valait mieux qu'elle commence au milieu. Retour au menu principal. On défile, on défile...

Photo n° 39: Eric dans le théâtre. Typique. Un peu floue. Effaçable. Elle prit une longue respiration, serra son poing gauche et appuya sur «corbeille». La photo disparut.

En était-elle sûre ? Et si son portable sauvegardait les photos jetées dans la corbeille ? Elle revint au menu pour voir. Non, pas de sauvegarde. La photo avait bel et bien disparu. Il n'en restait plus que cent cinquante-trois.

Scarlett réussit à se débarrasser de vingt-trois images avant d'être emportée par une seconde vague de fatigue, pire que la première. Elle remonta dans sa chambre en traînant les pieds. Sa sœur, Lola, était déjà réveillée, et sous la douche. Scarlettt s'écroula sur son lit en écoutant le bruit de l'eau qui s'écoulait dans la salle de bains voisine.

Il était six heures et demie du matin et elle mourait de sommeil. Avant de s'abandonner complètement, elle se dit tout haut : « Cette fois-ci, je tourne la page. »

Douloureux souvenirs

Scarlett se réveilla après quelques heures de sommeil agité, prête à réattaquer la journée. Elle fila prendre une douche. La tuyauterie de l'hôtel Hopewell mettait toujours un certain temps à réagir aux indications de température qu'on lui donnait, la double option par défaut étant « mourir par la glace ou par le feu ». Mais ce matin, ce n'était pas le problème de Scarlett. Elle prendrait ce qui viendrait, or ce qui vint était froid. Elle serra les dents au moment de passer le pommeau dans son dos. Elle prit son shampoing, à deux doigts d'entonner « I'm Gonna Wash That Man Right Outta My Hair* », le tube de la comédie musicale *South Pacific*, dans laquelle son frère avait joué au lycée. Elle s'arrêta juste à temps. Nouveau départ ou non, il y avait une ligne à ne pas franchir, et cette ligne était justement ça : fredonner des airs de comédie musicale toute seule pour se motiver.

---

* « Je vais me laver les cheveux pour me débarrasser de ce mec. » (N.d.T.)

Peu après elle descendit au rez-de-chaussée. L'entrée était vide. L'hôtel Hopewell avait encore quelques clients, mais leur nombre diminuait dangereusement depuis la fin du spectacle, les gens n'étant plus attirés par l'idée de découvrir un hôtel-théâtre. Les portes de la salle à manger étaient grandes ouvertes. Elle aperçut son père debout sur une échelle au milieu du plateau, en train de décrocher le fil électrique et la bannière argentée suspendue au lustre qui fatiguait.

– Je sors, j'ai rendez-vous avec Dakota, lança-t-elle.

– Attends, tu peux venir deux secondes ?

À le voir ainsi, sur le plateau, quiconque aurait pris son père pour un des membres de la troupe de théâtre. Il avait une bonne quarantaine d'années, mais il faisait beaucoup plus jeune que son âge. Du reste, il n'avait pas changé depuis l'époque où il était étudiant : il avait les mêmes cheveux blonds et filasse, et portait toujours de vieilles frusques vaguement hippies qu'il dénichait dans des friperies. Et plus Spencer grandissait, plus le père et le fils ressemblaient à deux frères. Scarlett trouvait le phénomène fascinant mais, curieusement, perturbant. Son père avait rarement – voire jamais – l'allure d'un propriétaire d'hôtel. Cela dit, elle ne lui en voulait pas. Tout le monde n'est pas né pour gérer un hôtel au cœur de New York. Ce métier lui était tombé dessus. Au début, il avait essayé de faire autre chose, car il venait de finir ses études. Puis il avait épousé l'amour de sa vie, très jeune, et avait eu quatre enfants, dont l'un avait eu un cancer. Alors, à partir de là, qu'il aime ça ou non, qu'il soit professionnel ou non, l'hôtel était devenu toute sa vie.

– Tu sais qu'on dîne tous à l'extérieur ce soir? annonça-t-il à sa fille en lâchant la bannière, qui glissa au sol. Vous, les enfants, vous allez chez Lupe's.

– Lupe's? répéta Scarlett, ravie d'entendre le nom de son restaurant mexicain préféré.

– C'est Lola qui a tout organisé. Vous y allez tous les quatre; pendant ce temps-là, j'invite ta mère de mon côté. Pour fêter la rentrée des classes et le retour de Marlène. Alors, tâche de rentrer vers dix-sept heures!

Fêter le retour de Marlène... Depuis que sa petite sœur avait eu son cancer, tous les étés pendant dix jours – merveilleux –, Marlène partait avec un groupe de soutien destiné aux enfants ayant survécu à une maladie grave. Ils allaient barboter dans un lac et manger des marshmallows dans la région des Catskills. C'était le seul moment de l'année où le calme régnait au quatrième étage de l'hôtel.

Son père descendit de l'échelle et examina le lustre, toujours de traviole, alors qu'il venait de retirer le fil qui le faisait pencher.

– Tu crois qu'il a toujours penché comme ça? demanda-t-il.

– Plus ou moins, mais c'est vrai que c'est pire.

Son père émit un vague «Mmmm», puis changea de sujet.

– Je voulais te dire une chose, Scarlett, commença-t-il en frottant ses mains pleines de poussière sur son pantalon. Ta mère et moi, on se disait que... puisque Mrs Amberson est partie et que tu reprends bientôt le lycée..., tu as assez à faire comme ça. Ce n'est plus la peine que tu t'occupes du ménage de la suite Empire, ni d'aucune des chambres de l'hôtel.

– C'est vrai ?

– Oui, oui, surtout que cette année Lola travaillera presque à temps complet à l'hôtel et que Spencer nous aide déjà beaucoup. Je ne pense pas qu'on aura autant de clients que l'année dernière.

Son père présentait ça comme si c'était un avantage permettant à chacun de gagner un peu de temps libre.

– En plus tu as déjà ce petit boulot d'assistante de Mrs Amberson, ajouta-t-il. Comment cela se passe-t-il d'ailleurs ?

– Ça va. On s'est organisées. Je pense que ça me prendra deux ou trois après-midi par semaine, plus quelques heures par-ci par-là. C'est pas mal.

– Mais tu en as vraiment envie ? Je sais que tu veux faire des économies pour tes études à l'université, mais il ne faut pas que ce soit un poids.

Le fait est qu'elle faisait des économies pour ses futures études. Elle avait même un compte en banque à son nom qui augmentait lentement mais sûrement.

– Si tu veux, tu peux arrêter. Surtout si tu sens que c'est trop pour toi. La pièce vient de finir. Ne te crois pas obligée de...

– Non, mais ça va, je n'ai pas envie d'abandonner, je... je l'aime bien, ce petit boulot.

Paf ! Un bout de verre tomba du lustre et atterrit sur la bannière, comme une dent sale qui aurait rendu l'âme, ou un point terminant une phrase. C'est ainsi que la conversation prit fin.

En cours de biologie première année, Scarlett avait appris que le carbone était le ciment de la vie. Certes.

Mais son professeur avait oublié d'ajouter un second élément, qui avait pour nom « argent ». Car l'argent détermine tout. Quelques exemples. L'argent permet de rester en bonne santé – une leçon que toute la famille avait comprise quand les factures du traitement de Marlène avaient commencé à tomber, personne n'étant évidemment censé y faire la moindre allusion. L'argent permet de poursuivre des études. L'argent permet de traverser New York et de sortir le week-end. Enfin, l'argent permet de partir pendant les vacances d'été, ce qui était le cas de la plupart des amis de Scarlett.

Car l'été à New York était particulièrement chaud et pénible, mais dès que l'on sortait de la ville, mille possibilités s'offraient à vous. À condition d'avoir de l'argent. Son amie Dakota, par exemple, revenait de France, où elle avait suivi un stage de français intensif. C'est elle qui avait organisé un pique-nique à Central Park pour fêter le retour de toute leur petite bande. Scarlett était la seule à ne pas avoir quitté New York, parce qu'elle était, de loin, la plus fauchée.

Pas une seconde elle n'en voulait à ses amis d'avoir plus de moyens. Mais de temps en temps..., oui, de temps en temps, il faut bien avouer qu'être obligée de mener un train de vie légèrement inférieur à celui de ses amis lui coûtait. Son père pouvait dire ce qu'il voulait, avoir un petit boulot n'était pas négligeable. Le jour où elle irait à la fac, à supposer que ses parents puissent lui offrir des études, le moindre centime qu'elle avait sur son compte en banque lui serait utile. Tant mieux pour ses copains s'ils pouvaient choisir la façon d'occuper leur temps libre. S'ils pouvaient chercher à « se bonifier ». Elle, elle prenait ce qu'on lui proposait.

Le temps d'arriver à Central Park, Scarlett avait le moral dans les chaussettes. D'accord, sa vie n'était pas celle d'un personnage de Dickens (ramoner les cheminées, manger de la soupe de têtes de poissons et de vieux lacets, être vendu à un forgeron du quartier en échange de trois ou quatre poules et une douzaine de savonnettes), mais quand même, sa situation n'était pas très brillante. Ajouter à ça le fait qu'Eric l'avait abandonnée, et il ne lui restait plus qu'à se flinguer.

Heureusement, l'humeur sombre de Scarlett était aux antipodes des réjouissances qui l'attendaient. Elle reconnut bientôt plusieurs de ses amis installés sur un tapis de couvertures et de serviettes de plage. Dakota avait apporté un vrai panier de pique-nique, avec des assiettes en faïence vert et blanc avec des couverts fixés sur le côté, et un tas de petits gâteaux et de minisandwichs préparés par elle-même – Scarlett en était sûre. Elle avait dû cuisiner jusqu'à trois ou quatre heures du matin et se lever tôt pour tout emballer. C'était Dakota tout craché. Une fille bien, une amie dévouée qui pouvait consacrer des heures à œuvrer pour les autres plutôt que de traîner sur un plateau de scène vide à regarder des photos en se comparant à Hamlet.

Scarlett sentit un subtil changement de vitesse en elle, passant d'une certaine complaisance à un sentiment de culpabilité. Qu'est-ce qui l'avait empêchée d'aller chez Dakota la veille pour l'aider à préparer le pique-nique ? Hélas ! quand on a une fixette, elle vous dévore tout votre temps et votre énergie.

Dakota portait ce matin une petite robe bleue toute simple, et elle avait relevé ses cheveux noirs en deux espèces de macarons au-dessus des oreilles. Le fait est qu'elle s'habillait souvent comme une fillette de quatre ans, malgré sa silhouette de grande perche, mais la plupart du temps ça lui allait pas mal.

Scarlett reconnut à côté d'elle Chloé et Josh. Chloé était le genre de fille sympa à qui l'on ne pouvait jamais en vouloir, même quand elle portait un short au ras des fesses, qui mettait en valeur ses belles jambes de joueuse de tennis, ou quand elle souriait en dévoilant ses dents impeccables, blanchies au laser, ou encore quand elle fronçait son petit nez refait. Au fond, Chloé était beaucoup plus sérieuse que ça : elle avait la bosse des maths et c'était une vraie bûcheuse. Quant à Josh, le meilleur ami garçon de Scarlett, c'était un petit rouquin un peu zinzin, typique de Brooklyn. Ses deux parents étaient écrivains et il avait tout lu. Il avait passé l'été en Angleterre, soi-disant pour suivre un cours de littérature. À l'écouter, on avait plutôt l'impression qu'il avait passé l'été à boire de la bière et à courir après la moindre petite Anglaise qui croisait sa route. C'était typique de Josh, mais que faire ? Il était comme il était.

Tout le monde n'était pas arrivé. On attendait encore Mira, sans doute Hunter, et peut-être Tabitha. Il y avait de l'excitation dans l'air car chacun avait plein d'histoires à raconter.

Scarlett s'écroula sur une couverture mais, manque de chance, atterrit sur un bout de branche qui s'enfonça dans le gras de sa cuisse. Aïe ! Elle sursauta. Et voilà, « les coups et les traits de l'outrageuse fortune ». Hamlet ne croyait pas si bien dire !

– Alors ? l'interpella doucement Dakota. La pièce vient de finir. Hier, c'est ça ? Finie de chez finie ?

De toute évidence, Dakota n'avait pas l'intention d'aller droit au but. Scarlett hocha la tête comme si tout allait bien, à part son bobo à la cuisse.

– Super, conclut Dakota. Si je comprends bien, Eric est officiellement parti de l'hôtel, on peut donc faire en sorte qu'il quitte officiellement non seulement ta vie, mais ton esprit. Et commencer dès maintenant.

– J'ai déjà commencé. J'ai effacé plusieurs photos de lui sur mon portable ce matin.

– Non ? Je ne te crois pas.

– Je te promets. Nouveau départ. J'ai décidé de tourner la page.

Honnêtement, Dakota avait toutes les raisons d'avoir des doutes. Car Scarlett inondait ses amis de messages depuis des semaines et des semaines. Elle leur avait raconté à chacun par le menu tous ses échanges (ou, le cas échéant, ses non-échanges) avec Eric. Elle leur avait demandé d'analyser nombre de photos et de messages d'Eric. De décortiquer des gestes dont ils n'avaient même pas été témoins ou des tenues qu'ils n'avaient jamais vues. Elle avait ainsi envoyé des reproductions du moindre mouvement d'Eric aux quatre coins du monde et d'Internet. Et autant de promesses comme quoi elle allait arrêter.

Elle savait donc parfaitement à quoi était lié le regard inquiet de Dakota.

– Aujourd'hui, c'est différent, déclara-t-elle.

– Écoute, répondit Dakota. Il suffit que tu te dises ça : tu as roulé un patin à Eric deux fois. Mais à Josh, tu en as roulé beaucoup plus que deux, non ?

À peine son nom prononcé, Josh jeta un œil paresseux du côté des filles.

– Quoi ?

– Je disais simplement que Scarlett a dû te rouler plus de patins à toi qu'à son cher Eric, ce bouffon.

– Ah, ouais, répondit Josh en fermant les yeux à cause du soleil.

– Sauf que c'est pas pareil. Toutes les filles ont roulé des pelles à Josh.

La réponse de Scarlett n'était pas vraiment injurieuse pour Josh car c'était de notoriété publique. Josh était le copain trop sympa qu'on avait envie d'embrasser, et lui-même ne demandait pas mieux que de laisser les filles s'exercer sur lui pour améliorer leur technique.

– Pas moi, se défendit Dakota.

– C'est quand tu veux, fit Josh en roulant sur le dos.

– J'essaie de mettre les choses en perspective, reprit Dakota. Tu sais que je ne peux pas piffer Eric, et je fais ce que je peux pour te démontrer qu'il ne vaut rien. Genre, tu as passé plus de temps à rouler des pelles à Josh qu'à Eric.

– Ça n'a rien à voir. C'est pas une question de temps.

– Quand est-ce que vous êtes sortis ensemble, toi et Josh, j'ai oublié ? demanda Chloé.

– Pendant les vacances d'hiver. Mais c'était autre chose.

– Oui, on a dû sortir ensemble trois ou quatre fois, précisa Josh.

– D'accord, fit Dakota. Tu vois, Scarlett? Tu n'es pas devenue folle pour autant? Parce que Josh est un type bien, alors qu'Eric est un escroc et un cabot. Il craint. Tout le monde le déteste. Va sur Internet, tu comprendras.

– C'est pas un escroc, se défendit Scarlett.

Le sujet était un champ de mines. Voyant le tour que prenait la conversation, Scarlett leva le pied pour faire baisser la tension, mais Dakota embraya de plus belle.

– Attends, dit-elle, analysons les choses une par une. O.K.? Primo, Eric sort avec toi alors qu'il a une petite copine. Une petite amie depuis deux ans et qui vient de... je ne sais plus où, du même bled que lui. En Caroline du Sud ou...

– Caroline du Nord, corrigea Scarlett qui avait soudain besoin de rigueur. Mais elle, je ne sais pas d'où elle était exactement.

– Pas étonnant. Le type a tout fait pour que tu ne puisses pas le savoir, puisqu'il la trompait. Avec toi. Dakota leva le doigt avant de poursuivre: Et ne me dis pas que le pauvre culpabilisait! Il était soi-disant sur le point de rompre avec elle, mais il attendait de rentrer chez lui. Épargne-moi ça.

– Ouais, renchérit Josh, que le sujet avait l'air d'ennuyer à mourir. Laisse béton.

– Arrêtez, c'est fini, je ne n'y pense plus, se justifia Scarlett, menteuse. Ce n'est pas la peine de...

– Tu veux que je te dise pourquoi j'ai la preuve que tu penses toujours à lui? lança Dakota.

– Humm.

– Parce que j'ai cliqué sur un des liens de la pub que

tu m'as envoyée. Tu te rappelles ? Tu m'as avoué toi-même que tu devais être la seule personne qui regardait encore cette pub. Tu étais même gênée, parce que le compte du nombre d'internautes augmentait à vitesse grand V. Bon, eh bien, le compte en était à 356 il y a deux jours, et ce matin il était à 512.

Scarlett eut une violente bouffée de chaleur. Elle avait commis une des erreurs les plus basiques de la vie, enfreignant malgré elle la règle d'or suivante : ne jamais fournir à quiconque la moindre preuve de sa névrose obsessionnelle.

– Bon, d'accord, disons que je l'ai regardée... un certain nombre de fois. Qu'est-ce qui prouve que c'était moi, du reste ?

– Une publicité pour une pizza ? Tu m'as dit toi-même que tu avais peur qu'Eric remarque que tu étais la seule personne au monde à la regarder.

– Ça existe, les gens qui sont dingues de pizzas. Et puis ça m'arrive de me tromper. Bon, si on arrêtait là ? Il y a une guêpe sur ton verre.

– J'ai une idée, intervint Chloé.

Scarlett avait beau aimer profondément Chloé, c'était un cœur d'artichaut bien connu et une incorrigible allumeuse. À titre d'exemple, elle avait eu quatre « liaisons » au cours de l'été. Pour elle, la durée moyenne de vie d'un couple était d'une semaine. Et encore, si c'était une histoire très sérieuse. Lui demander conseil dans le domaine de la vie sentimentale, c'était un peu comme prendre des leçons de vol avec un pilote kamikaze dont le seul but est d'apprendre à son élève à atterrir tête la première.

– Si tu l'appelais ? suggéra-t-elle. Pourquoi tu n'irais pas le voir ? Quelquefois, c'est pas mal de rouler une bonne pelle à quelqu'un pour s'en débarrasser. Moi, je l'ai fait.

– Ne-fais-jamais-ça.

Le conseil était de Dakota, bien sûr.

– Sinon, je suis toujours là, ajouta Josh.

Le problème de Scarlett (le tournant de sa vie ici et maintenant) était en train de devenir un véritable Frisbee verbal chez ses amis, un gadget qu'on se jetait un beau jour d'été parce qu'on n'avait rien de mieux à faire.

– J'ai décidé de tout reprendre à zéro, répéta-t-elle.

Soudain, son portable sonna. L'appareil était posé sur la couverture à côté d'elle. Dakota se précipita dessus pour le lui arracher.

– Qui est-ce ? demanda Scarlett d'une voix anxieuse.

– Il y a écrit « AAA », répondit Dakota. AAA ? L'Association Américaine de l'Automobile ?

Hélas, elle n'était pas la seule à commettre cette erreur. Scarlett avait reçu beaucoup d'appels de chauffeurs égarés ces derniers temps.

– Donne-le-moi, fit Scarlett.

Nouvelle sonnerie.

– Qui est ce AAA ?

– S'il te plaît, passe-moi mon portable.

Nouvelle sonnerie.

– C'est pas une réponse.

– C'est ma patronne.

– Oh non, pitié ! s'exclama Dakota en coinçant le téléphone sous sa jambe. Pas elle !

– Tu ne peux pas comprendre. Tu ne l'as jamais vue. Passe-moi le téléphone, il suffit que je lui parle pour qu'elle se calme. Elle a quitté l'hôtel il y a trois jours à peine. Elle n'est pas encore remise de la séparation.

– C'est pas une raison pour appeler toutes les dix minutes et donner des ordres à la noix pendant que madame se fait épiler ses grosses fesses.

– Merci pour l'image, très élégante. Pourquoi pas, remarque, à supposer qu'elle ait du poil aux fesses. Ce qui n'est sûrement pas... Merci. Maintenant je ne peux pas m'empêcher de l'imaginer... La prochaine fois, rappelle-moi de te rendre la pareille.

– Je rêve ! Je pars un été, je reviens et tu m'as remplacée par une bande de fous pas possible. C'est la dernière fois que je m'en vais.

Le téléphone retentit à nouveau. Chaque sonnerie était une torture pour Scarlett. Mrs Amberson n'avait pourtant pas de sonnerie particulière, mais Scarlett la reconnaissait. Ses appels avaient toujours quelque chose d'urgent et d'acharné.

– S'il te plaît. Elle n'abandonnera pas tant qu'elle ne m'aura pas eue.

Dring.

– O.K., je te le rends à condition que tu répondes qu'aujourd'hui tu restes avec nous. On a décidé de te chouchouter toute la journée pour t'aider à te remettre de ton chagrin d'amour. Voilà le programme.

Dring.

– D'accord, j'ai compris ! s'exclama Scarlett, exaspérée.

À peine le téléphone atterrit-il entre ses mains, la

sonnerie cessa. Elle l'observa, bouche bée. Et si elle laissait filer ?

– Ne rappelle pas, reprit Dakota.

– Tu ne peux pas comprendre. Elle n'abandonnera jamais.

Quand, soudain, nouvelle sonnerie, comme pour prouver qu'elle avait raison. Scarlett répondit sur-le-champ, prête à dire qu'elle était prise. Sauf qu'elle n'eut pas le temps d'en placer une.

– Où es-tu ? aboya Mrs Amberson. Je monte dans un taxi et je passe te prendre.

– Quoi ?

– Je sais que c'est ton jour de repos mais j'ai une urgence. L'adresse, vite, O'Hara !

– Je suis dans Central Park, répondit Scarlett en baissant la voix, tandis que Dakota la regardait d'un air soupçonneux.

– Quelle est la rue la plus proche ?

– Je ne sais pas. Je dirais... la Soixante-septième ? Côté ouest ?

– J'y suis dans trois minutes.

Scarlett ferma son portable et se tourna vers ses amis. Dakota la fusilla du regard.

– Je n'avais pas le choix, se défendit Scarlett. Elle m'appelait d'un taxi.

– On ne peut pas dire que tu lui aies beaucoup résisté.

– Difficile de résister quand c'est ta patronne, intervint Josh.

– Sauf que sa patronne est dingue ! répliqua Dakota. Tout le monde a droit à des jours de congé. Les cours reprennent dans deux jours. C'est tout ce qui nous reste pour glandouiller tranquillement ensemble!

Scarlett jugea inutile d'insister. Comment expliquer que tel était son destin ? Son « outrageuse fortune » ? Hamlet avait raison, au fond.

Un déjeuner de nuls

Mrs Amy Amberson n'était restée à l'hôtel que quelques semaines, mais son séjour avait été le plus long que l'hôtel Hopewell eût connu. Scarlett avait l'impression de la connaître depuis toujours: son corps de danseuse professionnelle entretenu par le yoga, ses histoires de boîtes de nuit et d'années punk à New York, sa passion pour le thé... Mrs Amberson avait une personnalité telle qu'il était difficile d'entrer dans son monde sans oublier le sien. Ou sans oublier qu'il existait des mondes où elle n'avait pas sa place. Elle avait donc passé dix semaines d'été dans la suite Empire, et, dès son arrivée, elle avait fait de Scarlett son esclave (pas vraiment une esclave puisqu'elle payait bien, mais quand même).

Peu à peu Scarlett en était venue à penser que Mrs Amberson était destinée à vivre avec eux pour toujours, jusqu'au jour où, une semaine plus tôt, elle avait annoncé qu'elle avait accumulé trop d'affaires dans sa chambre et qu'il était temps qu'elle s'enracine quelque part. Elle avait décidé de reprendre l'appartement d'une amie qui s'en allait de New York.

Cela faisait maintenant trois jours qu'elle était partie de l'hôtel. Hélas, elle était loin d'avoir quitté la vie de Scarlett. De ce point de vue-là, elle était un peu comme le paludisme : une fois qu'on l'a eu, on ne s'en débarrasse jamais totalement.

Scarlett était debout au coin de la Soixante-septième Rue et de Central Park West, quand soudain le taxi déboula. Mrs Amberson étira sa longue silhouette à travers la banquette en hurlant : « Monte ! » Et Scarlett monta.

Mrs Amberson portait une robe noire moulante qui mettait en valeur le moindre centimètre de son corps tonique et de ses bras au galbe idéal. Quel âge avait-elle ? Mystère... Sans doute la cinquantaine passée. À force de se nourrir d'algues et de riz complet, et de faire deux heures de gymnastique par jour pour entretenir son corps, elle semblait défier le temps et il était difficile de lui donner un âge. Ce matin, ses cheveux courts, brillants, teints en un léger châtain avec une mèche plus foncée au milieu, étaient coiffés en une brosse impeccable. Elle avait sûrement un rendez-vous professionnel.

Le taxi démarra avec une telle violence que Scarlett se cogna la tête contre le dossier de la banquette. Il fila vers le sud le long de Central Park. Mrs Amberson était d'autant plus agitée qu'elle avait arrêté de fumer peu de temps auparavant, et elle n'arrêtait pas de tripoter le bouton de la fenêtre. À chaque fois que la vitre s'ouvrait, une bouffée d'air brûlant pénétrait dans le taxi.

– Où est-ce qu'on va ? demanda Scarlett en grimaçant à cause de ses boucles qui lui balayaient le visage.

– Au Perestroika. Un nouveau restaurant russe, un endroit fabuleux. Un modèle de rigueur soviétique, avec une pointe tsariste diabolique.

– Et pourquoi ?

– Pour un client, O'Hara, ou plutôt une cliente.

– Deux clients ? Vous croyez qu'on va tenir ?

L'Agence Amy Amberson (qui datait de quatre semaines) n'avait en effet alors qu'un seul client, qui n'était autre que... Spencer. C'était donc l'AAA qui l'avait envoyé à l'audition du « jour de la chaussette », de même qu'à toutes les auditions maudites qu'il passait depuis un mois.

– Chelsea Biggs, répondit Mrs Amberson, l'actrice qui joue l'ingénue dans la comédie musicale *La Jeune Fille en fleur*.

– Ah oui ! j'ai vu la pub à la télé. C'est celle qui chante le tube « Prends-moi » ?

– Oui, c'est elle, Chelsea.

Mrs Amberson sortit de son sac une photo qui devait approcher d'un mètre de largeur sur un mètre de longueur, avec un CV imprimé au verso. La photo était tellement grande que Scarlett devait la retenir pour ne pas qu'elle s'envole à chaque bouffée d'air pénétrant dans la voiture. On y voyait une toute jeune fille, très jolie, au visage parfaitement lisse, dont le moindre trait un peu original avait dû être effacé sur ordinateur pour correspondre au physique moyen idéal : cheveux sages, denture impeccable, fossettes, grands yeux bruns. « Jolie mais ennuyeuse », conclut Scarlett.

Elle retourna la photo pour lire le CV, parfaitement présenté et tapé en petits caractères. L'actrice avait à son actif une liste impressionnante de rôles-titres de comédies musicales qui avaient tourné en province, une douzaine de publicités télévisées, et dix campagnes publicitaires par affichage. Sa formation était époustouflante : onze années de toutes sortes de danses, dix années de chant, huit années de cours de théâtre. Scarlett sentit son ego rapetisser rien qu'en lisant ces quelques lignes.

– Je suis sûre que tu as entendu parler de *La Jeune Fille en fleur*, reprit Mrs Amberson. Il paraît que c'est la comédie musicale la plus catastrophique de ces vingt dernières années. Personne ne pensait qu'elle passerait la première, mais pas du tout, elle a suivi son petit bonhomme de chemin ! Va savoir comment ? Parfois les spectacles les pires ont une espèce de force d'attraction. Personnellement, je pense que la seule qui sauve cette comédie, c'est Chelsea. C'est elle qui tient tout.

Mrs Amberson tapa sur la photo pour souligner son propos avant de reprendre :

– Évidemment, la comédie musicale est trop mauvaise pour qu'elle reste longtemps à l'affiche, mais cette gamine est de la graine de star. D'après mon vieil ami Billy, qui a du nez, elle aurait décroché le rôle du premier coup, presque sans essais, ce qui est sacrément fort, et aujourd'hui elle a besoin d'un agent.

Le Billy auquel Mrs Amberson faisait allusion était Billy Whitehouse, un de ses vieux copains qui était aujourd'hui un des coachs d'acteurs les plus en vue de New York. Il avait consacré un livre aux techniques vocales, et il était très respecté dans le monde de

Broadway. Mrs Amberson comptait essentiellement sur cette vieille amitié avec Billy Whitehouse pour trouver les futurs clients de son agence.

– Le spectacle va tenir deux semaines, voire trois, mais après, les portes de l'enfer s'ouvrent, et il est bon pour les oubliettes. La gamine a besoin de travailler. Donc d'avoir un grand agent. Et Billy lui a chanté les louanges de l'Agence Amy Amberson.

– Pourquoi aviez-vous besoin que je vous accompagne ?

– Parce que Chelsea a quinze ans. Comme toi ! Vous serez sur la même longueur d'onde.

– Sauf qu'elle a joué à Broadway, rien à voir avec moi.

– Bien sûr que si, O'Hara ! Ah... on est arrivées. Tiens, les voilà.

Mrs Amberson indiqua deux femmes qui portaient des lunettes noires et marchaient sur le trottoir de la Cinquante-troisième Rue.

– Faites le tour du pâté de maisons, je vous prie, dit-elle au chauffeur en frappant sur la vitre de protection.

Le chauffeur haussa les épaules et continua en passant devant le restaurant.

– Mais qu'est-ce qu'il fiche ? lança Scarlett.

– Tu ne voudrais pas qu'elles pensent que c'est notre seul rendez-vous de la journée ? Tu n'as rien appris depuis le temps que tu travailles pour moi ? Il ne faut jamais laisser croire qu'on n'a rien de mieux à faire. Au contraire, on a eu une matinée ultrachargée, avec plusieurs rendez-vous derrière nous. Le temps de faire le tour du pâté de maisons et on arrivera deux ou trois minutes après elles. Juste ce qu'il faut pour avoir l'air pros sans les faire attendre trop longtemps.

Peu après elles sortaient du taxi, et Mrs Amberson fit comme si elle était essoufflée.

– Chelsea ! Miranda ! Enfin je vous retrouve, vous n'imaginez pas la matinée de folie qu'on a eue ! J'en profite pour vous présenter Scarlett, mon bras droit.

Chelsea Biggs ne portait pas une once de maquillage. Elle avait une peau très pâle, mais légèrement rosée, sans doute grâce à une bonne dose d'exercices destinés aux muscles faciaux. Elle était vêtue d'une robe d'été rouge avec un motif un peu agressif de cercles qui se chevauchaient les uns les autres. Sa mère portait une robe presque identique, mais d'un rouge uni.

– Je me disais qu'un déjeuner russe serait une bonne idée, lança Mrs Amberson en entraînant tout le monde dans le restaurant. Après tout, les Russes étaient des maîtres de l'art de la scène. Au fait, j'aime beaucoup ta robe, Chelsea, j'aime bien ce motif audacieux. Allez, on y va...

Le restaurant ressemblait à un bunker avec des poutres métalliques apparentes. Les murs étaient couverts de peintures au réalisme soviétique peu discret : d'immenses tableaux sur lesquels de vaillants prolétaires brandissaient le poing sur fond de tracteurs et de machines à coudre. Pour faire bonne mesure, les chaises du restaurant étaient énormes, mais heureusement rembourrées.

La petite troupe fut installée autour d'une grande table située près de la fenêtre : Mrs Amberson et Scarlett d'un côté, Chelsea et sa mère de l'autre. Le menu était écrit sur une seule face d'un grand morceau de carton rigide.

Mrs Biggs regardait le sien d'un air à la fois intrigué et dégoûté, comme si elle avait sous les yeux la photo de la scène d'un crime.

– Russe ? lâcha-t-elle. Mais ni ma fille ni moi ne mangeons russe.

– Justement, répondit Mrs Amberson, il faut toujours une première fois. Il y a tant de choses dans la vie qu'on ne penserait jamais essayer. Personnellement je me suis fixé comme but d'en rater le moins possible.

La jeune Chelsea était assise droite comme un I sur sa chaise et parcourait le menu avec un parfait sourire. Scarlett avait l'impression qu'elle avait été programmée pour sourire en permanence, quelle que soit la situation, même quand rien ne le justifiait, dans le noir, par exemple, alors qu'elle n'aurait personne en face. Quant à sa mère, elle examinait le menu avec un regard toujours aussi chargé de méfiance.

– Tu pourrais peut-être prendre le saumon fumé sans le chèvre ? suggéra-t-elle à sa fille. Je ne sais pas s'ils accepteraient de faire l'omelette avec les blancs mais sans les jaunes ? J'avoue que je ne connais pas tous ces plats... À moins que tu ne prennes le hors-d'œuvre à base de veau. Tu crois que les portions sont assez petites ?

Mrs Amberson, qui observait la mère et la fille avec un rictus imperturbable, parut enchantée par la question de Mrs Biggs.

– Je suis sûre que les portions sont correctes, dit-elle.

– Correctes ? Moins de cinq cents calories, j'espère ?

Ils ne sont pas censés indiquer le nombre de calories à côté de chaque plat ?

– Dans les restaurants qui appartiennent à des chaînes, oui. Pas dans un lieu comme celui-ci.

Mrs Biggs ne semblait pas convaincue.

– Chelsea suit un régime qui lui interdit de dépasser mille cinq cents calories par jour ; or elle a déjà... Combien en as-tu déjà consommées, ma chérie ?

– Quatre cent soixante-quinze.

– Quatre cent soixante-quinze ? Mais qu'est-ce que tu as mangé ce matin ?

– J'ai pris un *smoothie* protéiné avant d'aller au lycée. Je mourais de faim après la séance de gym.

– Pourquoi n'as-tu pas pris une barre protéinée ? Ça vaut à peine deux cents calories.

– Parce que j'avais une faim de loup. J'ai eu droit à vingt minutes supplémentaires de lever de poids. Je te promets que ça compense.

– Tu peux me promettre ce que tu veux, ça ne fera rien contre les kilos que tu auras pris.

L'échange avait fusé, telle une rafale de mitraillette. Une rafale froide, dépourvue de la moindre colère. Scarlett était tellement choquée qu'elle se concentra sur son menu, jusqu'au moment où elle tomba sur la description des blinis à la crème. Miam miam, trop bon, c'est ça qu'elle voulait..., non seulement parce qu'elle en avait envie, mais parce qu'elle imaginait déjà le regard noir de Mrs Biggs. Car désormais elles étaient ennemies.

Peu après un serveur passa avec une corbeille de petits pains tous plus appétissants les uns que les autres. Scarlett, qui mourait de faim, se pencha pour voir celui qui avait l'air le meilleur, mais Mrs Biggs secouait la tête en signe de désapprobation.

– Non merci, dit-elle. Pas de pain à cette table.

– Ça fait un an et demi que je n'ai pas mangé un morceau de pain, se défendit Chelsea, comme si c'était une prouesse aux yeux du monde entier.

Suivirent alors dix minutes de discussion et de débat autour des plats à choisir. Scarlett avait des gargouillis dans le ventre. Depuis qu'elle avait vu la corbeille, elle n'avait plus qu'une envie: du pain! Elle rêvait de croquer dans une sublime tranche de pain noir qu'elle avait repérée. Rien que de l'imaginer avec du bon beurre salé, elle en avait l'eau à la bouche. S'il fallait qu'elle chasse Eric de son esprit, elle aurait sûrement besoin de compenser par la nourriture.

– Si je puis me permettre, intervint enfin Mrs Amberson, je suis extrêmement sensible aux contraintes d'ordre diététique. C'est pourquoi je vous propose de commander du poisson mariné et des protéines maigres avec un minimum de traces de produits laitiers et de féculents. Alors, Chelsea, un peu de caviar, ça te dirait?

– C'est des œufs de poisson, expliqua sa mère en frémissant. Allez, d'accord pour le poisson mariné. Au moins il n'est pas cuit. Donc sans huile.

Monsieur Pain passa juste à ce moment-là derrière Scarlett: hop! elle tendit le bras et attrapa une belle tranche de pain noir. Ravi de son succès, le serveur déposa sous son nez une coupelle de noisettes de beurre soigneusement modelées, dont chacune portait l'empreinte du marteau et de la faucille soviétiques. Chelsea avait les yeux rivés sur le beurre, sans doute à cause de cet improbable emblème, ou tout simplement parce qu'elle n'avait pas vu de beurre depuis un certain temps. Son regard trahissait un manque profond et elle semblait à l'agonie. Chacun commanda son plat, et Chelsea se redressa, droite comme un I, avec son petit air enjoué.

– Je ne vous cache pas que nous sommes en train de consulter plusieurs agents, reprit Mrs Biggs. J'ai pris des rendez-vous avec la plupart des grandes agences, mais Billy Whitehouse a beaucoup insisté pour que je vous rencontre.

– J'ai lu tous ses livres, ajouta Chelsea. Il est génial.

– Vraiment ? répondit Mrs Amberson en souriant. Billy est un vieil ami. On s'est rencontrés il y a un bail. À l'époque, je faisais des performances et il était en train de mettre au point sa méthode. Honnêtement, je pense que j'ai joué un rôle non négligeable dans sa carrière professionnelle.

Mais Scarlett savait que le rôle de Mrs Amberson dans la vie de Billy se limitait à l'avoir invité à dormir sur son canapé pendant quelques semaines vingt-cinq ans plus tôt. Mrs Amberson ne ratait pas une occasion de lâcher son nom dans la conversation, et chaque fois elle faisait son petit effet.

– Billy Whitehouse a vu Chelsea sur scène et il est allé lui parler dans les coulisses après le spectacle, reprit Mrs Biggs. Il lui a dit qu'elle avait un talent vocal exceptionnel. Ce en quoi il a raison.

– Mon point fort, c'est ma voix, renchérit Chelsea. Mais je travaille pour que mes talents de danseuse soient au même niveau.

– Danse contemporaine surtout, précisa sa mère, mais elle suit aussi des cours de classique, une fois par semaine, pour le maintien. Et des cours particuliers une fois par semaine pour travailler son endurance.

– Impressionnant, fit Mrs Amberson d'un ton un peu sec.

Elle but une gorgée d'eau en dévisageant Mrs Biggs au-dessus de son verre.

– Dites-moi, reprit-elle, comment est-ce que votre fille arrive à faire tout ça ?

– Chelsea est élève de l'École du spectacle. Plus précisément, elle commence la semaine prochaine. Les élèves ont un emploi du temps plus souple et adapté pour les... professionnels.

– En fait, j'aurai un emploi du temps très précis, ajouta Chelsea. Trois fois par semaine, je commence par une séance de gym à six heures du matin. Ensuite j'ai cours de huit heures et demie à deux heures, du lundi au vendredi. Sauf le mercredi, où j'arrête à midi, parce qu'à deux heures j'ai ce qu'ils appellent un après-midi de formation.

– Un emploi du temps très souple, renchérit Mrs Biggs. C'est un lycée extraordinaire. J'ai vu la liste des gens avec lesquels le lycée est en lien, et il y a du beau linge, croyez-moi, des stars de la télévision, du théâtre, du cinéma... Je suis tellement contente que Chelsea soit enfin avec des enfants qui sont... comme elle. Elle a toujours été extrêmement déterminée. Elle rêve d'être actrice depuis sa plus tendre enfance. C'est vraiment une idée à elle. Je ne vous cache pas que, si demain elle voulait tout abandonner, j'aurais une crise cardiaque, mais...

Chelsea gloussa légèrement.

– ... oui, si elle voulait tout arrêter..., disons que... on en parlerait ensemble, et si elle insistait, vraiment... oui, enfin, je sais que c'est impossible...

– C'est vrai. C'est toute ma vie.

– Oui, c'est toute sa vie. Et vous aurez compris que nous avons énormément investi pour sa carrière à venir.

– Ça, je n'ai aucun mal à le croire, répondit Mrs Amberson.

Les plats arrivèrent, et il y eut une pause dans la conversation. Chelsea scruta son assiette pour vérifier que personne n'avait subrepticement glissé un morceau de fromage, une petite sucrerie ou de gros bouts de gras sous les fines lamelles rosées du saumon.

– Je comprends que vous soyez attirée par les agences qui ont pignon sur rue, reprit Mrs Amberson. Vous avez besoin de consulter différents types d'interlocuteurs, vraiment, je vous y encourage.

Mrs Biggs était en train d'aider sa fille à explorer son assiette de poisson en soulevant un bout de tranche çà et là avec son couteau. Puis elle fit la moue avec une expression qui signifiait: «Mange ça, si tu y tiens.»

Quant à elle, elle n'avait commandé qu'une tasse de café.

– Évidemment, le problème, poursuivit Mrs Amberson, c'est que ces agences ont beaucoup, beaucoup de clients, et si vous ne faites pas partie des plus importants, elles ont tendance à oublier que vous êtes là. Vous n'imaginez pas les histoires épouvantables que j'ai entendues. Alors qu'une agence à taille humaine, comme la mienne, s'attache à dorloter ses clients et à construire leur carrière. Je travaille, entre autres, avec des gens comme Billy pour aiguiller mes jeunes talents dans la bonne direction...

L'esprit de Scarlett commença à divaguer alors qu'elle mangeait ses blinis à la crème. Peu à peu son cerveau s'échappa pour imaginer un cours à l'université de NYU : Eric était là, dans une grande salle remplie d'artistes en herbe, tout sourires en se présentant devant une ronde de nouvelles têtes. Il y avait sûrement une majorité de filles. De filles ravissantes. De filles comme Chelsea qui ne mangeaient pas un gramme de pain. De filles affamées, folles, canon comme c'est pas permis, des actrices nées qui jetaient un regard rapide sur ce garçon débarquant de sa province, avec son regard franc et son talent naturel... Elles le jaugeaient en un clin d'œil, pensant tout de suite : « Ce type est pour moi. » Elles étaient prêtes à se battre pour l'avoir. Chaque jour, une nouvelle fille se mettait sur son chemin, flattait ses manières élégantes de jeune homme du Sud, proposait d'inventer de longues scènes d'embrassades dans des pièces de théâtre qui n'en exigeaient aucune. Et chaque jour qui passait, Scarlett sombrait un peu plus dans l'oubli, jusqu'à ce qu'elle devienne Scarlett... Comment ? Cette fille, là, qui vivait dans un hôtel ? Qui avait à peine quinze ans, qui n'était pas une vraie actrice et qui mangeait du pain tous les jours ?

– Bien sûr, était en train de dire Mrs Amberson, Scarlett, qui m'accompagne, est mon arme secrète...

Scarlett revint brutalement sur terre.

– ... Elle est élève de ce fabuleux lycée de l'Upper West Side... Comment s'appelle-t-il, déjà ?

– Frances Perkin, répondit Scarlett, encore un peu dans les nuages.

Mrs Biggs se redressa aussitôt sur sa chaise.

– Quelle coïncidence, s'exclama-t-elle. C'est là que j'ai inscrit Max !

– C'est mon frère, précisa Chelsea. On vient de déménager de Binghamton. Du coup, il a changé de lycée.

– C'est un bon lycée, non ? demanda Mrs Biggs. J'ai été tentée par les écoles privées, mais finalement c'est Frances Perkin qui revenait le plus souvent quand je demandais des conseils. Sans compter que les boîtes privées sont extrêmement chères.

Mrs Amberson remplit le verre de Chelsea d'eau gazeuse.

– Quelle coïncidence extraordinaire ! répéta Mrs Biggs. Ça tombe bien pour Max, c'est toujours utile de connaître quelqu'un qui peut vous initier aux ficelles.

– Oh, il se débrouille très bien de ce côté-là, intervint Chelsea. Il est très...

– Très doué, reprit sa mère. Sauf qu'il ne connaît personne dans ce lycée, et parfois il est un peu...

– Fougueux ? dit Mrs Amberson. Comme beaucoup de jeunes hommes doués et intelligents, non ?

Mrs Amberson parla moins fort, passant du ton de la politesse parfaite à celui de la conspiration. Cela fit froid dans le dos à Scarlett. C'était mauvais signe.

– J'ai une idée, reprit Mrs Amberson, une idée qui vient de me traverser l'esprit. Bien sûr, j'ai vu le merveilleux spectacle dans lequel Chelsea joue, mais mon assistante ne l'a pas encore vu. Que diriez-vous si elle y allait avec Max ? Comme ça, il aurait au moins un visage connu pour l'accueillir le jour de la rentrée. Ce serait l'occasion pour Scarlett de lui parler un peu du lycée, de lui donner des conseils...

Scarlett fut un peu interloquée qu'on ne lui demande pas son avis, mais c'est surtout Chelsea qui en prit ombrage. Celle-ci avait beau faire des efforts pour se maîtriser, il lui vint une légère expression de dégoût. Elle reprit aussitôt le contrôle de ses muscles faciaux, mais trop tard. Scarlett avait compris.

Mrs Biggs semblait enthousiasmée par l'idée.

– Je suis sûre qu'on peut facilement leur trouver des places, confirma-t-elle, n'est-ce pas Chelsea ? Il te reste plein d'invitations, non ?

– Oui, répondit Chelsea d'une voix creuse. Quand vous voulez. Demain en matinée, par exemple.

– Formidable ! s'exclama Mrs Amberson. Je suis ravie qu'il existe déjà ce lien entre Max et Scarlett, quelle qu'en soit l'issue professionnelle.

Scarlett faillit la remercier pour ne pas l'avoir laissée en placer une.

– Et si nous commandions une grande crème brûlée avec quatre cuillères ? lança Mrs Amberson. Personne n'est obligé de finir, bien sûr, même si les portions sont assez petites, mais pensez aux protéines... Allez, une petite touche de décadence n'a jamais fait de mal à personne ! J'insiste !

La peste soit des comédiens

– Tu as vu ce bijou? dit Mrs Amberson dans le taxi.

– Ouais, répondit Scarlett. Le diamant Espoir. C'est pas le fameux bijou qui est censé porter malheur? Celui qui est conservé au musée du Smithsonian à Washington?

– Il paraît, oui. C'est ce que dit la légende, amusante, d'ailleurs.

– Vous avez vu son regard noir quand vous lui avez proposé que j'aille la voir sur scène avec son frère?

– Non, ça m'a échappé, répondit Mrs Amberson en fouillant dans son énorme besace pour trouver les bâtonnets à l'huile d'arbre à thé qu'elle mâchouillait pour éviter de fumer. Le problème, c'est pas Chelsea, c'est sa mère. Quelle plaie, celle-là! C'est exactement le genre de parents de jeunes artistes que je redoute. Ça me fait rire, cette façon qu'ils ont de te balancer: «Je vous promets que si ma petite fille chérie n'aimait pas danser, nous abandonnerions tout de suite! Mais vous savez, elle adore se réveiller à l'aube et travailler toute la journée jusqu'à ce qu'elle tombe d'épuisement. C'est elle qui l'a toujours voulu, je ne fais que l'encourager! » Tu parles! La pression des parents est ce qu'il y a de pire. Imagine, si Chelsea arrêtait son spectacle, il y aurait du sang et des larmes, et ce serait la guerre dans la famille, je te le garantis.

– Alors pourquoi est-ce que vous tenez tellement à être son agent?

– Parce que... Mrs Amberson plongea la main dans sa besace... Parce qu'il y a déjà pas mal de rumeurs positives autour de Chelsea. Je suis sûre qu'on pourrait faire quelque chose de cette gamine. Réfléchis un peu, Scarlett. Le succès de Chelsea, c'est ton succès à toi. En plus, un bon agent peut servir de tampon entre elle et sa mère. Je ne sais pas pourquoi, mais j'ai envie de la faire payer, cette Miranda Biggs, cette harpie suceuse de sang. Si je pouvais, je la boufferais toute crue pour mon petit déjeuner.

Mrs Amberson trouva enfin ses bâtonnets à l'huile d'arbre à thé et en fourra aussitôt un dans sa bouche.

– Quelle régression, ces espèces de tétines! dit-elle en se calant dans le fond de la banquette et mâchant consciencieusement.

– Personne ne garantit que Chelsea signera avec nous, répondit Scarlett. On ne peut pas dire que sa mère avait l'air très partante jusqu'à ce que vous évoquiez...

Scarlett prit soudain conscience d'une chose: elle avait été manipulée, tel un pion sur un jeu d'échecs. Elle ne connaissait ni la stratégie globale ni le destin qui l'attendait, mais elle avait soudain l'impression d'avoir été saisie par une immense main qui l'avait déplacée d'une case ou deux.

– Pourquoi faut-il que j'aille voir son spectacle, au fond? demanda-t-elle.

– Tu as une invitation qui t'attend!

– Vous m'avez dit que c'était nul.

– Oui, mais ça dure à peine deux heures.

– D'accord, mais pourquoi?

– Quelle est la première règle de l'agence? La première règle est..., note bien, O'Hara..., toujours commencer par une petite séance d'espionnage.

– Ah bon?

– Tout à fait. C'est exactement ce que j'ai fait. Avant notre déjeuner, j'ai invité un des danseurs de la comédie musicale à prendre un verre sur le toit du Metropolitan Museum pour le faire parler. L'atout le plus sérieux de la famille, c'est Max Biggs. Seize ans, apparemment très doué – la preuve, il a été pris dans ton lycée. Cela dit, il pose quelques problèmes. Il a l'air moins déterminé que sa sœur, mais sa mère est persuadée qu'il a du génie.

– C'est pour ça qu'il faut que j'aille voir une comédie musicale nulle avec lui?

– Je veux que tu en profites pour l'observer, bavarder avec lui. Il faut qu'on donne l'impression d'être présentes partout, toi en particulier, jusqu'à ce que signer avec nous leur semble naturel. Un spectacle de deux heures à peine, O'Hara! Tu adores sortir, non? Ça te coûte tant que ça?

Oui, ça lui coûtait, mais, comme elle était habituée à obéir, elle secoua la tête pour signifier le contraire. Lamentable, franchement...

Le taxi approchait de l'immeuble où venait d'emménager Mrs Amberson, sur la Cinquième Avenue, du côté est de Central Park. Ce n'était pas très loin de l'hôtel Hopewell, au plus à cinq ou dix minutes à pied, mais Scarlett avait l'impression d'être dans un autre monde, car c'était un quartier extrêmement huppé, plein d'ambassades et de musées. L'immeuble avait pour pelouse l'immense étendue vert émeraude de Central Park, et le bâtiment était tout à fait à la hauteur du quartier : vingt étages, une façade blanc craie très élégante, et un long auvent vert qui couvrait presque toute la largeur du trottoir pour protéger les habitants de la pluie, de la neige et du soleil.

– Rends-moi un service, s'il te plaît, O'Hara. Cours jusqu'à la boutique diététique et rachète-moi un peu de ça, reprit Mrs Amberson en secouant sa boîte de bâtonnets à l'huile d'arbre à thé. Avec quelques *umeboshi*, je suis à court.

Pauvre Scarlett, elle n'en avait pas fini avec Mrs Amberson ! En tout cas, pas tout de suite. Sa patronne avait une descente hallucinante d'*umeboshi* (ces petites prunes japonaises grises et salées qui se vendaient dans des boîtes en plastique). Mais bon, ce n'était pas la mer à boire. Elle fit l'aller-retour en dix minutes à peine.

Le vestibule de l'immeuble de Mrs Amberson était non seulement frais, mais somptueux. Le sol et les murs étaient couverts de marbre, les boîtes à lettres étaient en cuivre, parfaitement astiquées, et de beaux canapés confortables en cuir étaient disposés sur les côtés. Le portier, lui, était un personnage comme Scarlett n'en avait jamais vu. Sa silhouette avait plus ou moins la forme d'une boîte à lettres mais, à supposer qu'on imagine une boîte se libérer pour aller faire un petit tour dans la rue, elle se déplacerait avec beaucoup moins de grâce. L'énergumène en question était en train de vaporiser de l'eau sur l'orchidée posée sur la table basse, il appuyait sur la pompe avec un air revanchard, comme si la plante avait injurié sa maman chérie. La fleur ployait sous ses attaques répétées.

Il prit son temps, posa le vaporisateur et revint derrière son bureau. Scarlett annonça qu'elle montait au dix-huitième étage, appartement D, mais le portier le prit très mal, comme si c'était un affront contre sa personne.

– L'ascenseur de service s'arrête à dix-huit heures, dit-il en tapotant sur le badge qui portait son nom.

Il s'appelait Murray.

– C'est bon ? demanda Scarlett.

– J'ai bien dit à dix-huit heures, reprit le gardien. Quand est-ce que vous aurez enfin fini de déménager, là-haut ? Je dois veiller à ce que le hall de l'immeuble soit dégagé.

Scarlett jeta un coup d'œil sur l'entrée. Elle était vide.

– Je ne peux pas vous autoriser à déménager des cartons toute la journée. Sans compter les canapés, les fauteuils... Je dois veiller à ce que le hall de l'immeuble soit dégagé.

– Mais il est dégagé, dit Scarlett.

– Je vous demande de monter vos affaires avant dix-huit heures. À cette heure-là, je boucle l'ascenseur de service à double tour.

– C'est pas mes affaires, se défendit Scarlett.

– Quoi ? Faut que je boucle à dix-huit heures.

– Oui, mais…

– Oh ! Je vous l'ai déjà dit, le vestibule doit rester dégagé !

– Dix-huit heures, c'est d'accord.

Le téléphone sonna et le gardien répondit. Scarlett reconnut la voix de Mrs Amberson au bout de la ligne. Elle avait l'air fumasse.

– Vous pouvez y aller, transmit le gardien en disparaissant derrière *The New York Post*. Dix-huit heures, c'est compris ?

Scarlett passa devant la rangée de superbes boîtes à lettres pour rejoindre les ascenseurs.

– Quelle heure, disiez-vous ? murmura-t-elle sur un ton moqueur. Dix-huit heures, c'est bien ça ?

– Hep ! l'appela Murray.

Scarlett pâlit. L'aurait-il entendue ? Elle se retourna et le vit brandir un gros paquet d'enveloppes entouré d'élastiques. Elle alla prendre le paquet.

– Jamais vu un courrier pareil, marmonna le gardien. Elle va en recevoir jusqu'à quand comme ça ?

Curieusement, ce Murray semblait détester tous les aspects de son métier, qu'il s'agisse d'accueillir les gens, de leur permettre de se déplacer, ou de réceptionner les paquets et le courrier. Comme sa famille gérait un hôtel, Scarlett connaissait parfaitement ce ressentiment qu'on a parfois envers les visiteurs étrangers ; cela dit, elle avait beau le comprendre, elle ne l'approuvait pas.

– Elle risque d'en recevoir pas mal, j'aime autant vous le dire tout de suite, répondit-elle en prenant le tas d'enveloppes.

Mrs Amberson avait fait passer une annonce dans la

revue professionnelle *Back Stage* pour faire part de ses services d'agent. Les réponses, des dizaines par jour, ne cessaient de pleuvoir depuis. Scarlett avait beau savoir qu'à New York résidait un nombre particulièrement élevé de comédiens, jamais elle n'aurait imaginé qu'il y en avait autant qui souhaitaient travailler avec Mrs Amberson. «Eh oui, il y aura toujours autant de courrier, mon cher Murray», pensa-t-elle avec un sourire.

– Dix-huit heures, répéta-t-il. Merci de prévenir votre patronne.

L'ascenseur de l'immeuble était extrêmement bien entretenu, silencieux, efficace, loin de celui de l'hôtel Hopewell. Scarlett monta au dix-huitième étage. L'engin s'arrêta en douceur, et elle descendit pour se retrouver sur un palier sombre, couvert d'une moquette épaisse et bleue. Elle alla jusqu'à la porte 18D.

C'était évident: en déménageant, Mrs Amberson avait franchi un sacré pas pour ce qui est du standing. Son nouvel appartement était un immense espace avec une série de fenêtres qui donnaient sur Central Park. Scarlett remarqua plusieurs canapés blancs qui n'étaient pas là la veille, de même qu'un tapis blanc bien douillet sur le parquet. Les étagères, faites sur mesure, étaient toujours vides, mais des cartons pas encore ouverts traînaient partout. Seule une partie de l'appartement était aménagée: le coin bureau, meublé d'une grande table, d'un petit panneau d'affichage et d'une armoire de rangement. Tel était ce qui tenait lieu d'agence à Mrs Amberson.

– Je suis là! s'écria Scarlett.

Pas de réponse.

Elle avança jusqu'au panneau, où étaient épinglées les photos de leur seul client jusqu'à maintenant, Spencer. Mrs Amberson lui avait offert une séance de photos ultraprofessionnelle, pour laquelle il avait posé de mille et une façons. On le voyait successivement en T-shirt, jeune et branché techno, prêt à jouer dans une publicité pour ordinateur ; en costume trois pièces, tel un jeune avocat aux dents longues ; sur la gauche, avec une sublime chemise du soir dont le col était savamment ouvert, sexy en diable ; et à droite, version comique, en train de faire le poirier, et le pitre. Sans oublier les photos de leur mise en scène d'*Hamlet*. Spencer était là sur son monocycle, dans son costume trop large, à côté de...

Eric.

Qui, même avec son costume de clown et son expression faussement ahurie, était beau comme un dieu. Il était en train de retenir Spencer qui se penchait en arrière, et la photo mettait en valeur sa force physique et sa grâce naturelle.

Bon, d'accord... Elle avait craqué, elle avait regardé une photo. Jusque-là tout allait bien, du moment qu'elle ne jetait pas un œil sur l'autre, un gros plan alors qu'il était seul en scène. Non, celle-là, non... Interdit. Niet. Sauf que... trop tard. Il était là, face à elle, sa chemise ouverte jusqu'à mi-torse. Avec cette immense bouche qui semblait promettre un si doux sourire...

– Ce qui serait génial, marmonna toute seule Scarlett, c'est... si j'avais d'autres souvenirs...

– O'Hara !

La voix semblait venir de la cuisine, parfaitement

visible du salon, puisque c'était un simple espace aménagé en longueur, exclusivement en granit et acier inoxydable, derrière un bar où l'on pouvait s'asseoir et manger. Scarlett fit le tour du bar et tomba sur Mrs Amberson assise sur le sol étincelant, en train de se débattre avec des panneaux de polystyrène coincés dans un carton. Elle s'était changée et portait une de ses tenues de yoga. Elle avait dans la bouche une paire de ciseaux qu'elle tenait du côté de la pointe et qui semblait prête à tomber. Elle la retira pour parler.

– J'espère que le gardien ne t'a pas trop mis la pression ? Il suffit que je traverse le vestibule pour que ce gnome me saute dessus en hurlant à cause de mes cartons. Je suis tout à fait au courant du règlement de l'immeuble. J'ai le droit de transporter des affaires de neuf heures du matin à six heures de l'après-midi.

Elle passa brusquement les ciseaux à Scarlett, qui faillit se faire poignarder la main.

– Qu'est-ce qu'il veut, ce crétin ? reprit Mrs Amberson en coinçant son carton entre ses deux genoux. Que personne n'emménage ni ne déménage jamais ?

Le carton céda sous la pression, et Mrs Amberson en sortit un petit sarcophage en mousse dans lequel elle plongea la main pour extraire une bouilloire électrique en acier.

– Ah, tous ces emballages à la noix ! Pendant ce temps-là, il y a un bout de banquise qui fond à l'autre bout de la terre.

Elle se redressa, posa la bouilloire sur le bar, et ouvrit une armoire où trois étagères étaient couvertes de petites boîtes de toutes sortes de thés bio. Elle remplit la bouilloire d'eau en bouteille et la brancha. Un sifflement poli retentit bientôt.

– Encore des nouvelles têtes, dit Scarlett en brandissant le paquet d'enveloppes.

Mrs Amberson ouvrit chaque enveloppe avant de les jeter par terre après en avoir sorti les photos et les CV. Hélas ! il suffisait de faire défiler une douzaine de têtes pour avoir l'impression que toutes se ressemblaient. Tout le monde était beau, avec un parfait sourire, tantôt légèrement penché en avant, l'air de rien, tantôt appuyé à quelque chose. Ou alors c'était un simple gros plan sur deux grands yeux, une peau superbe et une denture irréprochable. Des comédiens. Tellement de comédiens !

– Un peu de thé ? proposa Mrs Amberson.

– Vous n'auriez pas un peu de café ?

– O'Hara ! Tu sais très bien que la caféine est la cause la plus redoutable de déshydratation. Pire qu'un vampire. À peine tu l'acceptes dans ton organisme, il te pompe ton eau. Un vrai monstre, prêt à te dessécher et à...

Le reste de son sermon se noya dans le sifflement insistant de la bouilloire qui ne devait plus supporter l'image de vampire. Mrs Amberson éteignit l'appareil, choisit deux boîtes de thé bio, et mélangea une cuillerée de l'un avec une cuillerée de l'autre dans une boule à thé qu'elle déposa dans une tasse et recouvrit d'eau bouillante.

– Il faut laisser infuser, O'Hara. C'est un breuvage assez fort, un mélange très étudié de thé que j'achète dans une boutique spécialisée au fin fond de Chinatown, qui vend certains produits pas tout à fait légaux aux États-Unis. Crois-moi, ce mélange vaut tous les médicaments en vente sur le marché, et je suis sûre qu'il te fera énormément de bien. Les gens n'ont que le mot « détoxication » à la bouche depuis quelques années, mais tu vas voir, tu vas comprendre ce que ça veut dire une fois que tu auras bu ça. En attendant, retournons à nos photos !

Elle recommença à feuilleter la pile de clichés, accordant quelques secondes à peine à chacune. Elle posa sur le bar les quelques photos qui méritaient un second regard. Scarlett approcha la tasse de son nez et renifla. Ça sentait les copeaux de crayon à papier fraîchement taillé, avec une pointe, à peine perceptible, de plastique brûlé. Elle reposa aussitôt la tasse.

– Seigneur ! s'écria Mrs Amberson. Je n'obtiendrai jamais la qualité que je recherche si ça continue comme ça ! J'ai mis la barre très haut, je te préviens.

Elle jeta les photos par terre et les repoussa du bout du pied.

– Qu'est-ce qui ne va pas ? demanda Scarlett en regardant les portraits de comédiens gisant sur le sol.

Pauvres artistes en herbe ! Ils avaient l'air bien penauds, souriant ainsi à côté de ses chaussures, implorant qu'on les ramasse. Ils n'avaient rien fait de mal, non ? Ils ne demandaient qu'une chose, qu'on leur donne leur chance.

– Aucune étincelle, répondit Mrs Amberson. Ça se voit tout de suite.

– Comment pouvez-vous percevoir la moindre étincelle sur ce genre de photos ? Elles se ressemblent toutes.

– Justement. C'est pour ça qu'on a besoin de Chelsea.

Scarlett ramassa soigneusement les clichés pour les reposer sur le comptoir. Elle leur devait au moins ça.

– C'est tout pour aujourd'hui, lança Mrs Amberson. Une dernière chose et je te libère. Je voudrais que tu déposes un pli très important pour moi. Tu vois la grande enveloppe sur l'étagère, là ? Prends-la. Ton frère est convoqué à une audition demain, pour *Crime et Châtiment* ! Un rôle de jeune pervers. Il va adorer !

– *Crime et Châtiment* ? Vous voulez dire, la série où joue Sonny Lavinski ? Ce *Crime et Châtiment*-là ?

Scarlett était fan de *Crime et Châtiment*. Tout le monde était fan de *Crime et Châtiment*. C'était un feuilleton télévisé qui passait depuis qu'elle était toute jeune. La série avait déjà donné lieu à quatre feuilletons dérivés et elle passait quasiment tout le temps sur une chaîne ou sur une autre. L'acteur principal de la série, l'inspecteur Sonny Lavinski, malin comme un singe, était celui qu'elle préférait. Et elle n'était pas la seule : l'Amérique tout entière craquait pour Sonny Lavinski !

– Je suis en négociation avec les producteurs, parce qu'un des réalisateurs est venu voir *Hamlet*. Ils sont très intéressés par Spencer. Je le sais depuis quelques semaines, mais je ne voulais pas vous en parler avant d'avoir un peu avancé. Débrouille-toi pour qu'il lise le scénario ce soir. L'audition a lieu demain à seize heures. Mon petit doigt me dit que ça va bien se passer.

De mauvais augure

La camionnette de déménagement était passée pendant l'absence de Scarlett. Le plateau de scène et les projecteurs avaient été emportés. Il ne restait plus que les chaises, éparpillées çà et là. *Hamlet* avait bel et bien disparu, et la salle à manger avait retrouvé son aspect un peu décati et abandonné. Scarlett demeura un moment à écouter la rumeur de la circulation et les grincements du plancher. Elle éprouvait un sentiment de deuil si inattendu qu'elle avait du mal à respirer. Elle venait de vivre une période extraordinaire – bouleversante mais merveilleuse –, et tout s'était évaporé. Fini. Le spectacle était mort et enterré.

Elle était au bord des larmes, quand soudain un bruissement la fit sursauter – des pas menus dans l'entrée.

– Tiens, tu es là ? fit Lola. J'avais peur que tu sois en retard pour le dîner de ce soir.

Lola venait de faire du ménage. Contrairement à la plupart des gens préposés à ce genre de corvée, Lola briquait en étant toujours parfaitement habillée : pantalon noir ajusté, chemise assortie et petit tablier blanc noué autour de la taille. En outre, elle avait les cheveux coiffés en un chignon savamment négligé, et très flatteur. Ce qui ne l'empêchait pas d'avoir avec elle un chariot – pas très chic – rempli de produits ménagers et de linge.

Lola était la cadette de la famille Martin, et elle venait de finir le lycée. Elle avait décidé de prendre une année pour réfléchir et travailler dans l'hôtel familial, plutôt que d'aller immédiatement à l'université comme la plupart de ses amis. De toute façon, ses parents n'avaient pas de quoi lui offrir des études, mais c'était un sujet que l'on n'évoquait jamais dans la famille. Et Lola se comportait toujours comme si tout ce qui lui arrivait était absolument voulu de sa part. Elle avait une maîtrise d'elle-même impressionnante, voire agaçante. En outre, elle bénéficiait d'un physique qui n'avait rien à voir avec celui de plusieurs générations de la famille Martin, puisqu'elle était pâle et menue. Dans un film d'amour en costumes, elle aurait été parfaite dans le rôle de la jeune fille élevée à la cour du roi, victime d'une maladie incurable et destinée à être mariée toute jeune avant de tirer sa révérence.

– J'ai réfléchi au problème des chaises, dit-elle en en tirant une sous un rayon de soleil.

La salle à manger était garnie de chaises de plusieurs styles, et Lola avait choisi une des plus anciennes, qui datait du mobilier Art déco de 1929. Elle était faite dans un beau bois de cerisier, avec un dossier gravé de fleurs stylisées. Et elle avait conservé son siège d'origine, recouvert d'une soie jaune ponctuée d'oiseaux argentés.

– J'aimerais trouver les moyens pour les restaurer,

car elles sont exceptionnelles, ajouta Lola en secouant sa chaise pour en tester les pieds. J'ai calculé, ça coûterait plusieurs centaines de dollars par siège.

– Plusieurs centaines! s'exclama Scarlett tout en s'asseyant sur une des chaises, qui grinça.

– Presque mille, à vrai dire. Voire deux mille. Mais à mon avis, c'est indispensable. Ces chaises ont de la valeur, et il faudrait que les gens qui entrent dans l'hôtel les voient pour avoir une bonne impression. Or, s'ils aperçoivent sur ce tissu usé jusqu'à la corde..., disons qu'ils risquent d'être un peu refroidis.

– On peut toujours les mettre à la cave, si elles sont trop abîmées.

– Justement, la solution n'est pas toujours de «mettre les choses à la cave».

C'était pourtant la solution préférée de leurs parents, aussi loin que Scarlett s'en souvienne, mais aujourd'hui elle n'avait pas le courage de se battre.

– Tu as raison, dit-elle en tripotant un bout de tissu qui s'effilochait. Ça ne marche jamais dans les films d'horreur. La chose en question s'échappe toujours de la cave. Ou quelqu'un tombe dessus et il faut tuer la bestiole. Du coup tu te retrouves avec deux cadavres au sous-sol. J'ai horreur des sous-sols.

– J'ai fait des recherches. Tu te rappelles? Mrs Amberson parlait d'un certain J. Allen Raumenberg. Je parie que ce nom cache une fortune. Raumenberg était un architecte d'intérieur très connu à l'époque. Imagine, si on arrivait à restaurer le mobilier...

– Tu as sûrement raison, approuva Scarlett, levant les mains en signe de reddition. Sauf qu'on n'a pas un rond.

– Je sais, répondit Lola en s'avachissant sur sa chaise. Mais je n'arrête pas d'y réfléchir. Cet hôtel est un bijou. Un bon lessivage, quelques réparations çà et là… Ça ne représente pas tant d'argent que ça quand tu y penses.

– Tout représente beaucoup d'argent quand tu n'as pas un sou.

– Sauf que ça serait un investissement à long terme, répondit Lola, les yeux rivés sur le bout de tissu qui fichait le camp et tout en enfonçant un doigt dans la tapisserie. Au fait, je t'ai dit que la semaine dernière j'avais passé un entretien chez Bubble Spa ? J'ai peut-être été virée de chez Henri Bendel, mais mon ancien boss m'adore et il m'a chaleureusement recommandée. À mon avis, c'est dans la poche. J'espère obtenir vingt heures par semaine. Je pourrai me faire des superpourboires. C'est des accessoires faciles à vendre. Du maquillage, des produits pour la peau… Le genre de trucs que je te vends les yeux fermés…

Lola n'avait pas tort. Quand il s'agissait de vendre des produits de beauté, elle semblait dotée d'une force digne de celle d'un Jedi. Son dernier employeur l'avait renvoyée pour la seule raison qu'elle avait pris des jours de congé non prévus, pour faire plaisir à son ex, Chip, un fils à papa infoutu de comprendre que, lorsqu'on a un job, on est censé travailler un certain nombre de jours.

– C'est super, approuva Scarlett.

– Oui, c'est pas rien…, je veux dire, ce nouveau job. J'aime bien vendre. Bon, tu sais qu'on a organisé un dîner chez Lupe's ?

– Oui, oui. Avec Marlène. Je me réjouis d'avance !

– Scarlett...

La famille Martin était une famille plutôt unie et ouverte, mais il y avait un sujet tabou : Marlène. Car tout le monde savait que l'état catastrophique des finances familiales était dû au coût de son traitement contre le cancer. Il était par conséquent interdit d'aborder le sujet, quel que soit le contexte. À tel point que Scarlett avait l'impression qu'on ne pouvait même pas y penser.

Un autre sujet tabou, et lié à celui-ci, était le caractère de Marlène, dont on ne pouvait pas dire qu'il évoquait un rayon de soleil et un arc-en-ciel. De plus, la petite dernière de la famille ne se comportait pas de la même façon avec ses frère et sœurs : on savait qu'elle portait Lola aux nues et qu'elle vouait Scarlett aux gémonies. Marlène accueillait systématiquement celle-ci par un regard de mépris, qu'elle accompagnait (avec un peu de chance) d'un petit geste lui signifiant de ficher le camp.

– Allez, je monte, lança Scarlett en se redressant. Je te promets que j'essaierai d'être souriante au restaurant. Comme ça ? Regarde.

Elle afficha son plus beau sourire, presque inquiétant, face à sa sœur. Celle-ci se contenta de secouer la tête et tourna les talons en poussant son chariot de ménage.

Scarlett n'avait rien à faire. Elle s'écroula sur son lit et observa les poussières qui tournoyaient dans les rayons de soleil, puis la fente de la fenêtre qui empêchait de la relever plus qu'à moitié. Elle aperçut alors la voisine d'en face, une femme de soixante-dix ans environ, qui semblait éprouver un plaisir certain à se montrer nue sur son toit, surtout le matin. Aujourd'hui, elle était concentrée sur un projet plus ou moins artistique, une sorte de collage qu'elle avait étalé sur une grande table pour l'asperger avec une bombe.

Scarlett songea que les draps de son lit avaient besoin de passer à la machine. Ça faisait plus de deux semaines qu'elle ne les avait pas changés. Quelle négligence ! Et si elle s'y mettait ? Si elle faisait un peu de lessive ?

Ou si elle regardait cette fameuse pub ? Son ordinateur portable était là, sous son lit. Juste une fois... Dakota ne le remarquerait jamais.

Elle prit son ordinateur et appuya sur « play ».

C'était une publicité qui vantait les mérites d'une chaîne de pizzérias, dans laquelle Eric jouait le rôle d'un type qui se brûlait et prenait feu en préparant le dîner (c'est pourquoi il était obligé de commander une pizza toute prête). Scarlett avait vu la publicité plusieurs fois avant de faire la connaissance d'Eric. Elle la trouvait plutôt amusante, mais rien de spécial. En revanche, à peine avait-elle rencontré Eric, c'était devenu une obsession. Elle connaissait par cœur chaque expression de lui, chaque plan, chaque cadrage.

Eric lui avait raconté le tournage en lui expliquant que les flammes étaient en partie réelles, en partie des images de synthèse. Au début, quand elles commençaient à sortir du four, c'était de vraies flammes. Il avait une chemise protégée par une sorte de produit chimique et il portait un maillot pare-feu. Mais à partir du moment où il tombait par terre et roulait au sol avant de se jeter par la fenêtre, tout était faux. À la fin, on le voyait flottant à la surface de la piscine du voisin, tout habillé, sa chemise collée à son corps. Curieusement, il était beaucoup plus petit sur l'écran que dans la vie, contrairement à ce que Scarlett avait toujours entendu dire sur l'effet produit par la caméra. Mais cela ne dérangeait pas.

Le tournage n'avait duré que deux jours mais avait rapporté suffisamment à Eric pour qu'il puisse s'offrir soit quatre ans d'études à l'université de son État, la Caroline du Sud, soit une année à la très coûteuse école de théâtre de New York University. Il avait passé l'examen d'entrée à celle-ci, et avait été admis. Aussi avait-il décidé d'abandonner la Caroline pour tenter sa chance à New York. Il avait déménagé au début de l'été, décroché un rôle dans leur mise en scène d'*Hamlet*, et voilà... C'est ainsi que tout avait commencé.

Scarlett était sur le point d'augmenter le compteur des visionnages de la publicité interdite quand quelqu'un frappa. Elle ferma son ordinateur et le glissa sous ses cuisses.

– Entrez.

C'était Marlène, bronzée, pleine de taches de rousseur, tenant son grand sac de voyage. À la grande surprise de Scarlett, elle s'approcha tranquillement et l'embrassa de façon presque professionnelle. Puis elle s'assit sur le lit de sa sœur. Quelque chose dans ce comportement inhabituel fit peur à Scarlett. Une sorte de sérénité. De maîtrise de soi. Pas de regard noir, ni mauvais, ni fuyant. Marlène était là, assise, légèrement coincée, telle une sainte.

– Je suis rentrée, dit-elle.

– Je vois.

– Tu m'as manqué.

Scarlett fut tellement interloquée qu'elle toussa légèrement.

– Le camp s'est bien passé, poursuivit Marlène. J'ai gagné la coupe de canoë-kayak. Tu veux la voir ?

Elle plongea la main au milieu de ses shorts sales, de ses maillots de bain humides et de ses chemises froissées, et brandit une coupe en plastique sur laquelle était collée une image de canoë. C'était la première fois qu'elle partageait ce genre de chose avec Scarlett. Celle-ci avait appris à la télévision que la réaction appropriée en tant que grande sœur eût été de la féliciter, mais elle se dit qu'il valait mieux ne pas en rajouter. Elle préférait y aller pas à pas.

– Comment tu l'as gagné exactement ? demanda-t-elle.

– En canoë-kayak.

– Oui, mais, je veux dire… c'était une course, une…

Marlène fronça les sourcils, sans doute consciente d'une certaine faiblesse, ou d'une certaine confusion chez sa grande sœur. Scarlett remarqua une tension dans sa mâchoire. Un léger signe de nervosité.

– C'était juste pour le canoë, reprit Marlène.

– C'est super, répondit Scarlett en rendant la coupe à sa sœur.

L'objet fut de nouveau rangé au fond du sac. Marlène se mit à tripoter une mèche de cheveux en regardant la suite Orchidée.

– Quand est-ce que tes cheveux ont commencé à boucler ? demanda-t-elle.

– Il y a... Ils ont toujours été comme ça.

– Même quand tu étais bébé ?

– Depuis que j'ai des cheveux, oui.

Contrairement à Scarlett et à Lola, qui étaient de vraies blondes, Marlène avait une chevelure qui virait au roux. Ses cheveux avaient repoussé après sa chimiothérapie et ils étaient assez longs, mais ni bouclés ni raides. Longtemps, à cause de son traitement, ils étaient filasse et elle avait des trous sur le cuir chevelu parce qu'ils tombaient par poignées, bouchant les tuyauteries de la salle de bains. À présent, Marlène ne cessait de jouer avec ses cheveux, manifestement très fière de sa nouvelle crinière.

– Je me disais que les miens vont peut-être boucler, reprit-elle. J'aime bien tes cheveux, j'aimerais bien que les miens soient pareils.

Bien entendu, il est difficile de se plaindre d'avoir des cheveux épais et indisciplinés devant quelqu'un qui est déjà content d'en avoir. Marlène le savait parfaitement. Scarlett était donc coincée, et sa petite sœur venait de marquer un point dans le match de politesse serré qui les opposait.

– Allez, il faut que j'aille défaire mon sac avant notre dîner À tout de suite ! conclut Marlène avec un sourire agaçant.

Elle se dirigea vers la porte et se retourna juste avant de sortir pour lancer un regard complice à sa sœur, le genre de regard que deux espions échangent au moment où chacun comprend que l'autre est aussi un espion.

Scarlett resta un moment sur son lit, sous le choc,

quand son portable vibra. C'était un SMS de Dakota qui la prévenait simplement: «Je t'ai vue. Arrête. JE TE SURVEILLE!»

Le restaurant Lupe's était à quelques pâtés de maisons de l'hôtel Hopewell, au cœur de l'Upper East Side. Marlène avançait d'un pas allègre, racontant en détail son camp à sa chère Lola. Elle était tellement enthousiaste qu'elle alla jusqu'à se retourner deux ou trois fois pour que Scarlett participe à la conversation. Mais celle-ci n'était pas dupe. Elle avait perçu dans le regard de sa petite sœur une note froide et déterminée qui cachait un complot peu sympathique à venir. Décidément, songeait-elle, tout le monde semblait conspirer contre elle: ses amis, sa patronne, sa sœur de onze ans. D'accord, elle était peut-être un peu parano, mais quand même... *Hamlet* avait disparu, Eric l'avait abandonnée; alors, que lui restait-il?

Tout à coup, Spencer déboula en dérapant sur son vélo tordu. Il monta sur le trottoir et descendit de sa monture pour continuer à pied.

– Comment s'est passée ton audition? demanda Scarlett sur le ton le plus neutre possible. (Il y eut un flottement dans sa voix, mais heureusement couvert par un coup de Klaxon.)

– Bien, répondit Spencer en s'épongeant la sueur de son front. Ils m'ont gardé des heures. Mon histoire de cravate les a fait marrer. Et le masque à oxygène, encore plus. Ils m'ont fait relire huit fois le passage. J'aurai la réponse ce soir.

Son vélo n'arrêtant pas de se déporter et de lui rentrer

dedans, il était obligé de soulever la roue avant toutes les deux secondes pour qu'il avance droit.

– Il ne m'a pas l'air en très bon état, fit Lola qui venait de remarquer le problème. Heureusement que tu portes ton casque.

Soudain, Marlène les dépassa précipitamment – elle était coutumière du fait – pour se jeter sur la porte du restaurant et la tenir ouverte à ses trois frère et sœurs. Spencer prit le temps d'attacher son vélo. Lola entra, et Scarlett, persuadée que Marlène lui claquerait la porte en pleine figure, eut la surprise de la voir attendre patiemment non seulement elle, mais Spencer. Personne au monde n'avait tenu une porte ouverte à autrui avec une détermination aussi farouche.

Une fois ses trois sœurs et son frère entrés, elle se planta en face d'eux et les dirigea dans un coin particulièrement bruyant de l'immense entrée au carrelage rouge, avec une myriade de *piñata*s mexicaines et une vieille pompe à essence rouge servant de décor.

– Ne bougez pas, leur dit-elle. J'ai une surprise pour vous.

– Tu as remarqué ? (Scarlett chuchotait à l'oreille de son frère.) Elle nous a tenu la porte ! Et tu sais quoi, quand elle est rentrée tout à l'heure ? Elle est montée dans ma chambre pour m'embrasser. Elle m'a montré une coupe qu'elle a gagnée, elle m'a dit que je lui avais manqué...

– J'avoue que c'est un peu troublant. C'est peut-être tout bêtement parce qu'elle est ravie de son camp.

– Je n'ai jamais vu un camp produire un tel effet. À moins qu'il n'ait eu lieu au bord du lac Prozac.

– Elle prend peut-être des nouveaux médocs.

– Mais non, tout va bien, intervint Lola qui écoutait discrètement. Elle est tellement fière d'avoir remporté cette coupe...

– Tu parles ! répliqua Scarlett. Les seuls moments où Marlène culpabilise vaguement, c'est quand elle me balance un truc en pleine tronche.

Lola lâcha un de ses rires à elle, qui veut dire quelque chose comme : « Oh-Scarlett, quel-esprit-tu-as-mais-je-n'ai-absolument-pas-compris-en-quoi-c'était-drôle ! »

Spencer, lui, était en train de scruter le fond du restaurant.

– Lola..., bredouilla-t-il.

– Arrêtez, il faut lui donner sa chance, répétait Lola pour la énième fois.

– Lola ! répéta Spencer sur un ton nettement plus inquiet.

Scarlett comprit. Un jeune homme se dirigeait vers eux. Ils venaient de se faire piéger.

Un dîner de nuls

Le jeune homme qui venait vers eux à travers la mêlée de serveurs, de chaises jaune vif, de tables bleues et de chariots de guacamole, n'était autre que Chip Sutcliffe, l'ex-petit copain de Lola.

– C'est pas moi..., bafouilla Lola, je vous promets.

Scarlett n'avait aucun mal à le croire. Elle vit sa sœur se décomposer sous ses yeux, reculer de quelques pas et, se cogner la tête au passage contre une *piñata* qui représentait un taxi jaune.

– Je parie que c'est une pure coïncidence? lança Spencer. On tombe sur Chip alors que monsieur était parti dans une course en solitaire à la recherche de tacos, c'est ça?

Lola secoua la tête, confuse.

Chip s'arrêta près d'un gros cactus qu'il se mit à jauger prudemment en agitant un de ses longs doigts. Marlène le tenait par la main de l'autre côté, tirant pour qu'il vienne saluer ses frère et sœurs.

– Je te l'avais dit, murmura Scarlett en se penchant

vers Spencer. Je te l'avais dit, insista-t-elle, trop contente de voir ses pires soupçons confirmés.

Eh oui, Marlène leur avait réservé une surprise ! Et le sentiment d'avoir raison était le plus doux nectar qui soit pour elle en cet instant.

– Tu te fous de nous ! s'écria Spencer en s'adressant à Lola. Je croyais que c'était toi qui avais organisé le dîner ?

– J'avais promis à Marlène que je lui servirais de couverture pour que ce soit une surprise, se défendit Lola.

– Comment pensais-tu que Marlène paierait pour un dîner pareil ?

– Elle a tout le temps des entrées gratuites grâce aux Powerkids. Je pensais qu'elle avait une espèce de bon pour le restaurant qu'elle voulait partager avec nous. Comment pouvais-je deviner la vérité ?

– Bon, maintenant qu'est-ce qu'on fait ? demanda Scarlett. Tu as envie de dîner en famille avec ton ex ?

– On peut difficilement s'en aller, répondit Lola.

– Pourquoi pas ? répliqua Spencer.

– On est venus ici pour Marlène.

– Si Marlène a envie de dîner avec Chip, qu'elle dîne avec lui !

Lola était au plus mal, à tel point qu'elle était victime d'un phénomène inattendu chez elle : ses joues, d'habitude si pâles, avaient un peu rosi, et elle vacillait légèrement sur ses talons plats.

– Ne m'abandonnez pas, les supplia-t-elle en s'accrochant au bras de chacun. Je vous en prie. Ne m'abandonnez pas. Il quitte New York demain, je vous promets, pour faire des études à Boston. Vous n'entendrez plus jamais parler de lui.

– Moi qui pensais ne plus entendre parler de lui à partir du moment où tu avais rompu ! répondit Spencer en observant sa petite main blanche agrippée à son poignet.

– Je te rappelle que le jour où il a sauvé ton spectacle, tu étais bien content. Tu lui dois bien ça.

Lola n'avait pas tout à fait tort. Chip avait joué un rôle non négligeable dans la production d'*Hamlet,* car il leur avait permis de détourner l'attention de leurs parents en les invitant sur le bateau de la famille Sutcliffe tout un après-midi. Spencer et Scarlett en avaient profité pour faire entrer la troupe dans l'hôtel et monter la scène. Or Chip avait accepté de jouer le jeu alors que Lola venait de rompre avec lui. Pas moins.

– Écoutez, reprit Lola en voyant que ni l'un ni l'autre ne réagissait. Peut-être que... je ne sais pas... J'aime autant rester, mais pas seule. En plus Marlène a dû se casser la tête pour tout organiser, alors on ne peut pas la laisser tomber. Un dîner à l'œil dans notre restaurant préféré, c'est pas mal, non ? Je vais faire un tour aux toilettes et on s'installe, d'accord ?

« D'accord ?

Elle interpréta le silence qui suivit comme un oui et s'éclipsa.

– Quelle angoisse ! lâcha Spencer en s'appuyant contre la vieille pompe à essence derrière lui. Cauchemar de chez cauchemar !

Soudain son visage se métamorphosa en un masque d'une neutralité absolue. Marlène venait d'arriver à déloger Chip de son cactus-refuge pour le tirer jusqu'à lui.

– Ne bougez plus, dit-elle. Je vais choisir une table.

Question tenue, on peut dire que Chip s'était surpassé. Il portait un pantalon à rayures, une chemise volontairement trop étroite et d'une couleur qui n'avait rien à voir, et une cravate également rayée. Le tout était assez grotesque mais devait coûter une fortune, songeait Scarlett. Qui sait, si on le touchait, il avait peut-être une alarme prête à se déclencher? Non pas qu'elle ait l'intention de le toucher, remarquez...

Il fit un pas prudent vers Spencer et lui tendit la main.

– Ça va? lança-t-il.

Pauvre Chip! Affronter la famille Martin n'était pas rien pour lui, car il savait très bien que Scarlett et Spencer ne l'appréciaient guère. Autant Scarlett lui était modérément hostile, autant Spencer ne pouvait carrément pas le piffer et ne s'en cachait pas.

Mais le vrai problème était ailleurs. Le péché originel de Chip était lié à un fait auquel il ne pouvait rien. Il était riche. Très très riche. Richissime, genre vieille fortune, haute société new-yorkaise, boîtes privées et tutti quanti. Pour autant, il faut reconnaître qu'il ne se vantait jamais de son argent, et apparemment il se fichait du fait que Lola et sa famille boxaient dans une catégorie qui n'avait rien à voir avec la sienne. Il n'était pas snobinard. Au contraire, il se comportait plutôt comme s'il venait d'atterrir sur une nouvelle planète, ravi et fasciné par tout ce qu'il y découvrait: le train souterrain magique qu'on appelait «métro» et qui transportait les voyageurs dans toute la ville; les cartes de crédit à retrait limité; la lessive à faire; le travail... Il jetait un regard sincèrement émerveillé sur tout ce qui faisait ce nouveau monde, incarné par la famille Martin.

Malheureusement, ni Scarlett ni Spencer n'étaient très sensibles à cet aspect de sa personnalité, pourtant signe de candeur. La première le trouvait insipide et un peu neuneu. Spencer, lui, oscillait entre une profonde irritation et une haine à fleur de peau. Scarlett avait toujours pensé que la violence de son frère était due à une certaine jalousie envers ce garçon qui avait un an de moins que lui, pouvait dépenser sans compter, et n'avait aucun centre d'intérêt, ni aucune pression pour accomplir quoi que ce soit. Le seul programme qui attendait Chip, c'était quatre années de fac où il pourrait jouer à la crosse* et s'acheter des chemises dernier cri, puis une ou deux années pépères à la fin desquelles on commencerait à lui demander ce qu'il comptait faire de sa vie.

Mais Chip était fou de Lola. Ça, personne n'en doutait. Il l'aimait même d'un amour presque palpable, et légèrement répugnant. Quand ils étaient dans la même pièce, il la regardait avec des yeux de merlan frit, et dès qu'elle partait, son cerveau semblait se mettre en veille jusqu'à ce qu'elle réapparaisse. Il était même tellement attaché à elle que, ce soir-là, il avait osé tendre la main au frère de Lola, plus âgé, beaucoup plus grand et imprévisible que lui, et qui le fusillait du regard.

Scarlett se demanda ce que son frère allait faire de cette main tendue – il faut s'attendre à tout dans ce bas monde –, mais rien, il se contenta de la secouer. Même Chip fut surpris.

---

* La crosse est un sport d'équipe qui se joue avec une crosse et une balle sur du gazon. (N.d.T.)

– Ta cravate est sympa, ajouta Spencer.

Chip eut le réflexe d'agripper ladite cravate.

– Ah..., merci. Je viens de l'acheter. Ça faisait un moment que j'en cherchais une de cette couleur. C'est une nuance qu'ils font rarement, du coup... Enfin, quoi qu'il en soit, elle vient de chez Hugo Boss et...

Le visage de Spencer exprimait un tel intérêt que Chip se crut autorisé à continuer à creuser son trou et parler de sa cravate jusqu'à ce que la terre fasse pschitt! et se réduise à une petite balle qui disparut pour rentrer tranquillement chez elle...

Jusqu'au moment où Lola apparut.

Chip ouvrit la bouche, prêt à la saluer, mais incapable d'articuler un mot. Lola baissa la tête avec un sourire timide.

– Chip s'est acheté une nouvelle cravate, annonça Spencer. Quant à moi, je me suis emberlificoté avec la mienne ce matin. Tu veux que je te montre?

Il n'eut pas le temps de mettre en pratique sa méthode de strangulation dernier cri, car, soudain, Marlène surgit en annonçant:

– La table est prête!

– On y va, répondit Lola en tapotant gentiment son frère qui s'apprêtait à saisir la cravate de Chip. On te suit, Marlène.

Elle se retourna et fit «Arrête!» sur ses lèvres à son frère. Celui-ci se frappa la poitrine comme s'il ne voyait pas de quoi elle parlait.

– Rappelle-moi de trucider Marlène en rentrant, chuchota-t-il à Scarlett. En attendant, on profite du dîner un max et on commande la totale.

Lola et Marlène s'installèrent côte à côte sur le banc contre le mur. Chip hésitait, tournicotant autour de la table en se creusant les méninges, mais à peine vit-il arriver Scarlett et Spencer, qu'il recula, préférant leur laisser la priorité. Hélas ! Spencer prenait lui aussi son temps, à tel point que Chip se sentit mal à l'aise et s'excusa.

– Assieds-toi ! lui ordonna Lola dès que Chip se fut suffisamment éloigné.

Spencer prit place à côté de Scarlett. Un plateau de *smoothies* à la goyave bio leur fut aussitôt apporté. C'était la meilleure boisson du restaurant et elle valait une somme exorbitante.

– Ton petit chéri essaie de nous acheter avec des jus de fruits frais branchés, c'est ça ? lança Spencer en se servant.

– Non, c'est moi qui les ai commandés, répondit Marlène. J'ai aussi demandé du guacamole pour tout le monde.

– Spencer ! s'écria Lola. Tu ne pourrais pas être sympa pour une fois !

– Mais je suis sympa. Je lui ai posé plein de questions sur sa cravate trop sympa.

– Tu parles !

– O.K., mais tu peux dire ce que j'ai fait qui n'était pas sympa pour lui ?

– Spencer, s'il te plaît...

– Quoi ? Je te l'ai déjà dit, « sympa », c'est mon deuxième prénom. N'est-ce pas, Scarlett ?

– C'est Reynolds, ton deuxième prénom, corrigea Scarlett en sirotant son *smoothie*.

– Fais un effort, le temps du dîner, je t'en supplie, insista Lola. S'il te plaît, Spencer. Ne le provoque pas. Il rêve d'être ami avec toi!

– C'est un peu sans espoir, non? Non seulement parce que c'est ton ex, mais aussi parce que demain il quitte New York.

– Arrête, Spencer! s'écria Marlène avec fermeté. Tu vas gâcher toute la soirée.

Spencer haussa les épaules, se cala dans sa chaise et croisa les bras en signe de reddition – provisoire.

Peu après Chip revint, juste au moment où le chariot de guacamole arrivait. Les quatre frère et sœurs observèrent le serveur qui, affichant un sourire si large qu'il en était suspect, coupa une série d'avocats en deux avant de les écraser dans un immense mortier en pierre. Le job idéal, au fond, qui permettait de se défouler et de se libérer de ses frustrations. Scarlett le regardait écrabouiller avec son pilon l'ail, les oignons et la coriandre. Lui au moins, il n'avait pas besoin d'aller voir un psy. Chaque fois qu'il avait un problème, c'était la mort assurée d'un avocat.

– C'est moi qui vous invite, annonça Chip. Je voulais juste... euh, un dîner...

– Merci, répondit poliment Lola.

Après avoir commandé la moitié du menu ou presque (Spencer était donc très sérieux), plus personne ne dit rien et une brume de silence enveloppa la table. Lola et Chip, saintes-nitouches et exaspérants comme pas permis, évitaient consciencieusement de croiser leurs regards.

– Qu'est-ce que tu vas choisir comme option à la fac? demanda Scarlett à Chip, histoire de rompre la glace.

Qu'importe, c'était la première question qui lui venait à l'esprit.

– Ah... oui, dit-il en jouant avec ses couverts. On... euh, on n'a pas besoin de choisir une option avant la deuxième ou troisième année. Du coup j'ai choisi des cours assez basiques. Et pas mal d'aviron. Les gens font beaucoup d'aviron à Boston. Tu sais, il y a un fleuve assez important... J'ai oublié comment il s'appelle...

– Le Charles, précisa Marlène. Je l'ai vu sur le site de ton université.

Marlène pouvait être une tête à claques à la limite du supportable. Elle avait onze ans, c'était donc encore pardonnable, mais bientôt ça ne le serait plus du tout.

– Ouais, approuva Chip. Je savais que c'était un prénom.

– Tu savais que le nom du fleuve était un prénom, c'est ça ? reprit poliment Spencer.

Scarlett crut sentir un petit coup de pied sous la table.

– J'ai remporté une coupe en canoë-kayak, intervint Marlène, avant de se lancer dans le récit sans fin des circonstances de sa victoire.

Apparemment, sa coupe était le fruit d'une aventure qui avait duré une journée entière et qui l'avait amenée à faire plusieurs fois le tour d'un lac. Ils eurent droit à la description de chaque fille de son équipe (que Marlène n'aimait pas, mis à part une certaine Zoé qu'elle semblait avoir transformée en son lieutenant personnel). Chip était tout ouïe. Il faut dire qu'une conversation du niveau d'une gamine de onze ans ramant autour d'un lac, était exactement ce qu'il lui fallait. Sans compter que lui-même pratiquait l'aviron, et il en profita pour échanger toutes sortes d'informations techniques sur l'art de la rame.

Lola était enfin apaisée. Il suffisait que quelqu'un s'intéresse à Marlène pour qu'elle soit soulagée.

Arriva un moment où Chip comprit qu'il était temps qu'il s'adresse à un autre membre de la fratrie. C'est pourquoi il se tourna vers Scarlett.

– Alors, Scarlett ? T'as passé un été sympa ?

– Euh... oui.

– Tu sors toujours avec ce type ? Ed...

– Eric, corrigea-t-elle avec un empressement traître.

– C'est ça. Eric. Sympa, le mec. C'était un des acteurs, non ?

– Oui...

Spencer se laissa aller au fond de sa chaise et fixa les yeux sur le plafond couvert de tuiles rouges, prêt à faire semblant de s'évanouir.

– Je ne pouvais pas le piffer, cet Eric ! fit Marlène. Il n'en avait rien à faire, de Scarlett, et il était trop...

– Marlène ! s'écria Lola. Si tu racontais à Chip le concours annuel organisé par les Powerkids ? Marlène est peut-être en lice pour...

Le fait d'avoir été interrompue par sa sœur confirmait, hélas, à Marlène que le sujet qu'elle avait abordé était croustillant.

– Eric était atroce, ajouta-t-elle en se penchant vers Chip. Je le détestais et...

– Tu crois que c'est très fort ? demanda Spencer en tendant le bras vers une coupelle de sauce tomate-poivron-oignon qui brillait d'un reflet jaune-vert irrésistible.

Il planta une grosse chips dans la sauce et la dévora sur-le-champ.

Suivit alors un long concert de soupirs, de verres s'entrechoquant et de doigts pianotant sur la table. Un concert qui semblait sans doute artificiel aux yeux des autres, mais qui était pourtant compréhensible : tout plutôt que de réaborder le sujet de conversation redouté. Et cette fois-ci Marlène la boucla.

Le dîner se déroula vaille que vaille. Après avoir réussi à réunir toute la famille Martin, Chip n'avait plus grand-chose à dire ni aux uns ni aux autres. La suite fut donc une succession de silences interrompus par le grésillement des *fajitas* et le sirotage sans fin de *smoothies* hors de prix. Marlène faisait ce qu'elle pouvait pour remplir les blancs, mais au bout d'un moment plus personne n'écoutait ses histoires de canoë-kayak.

Le dîner arrivait à sa fin quand le téléphone de Spencer sonna.

– Excusez-moi, il faut que je réponde, dit-il en bondissant de sa chaise.

Deux minutes plus tard, il revint. À voir la tension de sa mâchoire, ses yeux fixés sur la table et son air grave, Scarlett comprit qu'il venait de recevoir les résultats – négatifs – de son audition.

– Quelqu'un veut un dessert ? demanda Chip sur un ton enjoué.

Le prix de l'échec

La petite troupe attendait sur le trottoir, mal à l'aise, alors que le jour commençait à décliner, et Chip appelait pour que son chauffeur vienne le prendre. L'air était moite, et Scarlett, qui avait abusé des tortillas chaudes et croustillantes, se sentait lourde et nauséeuse.

– Pendant qu'on y est, lança Chip avec un naturel peu convaincant, j'en profite pour vous dire que mon bateau est encore dans le bassin de navigation. Si vous voulez, on pourrait aller faire un tour, le dernier de l'été ?

La voilà, la vraie surprise de la soirée ! Le bateau ! Une petite virée en mer sous le ciel étoilé en admirant les mille feux de Manhattan ! Le dîner chez Lupe's n'était qu'une première étape, une sorte de préliminaire. À part le fait que Lola redoutait les bateaux, car elle avait le mal de mer, il faut reconnaître que c'était un plan génial et particulièrement bien pensé.

Scarlett jeta un coup d'œil sur Spencer. Si seulement il pouvait lâcher une petite vanne ou lui lancer un regard complice en retour, songeait-elle... Hélas! son frère scrutait la rue devant lui comme s'il n'avait rien remarqué.

– Allez, on y va, lança Marlène avec entrain.

Lola oscillait sur ses talons en balançant son sac contre ses genoux avec élégance.

– Bon, puisque Marlène a envie d'y aller, j'y vais, dit-elle.

Chip était au bord des larmes.

– Je rentre, déclara Spencer.

– Moi aussi, renchérit Scarlett. Demain j'ai du taf.

Elle était sûre que Chip avait tout planifié de A à Z, y compris sa propre réaction et celle de son frère. Le temps que sa voiture se gare, l'imbécile se ressaisit et afficha un air détendu et propre sur lui qui lui était si typique.

– Je peux vous déposer devant l'hôtel, proposa-t-il.

– C'est gentil, mais on va rentrer à pied, rétorqua sèchement Scarlett.

Marlène était déjà en train de grimper dans la voiture climatisée qui sentait le cuir, avant même que le chauffeur se lève pour venir lui ouvrir la porte. Cette fois-ci, Chip ne tenta pas l'impossible, il ne tendit pas la main à Spencer; il se contenta d'un vague hochement de tête viril. En revanche, il était tellement perturbé qu'il prit Scarlett dans ses bras, pour la première fois de sa vie, et celle-ci fut prise de court. Elle faillit s'étouffer.

– Bonne rentrée au lycée, dit-il.

– Ah... merci.

Obligée de lui donner quelque chose en retour, elle se permit de lui pincer délicatement les côtes au moment où il la lâcha. Et hop! nouvelle embrassade de la part de Chip. Il s'ensuivit un bref embarras, quand soudain Chip se jeta dans la voiture.

– Embrassée par Chip! s'exclama Scarlett. Qui l'eût cru?

Spencer émit un vague «Mmmm» et continua à marcher, les mains dans les poches.

– C'était un appel pour la pub avec la ceinture de sécurité?

Nouveau «Mmmm».

– Désolée. Quelle bande de nazes!

– J'imagine que j'en ai fait un peu trop, répondit Spencer. Au moins ils ont appelé. D'habitude, ils n'en prennent même pas la peine.

Il faisait encore assez jour pour qu'ils passent par Central Park, où régnait un calme délicieux. La plupart des gens étaient rentrés chez eux, et il ne restait plus que des promeneurs de chiens et des coureurs. Les canards somnolaient tranquillement sur le lac. Scarlett entendit des bruissements dans les buissons, sans doute des rats et des souris qui se préparaient pour la nuit. Soudain, les lumières du parc s'allumèrent.

– Nouvelle «journée de la chaussette», lâcha Spencer. J'aurais dû m'en douter. Les types se marrent. Ça, ils se marrent toujours! Ils te demandent de recommencer le numéro dix fois de suite, et hop! ils le refilent à un autre. Je me demande pourquoi je me casse la tête.

– Parce que tu es doué.

– Peu importe que je sois doué ou que je travaille. C'est comme cette histoire de chaussette. J'étais bien meilleur que le gars qui a décroché le rôle. Mais le type était plus petit que moi, du coup l'effet était plus comique. Sauf que, vu ma taille, j'ai fait beaucoup plus de roulés-boulés que lui. Ils s'en foutaient. Trop grand. Si j'avais eu ce boulot, j'aurais eu de l'argent pour un an au moins. Question de pot, sauf que je n'ai jamais de pot.

– Écoute, c'était une pub pour une compagnie aérienne. Tu y tenais tant que ça ?

– Non, mais c'était du boulot. Je ne peux pas continuer à vivre comme ça jusqu'à la fin de mes jours. À un moment ou à un autre, il faudra bien que je bosse. *Hamlet* n'a rien donné. Les parents savent parfaitement que mes affaires ne vont pas fort. Je ne joue nulle part. Je ne suis pas à la fac.

– Tu n'as jamais voulu aller à la fac.

– C'est vrai, mais c'est pas le problème. Le problème, c'est que j'ai l'impression d'être... pauvre. J'ai toujours eu l'impression d'être pauvre, Scarlett. Mais aujourd'hui, encore plus que d'habitude.

– C'est parce qu'on vient de dîner avec Chip. Ça n'a aucun sens de te comparer avec lui. Chip n'a jamais gagné un rond. Il est incapable de faire quoi que ce soit. C'est un héritier.

– Et alors ? Peu importe d'où vient son fric.

– Tu sais très bien que ça compte.

– Pas tant que ça, finalement. Si j'étais né Sutcliffe, je pourrais passer des auditions *ad vitam aeternam*. Sauf que je suis né Martin, et la vérité, c'est qu'on n'a pas un sou. Donc il faut qu'on se débrouille pour que les choses nous rapportent de la thune.

– Attends ! lança Scarlett qui venait de se souvenir de l'heureuse nouvelle. Elle sortit son script de son sac et poursuivit : Tu as une nouvelle audition. Et pas n'importe quoi ! Pour *Crime et Châtiment*. Ma série préférée ! Cent fois mieux qu'une pub pour une ceinture de sécurité. Il faut que tu apprennes ça pour demain.

Elle tendit le scénario à Spencer qui le toisa comme si c'était un pot de mayonnaise tiède déjà ouvert venant de chez un inconnu.

– Pas la peine, répondit Spencer, dépité.

– Pour *Crime et Châtiment* ?

– Tout le monde passe des essais pour *Crime et Châtiment*. Je n'ai pas le courage de me coltiner une nouvelle audition. Je n'irai pas.

– C'est pas une audition. Mrs Amberson m'a dit que le rôle avait été écrit pour toi. Ils t'ont vu dans *Hamlet*. Tu les intéresses énormément.

– Je n'ai rien contre Mrs Amberson, mais à chaque fois elle me fait le coup.

– Vas-y !

– De toute façon, même si ça marche, ça me fera quoi ? Une journée de boulot ?

– Et alors ?

Spencer s'arrêta et s'assit sur un des bancs du parc.

– Je ne sais plus quoi faire. Je suis l'aîné de la famille. En plus je suis le seul garçon, ce qui veut dire que je ne peux pas me planter.

– Et moi, je peux ?

– Comprends-moi, je n'ai aucune envie de devenir le grand frère *loser*, le type qui n'a jamais fait d'études et qui traîne, genre pseudo-artiste.

– Lola non plus ne fait pas d'études. Et elle n'a pas de vrai job. Elle prend du temps pour réfléchir, comme toi.

– Lola, c'est pas pareil. En plus, elle est loin d'être fière de sa situation. Tu imagines ? Tu vois tous tes copains aller à la fac ou commencer à bosser, et toi, tu restes chez toi ? C'est l'horreur. Je sais, j'ai connu ça. Heureusement, elle est maligne. Elle sort avec des mecs friqués. Tu l'as vu, l'autre ? Il est de retour. Tu vas voir, je leur donne une semaine. Et moi, je serai toujours en train de traînasser, sans boulot, avec ce brave Chip de nouveau dans les parages..., comme au bon vieux temps.

– Écoute-moi ! l'interrompit Scarlett en frappant sur son bras avec l'enveloppe. Le personnage que tu es censé jouer est un jeune millionnaire de vingt ans. Un type mauvais comme la gale, qui tue des gens. Mrs Amberson m'a dit que c'était un vrai pervers et que tu adorerais. Alors, si tu arrêtais de gémir pour lire le scénario ?

Spencer prit l'enveloppe en soupirant et glissa au bout du banc pour profiter de la lumière d'un lampadaire. Scarlett vit ses yeux faire l'aller-retour à toute vitesse le long des pages.

– Tu ferais ça pour moi ? demanda-t-elle. Je ne te pardonnerais jamais de laisser passer l'occasion de travailler à côté de Sonny Lavinski.

Son frère parut décontenancé par l'aveu de sa sœur.

– D'accord, dit-il. Je le ferai pour toi. Et pour l'ironie du truc.

À peine rentrée chez elle, Scarlett se surprit en train de loucher sur son ordinateur fermé sur ses genoux. Elle avait un peu de temps avant le retour de Lola. Or, chaque fois qu'elle était seule dans sa chambre, elle se précipitait sur son ordinateur pour regarder trois ou quatre fois (ou, selon Dakota, cent cinquante fois environ) la publicité d'Eric. Mais aujourd'hui, c'était fini.

– Je repars à zéro, dit-elle à son ordinateur. Alors, si tu sens que j'ouvre le fichier, je te demande d'exploser, d'accord ?

Prudent, l'ordinateur se garda bien de faire la moindre promesse...

Scarlett l'ouvrit délicatement et l'alluma. C'était un ordinateur de seconde main que Chloé lui avait donné et il était un peu lent à démarrer. L'envie d'ouvrir la publicité la démangeait, mais elle prit sur elle et cliqua sur le fichier du récit qu'elle était en train d'écrire. C'était un des avantages des semaines inattendues qu'elle venait de vivre : elle avait découvert une envie profonde d'écrire. Comme par hasard, l'histoire était celle d'une fille qui rompait avec son petit ami, mais Scarlett avait quand même fait un effort d'imagination...

Il était environ vingt et une heures trente, quand Lola se glissa dans la suite Orchidée avec une bouteille de soda au gingembre à la main. Elle avait la peau légèrement cendrée autour des yeux.

– Ça va ? demanda Scarlett.

Lola but une longue gorgée de soda.

– Au début, j'avais un peu la nausée, mais après ça s'est plutôt bien passé. Je t'avoue que le fait de boire m'a aidée. Je parie que tu étais contente de passer le reste de la soirée seule avec Spencer.

– Il est en train de bosser une nouvelle audition.

Lola lâcha ses cheveux.

– Alors ? fit Scarlett.

– Ça va.

Manifestement, ça allait mieux que juste « ça va », et Scarlett vit sa sœur se recoiffer les cheveux avec des gestes lents, comme si elle méditait. Ce qui, chez elle, était un signe de satisfaction.

Spencer n'avait peut-être pas tort. Ce n'était qu'une question de temps. Chip serait bientôt de retour. Ça existait, les gens qui se réconciliaient avec leur ex.

– Tu m'as l'air un peu soucieuse, dit Lola. Et toi, ça va ?

– Oui, à part la personne à laquelle j'essaie de ne pas penser.

Pas bête, Lola savait très bien de qui parlait sa sœur.

– Je sais que c'est dur, répondit-elle, compatissante. Mais c'est la meilleure façon de se remettre d'une rupture.

– Et toi, qui est-ce qui avait rompu ?

Scarlett connaissait la réponse. C'était : Personne. Personne n'avait jamais rompu avec Lola. Sa sœur avait eu trois petits copains dans sa vie, et à chaque fois c'est elle qui avait rompu. Car Lola était une fille loyale, qui s'engageait à long terme, et dont les garçons ne voulaient jamais se séparer.

– Je ne sais pas comment je réagirais si quelqu'un que j'aimais rompait avec moi et qu'il fallait que je le voie tous les jours, en plus chez moi, reprit Lola. Je t'admire, parce que c'est ce que tu as vécu pendant un mois. J'ai vu ce que ça t'a coûté, Scarlett. On a tous vu.

C'était la première fois que quelqu'un reconnaissait les efforts que Scarlett avait dû fournir. Elle eut les larmes aux yeux et détourna le regard. Lola la comprenait. Lola se faisait du souci pour elle.

– Qu'est-ce que tu me conseilles de faire ? demanda-t-elle.

– Je te conseille de... continuer comme ça. Tu domines très bien la situation.

– Oui. Jusqu'ici mes plans marchent trop bien !

– Tu vois ? Tu positives, c'est ce qu'il faut ! Allez, je vais me débarbouiller.

Lola avait beau compatir, elle était sur son petit nuage, embarquée dans une nouvelle croisière amoureuse avec son Chip. Elle était incapable d'aider Scarlett, car elle n'avait jamais vécu une telle expérience. Elle disparut pour aller se faire un gommage avec un de ses mélanges fleur de sureau-gingembre-vitamine C, et Scarlett se retrouva face à sa décision de tourner la page. Certes, tout le monde la soutenait, mais en attendant elle était seule.

ACTE II

SPIES OF NEW YORK, *RÉVÉLATION EXCLUSIVE !*

QU'ENTENDS-JE ? En direct du plateau de Crime et Châtiment, *la série policière qui nous entraîne au cœur des tribunaux depuis que nous sommes de tout jeunes espions ? Y aurait-il des problèmes dans notre commissariat préféré ?*

ON MURMURE QUE… Donald Purchase, qui joue le rôle de notre bien-aimé détective Sonny Lavinski, serait mécontent du déroulement de l'histoire et trépignerait pour que celle-ci prenne un nouveau tournant. De source bien informée, nous venons d'apprendre qu'il voudrait tout simplement… abandonner !

« Donald est un acteur hors pair, nous a confié notre source, mais il joue le rôle de Sonny Lavinski depuis maintenant quinze saisons. Ça fait des années qu'il a des propositions d'Hollywood. Cette fois-ci, il a décidé d'accepter. »

Avouons-le d'emblée, l'idée que Sonny Lavinski laisse tomber Crime et Châtiment *est tellement troublante que nous en avons lâché notre whisky du matin. Nous avons grandi bercés par ses reparties cinglantes et son sens de la justice exemplaire. Combien de fois sa voix râpeuse ne nous a-t-elle pas aidés à nous remettre d'une gueule de bois ? Nous l'avons vu se battre contre des terroristes, courir à la rescousse de gamins (et d'un phoque) après un attentat au zoo du Bronx, ou intervenir personnellement pour empêcher que l'on empoisonne le réservoir de Central Park. Nous étions là quand il a perdu sa femme, mais aussi quand il a de nouveau rencontré l'amour, sous les traits de Denise. Comme Shapiro, nous nous sommes dit : « Wouah ! Elle est dix fois trop jeune et trop sexy pour lui, mais c'est Sonny Lavinski, alors on lui pardonne. » Et même si nous n'avons jamais vu Daisy, sa fille née au cours du premier épisode, les projets d'études farfelus et les talents plus que douteux de cette gamine nous ont toujours fait rire.*

Alors ? Sonny est-il vraiment prêt à nous abandonner ? Si tel est le cas, parions que nous aurons de nouvelles séances de psy.

C'est complètement faux, nous a répondu l'agent de Donald. Je ne sais pas de qui vous tenez cette information, mais Donald ne s'en va nulle part. Il vient de signer pour trois nouvelles saisons. Donald est fou de New York et il adore Crime et Châtiment. »

Ouf ! Nous sommes rassurés. Mais jusqu'à quel point ? Et si nous suggérions aux producteurs de l'enfermer dans une cage au centre de Manhattan pour que nous puissions l'admirer tous les jours ?

Sonny, New York est ta ville ! Nous t'aimons du plus profond de notre cœur ! (De façon légèrement obsessionnelle, certes.)

Le jeune garçon en fleur

Se réveiller à la fin de l'été au quatrième étage de l'hôtel Hopewell, c'était un peu comme se réveiller dans une serre. La chaleur montait et transformait l'étage où vivait la famille Martin en une étuve humide. Le joli papier peint tissé de soie qui avait plus de quatre-vingts ans cloquait; les cadres de portes, en bois, gonflaient; çà et là un carreau de salle de bains craquait sous l'effet de la pression du sol brûlant. Scarlett s'attendait à ouvrir les yeux un matin et à découvrir une jungle où de longues lianes enlaceraient les meubles, avec, qui sait, un singe installé sur sa tête de lit et jouant avec ses boucles qui n'en finiraient pas de pousser, tel un massif recelant de délicieux fruits.

Après deux nuits presque blanches, elle dormait de tout son soûl quand, soudain, la clameur d'un camion de pompiers interrompit son sommeil. Il était cinq heures du matin. Lola, réveillée elle aussi, se leva immédiatement. Scarlett, elle, resta au fond de son lit jusqu'à dix heures, entre veille et sommeil. Chaque fois qu'elle se rendormait, elle rêvait à *Hamlet*, toujours avec une légère variation. Une fois, elle était actrice ; une autre fois, c'était une comédie musicale ; ou alors la représentation se déplaçait et envahissait leur chambre. En tout cas, Eric était toujours là, et Scarlett s'accrochait à sa présence comme à un ruban de rêve qui vous échappe. Jusqu'au moment où elle entendit quelqu'un frapper.

– Oui ? hurla-t-elle en tirant le drap sur sa tête.

La porte s'ouvrit.

Si c'était ses parents, ils entreraient tranquillement pour lui dire ce qu'ils avaient à lui dire. Si c'était Spencer, il bondirait au bout de son lit ou chantonnerait un petit air. Or, la personne qui était à la porte était très silencieuse, ça ne pouvait donc être que Marlène. Scarlett dégagea le drap de sa tête pour voir.

– Oui ? répéta-t-elle.

C'était bien Marlène, qui se glissa et s'approcha si près que Scarlett huma les dernières traces de fraîcheur sur son pyjama d'été rose. La climatisation de la chambre de Marlène marchait toujours – comme par hasard.

– Tu peux y aller avant moi, dit-elle.

Marlène avait prononcé ces paroles comme une reine accordant une faveur à des paysans sautant de joie pour la remercier.

– Avant moi ? Dans quel sens ?

– Dans la salle de bains, précisa Marlène avec une pointe d'agacement.

Voilà qui était étrange à plus d'un titre. Primo, Scarlett n'avait pas esquissé le moindre mouvement laissant penser qu'elle avait envie d'aller se doucher. Secundo,

Marlène ne donnait jamais la priorité à Scarlett pour quoi que ce soit. Et en général, elle se postait au bout du couloir en attendant que sa sœur sorte de sa chambre et, au dernier moment, elle se précipitait dans la salle de bains en lui claquant la porte en pleine figure.

– Ah ! lâcha Scarlett. Bon, d'accord.

Marlène traîna un moment autour du lit de sa sœur, avant de commencer à se retirer.

– Je t'en prie, dit-elle sur un ton presque menaçant.

Scarlett se recoucha en tirant son drap pour se réfugier sous son doux cocon de coton mauve. Et mince ! Encore une journée qui commençait mal. D'abord, le camion de pompiers ; ça encore, ça allait. Ensuite, Marlène qui entrait subrepticement dans sa chambre pour le plaisir de la mettre mal à l'aise. Et ce soir il fallait qu'elle se coltine cette épouvantable comédie musicale avec la prétendument merveilleuse Chelsea.

Allez, mieux valait ne pas se poser trop de questions. Autant se lever et affronter la journée.

Le quartier de Broadway se trouve au cœur de Manhattan, puisqu'il cerne l'immense carrefour central de la ville, connu sous le nom de Times Square. Sur cette place brillant de mille feux, de gigantesques panneaux lumineux sont empilés les uns au-dessus des autres, d'impressionnants hôtels côtoient des magasins géants devant lesquels faseyent des bannières, et des milliers de touristes envahissent les trottoirs avant de se déverser dans les rues.

Scarlett se faufila à travers la foule jusqu'au moment où elle aperçut, au-dessus de l'entrée du théâtre, une affiche sur laquelle elle reconnut Chelsea au milieu d'une troupe d'acteurs. Elle jeta un coup d'œil autour d'elle pour voir s'il y aurait un garçon qui pourrait être son frère, Max, puisque celui-ci était censé l'attendre avec des invitations. Mais les portes venaient d'ouvrir, et il était difficile de repérer quiconque au milieu du public qui se pressait pour entrer.

À quinze heures pile, elle sentit quelqu'un s'approcher derrière elle et se retourna. C'était un garçon qui avait plus ou moins son âge, et deux ou trois centimètres de plus qu'elle. De toute évidence, il avait un air de famille avec Chelsea : quelque chose d'un peu carré dans la mâchoire, des pommettes très marquées, les mêmes yeux étroits en amande et des sourcils foncés. En revanche, autant Chelsea affichait un sourire permanent, autant lui semblait prêt à l'attaque, comme s'il était doté d'un bouclier naturel fait pour contrer les coups que la vie lui réservait. Il portait un jean et une chemise à la mode qui venaient sans doute d'une boutique tendance, mais ils étaient usés et il avait dû les enfiler sans les sécher ni les repasser. Et, comme Scarlett, il avait les cheveux bouclés – de longues boucles négligées qui fichaient le camp dans tous les sens. Non pas une minivague, mais une tempête, et Scarlett s'y connaissait dans le domaine ! Enfin, pour couronner le tout, il sentait le détergent ou une espèce de parfum très fort et artificiel.

C'était donc lui, le fameux Max Biggs ! Il déshabilla Scarlett du regard, ostensiblement, depuis le haut de sa crinière dorée jusqu'à l'extrémité de ses pieds.

– Scarlett ? demanda-t-il. Tu bosses pour Chelsea, c'est ça ?

– Avec Chelsea, oui. Mais pour un agent. De toute façon, ta sœur n'a pas encore signé.

– Ouais, dit-il en lui tendant une invitation. Quoi qu'il en soit, tiens.

– Tu viens voir son spectacle avec moi, si je comprends bien.

– Apparemment, oui.

– Tu l'as déjà vu ?

Pas de réponse. Il poussa un long soupir et regarda au-delà de la tête de Scarlett, comme s'il s'ennuyait à mourir.

Scarlett alla rejoindre le bout de la queue des retardataires, sans se laisser démonter. Mais Max avait beau être muet, elle sentait sa présence derrière elle. Et quelle présence ! Il semblait fait de particules tellement lourdes qu'elles dégageaient comme de l'orage et des étincelles de foudre.

Chaque fois qu'elle allait voir un spectacle à Broadway, ce qui n'arrivait pas très souvent, Scarlett était frappée par l'étroitesse des salles de théâtre qui contenaient des centaines de personnes. De même, elle était sensible à l'atmosphère si particulière, due aux fauteuils rouges et douillets et à la moquette épaisse conçus pour étouffer les bruits tout en donnant une impression de confort luxueux.

Cela dit, ce jour-là, rien n'aurait pu étouffer le bruit qu'elle fit avec Max pour atteindre les deux sièges situés au milieu du deuxième rang. Toute la rangée était occupée par un groupe de personnes du troisième âge arborant le même T-shirt aux couleurs de leur agence de voyages. Elles furent obligées de se lever, certaines avec un réel effort, et à rentrer le ventre pour laisser passer les deux jeunes gens. Les lumières commençaient déjà à diminuer, les joueurs de l'orchestre accordaient leurs instruments. Max était collé contre Scarlett et n'arrêtait pas d'écraser les chaussures des gens devant lesquels il passait. Enfin Scarlett arriva à son fauteuil, au moment même où le noir complet se fit. Cinq secondes de silence suivirent, entre la dernière note d'un violon qu'on accordait et la première de l'ouverture de la comédie musicale. Cinq secondes au cours desquelles Max lui murmura : « Je te préviens, cette comédie est totalement nulle. »

Un sifflement retentit parmi leurs voisins et le spectacle commença.

Max était peut-être un cas, mais il n'avait pas tort. La comédie musicale était « totalement nulle ». L'histoire, située dans les années 1940, était celle d'un mariage catastrophique de A à Z. Chaque personnage était amoureux de quelqu'un qui lui était interdit, y compris la jeune épousée. Et chacun se confiait à la demoiselle, jouée par Chelsea, qui portait le bouquet de la mariée. Toutes les blagues étaient attendues, mais le public riait à gorge déployée. Tous les airs étaient galvaudés, mais les gens applaudissaient. Et les chansons, sirupeuses à souhait, s'enchaînaient.

Cependant..., il fallait bien reconnaître que Chelsea faisait montre d'un réel talent. Elle avait quinze ans mais elle jouait le rôle d'une jeune fille plus jeune, ce qui passait très bien. Elle ne minaudait pas, ne forçait pas sur sa voix ; simplement, elle jouait la jeune fille plus jeune. Scarlett en vint à regretter qu'elle soit aussi bonne et chante aussi bien. En vain. Chelsea tint son rôle jusqu'au bout du premier acte, jusqu'au tube final, «Prends-moi», qui était sa signature. Le public, ravi, se redressa pour l'applaudir jusqu'à ce que les lumières se rallument.

– Je te l'avais dit, c'est nul, dit Max. Les gens ont un goût de chiottes. Ils trouvent ça génial.

« Les gens » en question avaient beau être un peu bêtes et durs de la feuille, ils n'étaient pas complètement sourds. C'est ainsi qu'une femme au regard farouche, les cheveux teints en un roux flamboyant, pivota et fusilla Max du regard.

– Dans ce cas-là, pourquoi tu es venu ? demanda Scarlett.

– Pour faire la nique à ma sœur. Et toi ? Je parie que tu es plus ou moins actrice. C'est pour ça que tu as accepté ce petit boulot. Pour préparer le terrain ?

– Non, c'est mon boulot, tout simplement. Je ne suis pas comédienne.

Il se cala dans son fauteuil, posa les pieds sur le dossier du siège occupé devant lui, et se mit à tripoter un petit trou qui pointait le nez au bout de sa basket.

– Il paraît que tu vas dans le même lycée que moi, dit-il.

C'était le contraire : c'était lui qui allait dans le même lycée que Scarlett, puisqu'elle y était avant lui, mais peu importe, elle n'avait pas le courage de se défendre.

– Oui, répondit-elle platement.

– Et tu vis dans un hôtel, c'est ça ?

– Ouais.

Pourvu qu'il ne continue pas sur le mode « Si tu vis dans un hôtel, tu dois être bourrée aux as », sinon elle allait le tabasser. Contre toute attente, ce n'est pas du tout ce qu'il en conclut.

– J'ai regardé sur Internet, dit-il. Les commentaires ne sont pas terribles. Le mieux, c'était quelqu'un qui l'appelait l'hôtel *Hope Not*[*] ! Tu tombes sur des trucs assez marrants sur Internet, parfois.

– Je parie que tu as plein de copains, toi.

Max sourit, acceptant volontiers la pique. Mais c'était un sourire un peu forcé, accordé du bout des lèvres par quelqu'un qui n'avait manifestement pas l'habitude de sourire.

– Non, admit-il. Et toi, tu as beaucoup de copains ? Si c'est le cas, tu n'as qu'à me les présenter. J'adorerais être la nouvelle coqueluche du lycée. C'est ça, le boulot d'agent, non ? Transformer un inconnu en coqueluche ?

– Je suis plutôt assistante, genre c'est moi qui ouvre le courrier.

– D'accord, mais…

Manifestement le sujet des agents l'intéressait. Il se retourna pour lui faire face et ajouta :

– Comment tu te retrouves à faire ce boulot alors que tu n'es pas actrice ? Tu es montée sur les planches et tu as compris que tu étais trop mauvaise ?

– Pas du tout, je n'ai jamais été comédienne.

– Tu aimes le milieu des acteurs, c'est ça ?

– On ne pourrait pas discuter normalement ?

---

[*] Jeu de mots avec « Hopewell » et « Hope Not », en sachant que *hope* signifie « espoir ».

– Comme tu veux.

Il sortit de sa poche une paire d'écouteurs qu'il plaqua sur ses oreilles. Le second acte commença. Scarlett entendait les vibrations sourdes de la musique qui résonnaient à quelques centimètres d'elle. Heureusement, le second acte était moins catastrophique que le premier, ne serait-ce que parce qu'il durait vingt-cinq minutes à peine. Chelsea avait un air particulièrement long qui enchanta de nouveau le public, applaudissant de plus belle. Scarlett vit alors le regard de Chelsea qui les cherchait avant d'atterrir pile sur eux. Elle applaudit automatiquement, presque malgré elle.

Les lumières se rallumèrent. Une femme avec un casque se précipita sur Scarlett.

– Chelsea aimerait que vous veniez dans les coulisses, dit-elle.

Voyant que Max était plus ou moins endormi, elle l'abandonna et suivit la femme pour monter par le petit escalier du côté de la scène. Toutes deux se retrouvèrent derrière le rideau, en pleine obscurité et au milieu d'un amas d'éléments de décors, d'ordinateurs, de câbles, de cordes et de ruban adhésif. Il y avait partout du ruban adhésif ! Sur le sol, sur les murs, sur les accessoires... Du gros ruban industriel épais, argenté ou fluo, qui brillait dans l'obscurité et créait çà et là de drôles de tableaux de hiéroglyphes. La femme passa au milieu d'un groupe de techniciens qui rangeaient les éléments du décor de la dernière scène, puis elle ouvrit une lourde porte qui donnait sur un vestibule en parpaing envahi de portes et de portants chargés de vêtements. Scarlett reconnut plusieurs des comédiens qu'elle venait de voir sur scène, discutant entre eux ou au téléphone. Tous avaient enlevé leur perruque et déboutonné le haut de leur costume, si bien que leur maquillage paraissait beaucoup trop lourd : les hommes avaient une tartine plus ou moins orangée sur la figure, avec de faux poils fixés à la colle, et les femmes une dose impressionnante d'ombre à paupières bleue et plusieurs couches de rouge à lèvres.

– C'est par là, lui indiqua la femme. Troisième porte à gauche.

De simples feuilles de papier avec le nom des acteurs étaient collées sur les portes. Scarlett frappa à « Chelsea Biggs ». Une voix enthousiaste lui dit d'entrer. Chelsea était assise devant une petite table flanquée d'un miroir encadré d'ampoules, en train de retirer ses faux cils.

– Scarlett ! Je t'ai reconnue dans le public ! Je suis supercontente que tu aies pu venir. Alors ? C'était pas trop nul ?

– Au contraire, top.

– Vraiment ?

– Oui, je te promets.

– Parce que ce soir, je ne le sentais pas bien. Question d'énergie, la troupe n'allait pas fort, mais je m'en suis pas trop mal sortie, non ?

– Oui, c'était vraiment bien, répondit Scarlett cette fois-ci un peu moins convaincante.

Chelsea remarqua tout de suite la différence de ton.

– Tu ne peux pas savoir, c'est tellement dur quand tu vois que les autres ne suivent pas. C'est juste que tu sens qu'ils ne sont pas présents.

Scarlett décida de ne plus répondre, sans quoi la conversation n'en finirait jamais. Hélas ! ce fut peine perdue. Chelsea poursuivit en parlant de ce problème d'énergie pendant cinq bonnes minutes, que ce problème soit réel ou imaginaire, peu importe. Pendant ce temps-là, elle retira peu à peu son costume, puis ses collants, et ensuite sa petite culotte, sans la moindre pudeur, puis son soutien-gorge, qu'elle remplaça par un autre, avant d'enfiler un pantalon de yoga et un T-shirt... Mademoiselle prenait son temps.

– Je suis désolée que tu aies été obligée de te coltiner Max, dit-elle. Il déteste cette comédie musicale. Il est où, du reste ?

– Il est... euh... Je crois qu'il est toujours dans la salle.

– Ah ! Je ne pensais même pas qu'il resterait jusqu'au second acte. Je suis désolée. Je ne sais pas pourquoi il a accepté de revenir. Il a horreur de ce spectacle.

Le portable de Chelsea sonna. Elle le coinça contre son épaule en enfilant ses chaussures. C'était sa mère. Elle se lança alors dans une critique détaillée de la représentation, au geste près, et Scarlett comprit que c'était le moment d'y aller. Si elle partait maintenant, elle échapperait non seulement au reste de la conversation, mais au « si on allait prendre un verre ensemble ? » fatal. Elle tapota son poignet dépourvu de montre, sourit, haussa les épaules et agita la main. Chelsea afficha une expression désolée, genre « Oh non ! », avec un geste qui signifiait « Attends ! », mais en vain. Scarlett fit comme si elle n'avait pas compris et recula jusqu'à la porte. Vite, elle tourna les talons. Elle se perdit un peu au milieu des coulisses, entre les réserves de costumes et les grappes de techniciens, jusqu'au moment où elle vit le panneau de sortie. Ouf !

Hélas ! le sympathique Max l'attendait sur le trottoir, appuyé contre un panneau « Klaxon interdits ».

– Qu'est-ce que tu vas faire ? lui demanda-t-il, écouteurs toujours aux oreilles. Courir pour faire le compte rendu à ta patronne ?

– Non, sans blague ? Tu as lu dans mon esprit ?

Elle fila vers la station de métro de la Cinquante-cinquième Rue, mais elle sentit que Max la suivait. Pas juste derrière elle ; à quelques pas. Dans un quartier normal, elle aurait pu le semer, mais les rues de Times Square étaient tellement bondées qu'elle avançait comme une tortue. Tantôt les gens s'arrêtaient pour prendre une photo, tantôt elle se retrouvait coincée derrière un groupe de touristes. Enfin, elle arriva à un feu. Loin de chercher à traverser, Max s'arrêta à deux pas d'elle et lui murmura à l'oreille :

– Je serai ravi de te revoir au lycée.

L'arme secrète

Max avait raison. Scarlett était tenue d'aller voir sa patronne pour lui faire le compte rendu du spectacle.

Elle entra dans l'appartement de Mrs Amberson, où retentissait une musique de cabaret. La porte de la chambre était entrouverte.

– J'arrive ! hurla Mrs Amberson.

Scarlett s'assit devant le bureau de l'agent, sous le panneau de photos, en tâchant de ne pas lever les yeux... Il fallait absolument qu'elle arrache les photos d'*Hamlet* pour les remplacer par d'autres. Elle regarda autour d'elle pour voir s'il y avait de nouvelles photos d'acteurs arrivées par la poste. Pourquoi ne pas en accrocher quelques-unes, histoire de donner leur chance à ces comédiens et de renouveler le panneau ? Elle farfouillait sous la pile des magazines et des papiers qui s'étaient accumulés au cours des vingt-quatre heures, quand elle sentit quelque chose sous son pied. Un truc vivant. Un truc qui avait un certain poids. En bonne petite New-Yorkaise, elle savait que la chose en question était trop grande pour être une souris; c'était donc sûrement un rat, puisque les lapins pénétraient rarement dans les gratte-ciel pour se construire des tanières entre les murs.

Elle demeura immobile, pour ne pas effrayer la petite bête, car les petites bêtes effrayées mordent. Jusqu'au moment où la bestiole glissa sous son pied et pointa le museau au pied du bureau avec un air contrit. C'était une petite chose qui avait la couleur d'une pomme de terre, un corps qui évoquait celui d'un écureuil, et des yeux qui ressemblaient à deux olives noires sur les côtés.

Scarlett poussa un cri, et Mrs Amberson sortit de sa chambre, vêtue d'une ample robe noire. Elle avait à la main une télécommande qu'elle brandit vers la chaîne stéréo pour baisser le son de la musique berlinoise des années 1930 qui résonnait dans la pièce.

– Qu'est-ce qu'il se passe?

– Il y a une bestiole, une chose..., une espèce de machin, je ne sais pas, un truc...

Le cerveau de Scarlett comprit alors que ce n'était pas un rat, mais tout bêtement... un chien. Un affreux petit chien, un pauvre clebs qui semblait parfaitement conscient qu'il ne pesait rien.

– Ah oui! C'est Murray. Il est adorable, non?

Murray était tout sauf adorable. Il était difficile de dire s'il était recouvert d'une légère fourrure ou si cette substance qui l'enrobait était juste de la peau flasque. En outre, il avait de minuscules pattes qui produisaient une espèce de martèlement de claquettes quand il se déplaçait.

– C'est le chien de mon amie Moo. Elle est partie suivre une retraite en Amérique du Sud et elle m'a demandé de m'en occuper pendant son absence. Elle l'a déposé ce matin. En fait il s'appelle Mr. Peabody, mais je l'ai baptisé Murray, en hommage à notre ami portier. Gros Murray a donc croisé Petit Murray quand nous sommes descendus pour qu'il se soulage. La rencontre fut épique, je ne te raconte pas!

Mr. Murray Peabody était à présent caché près de la cuisine et tremblait de tout son corps.

– Il a l'air un peu nerveux, fit remarquer Scarlett.

– Je sais. La vie est pour lui un tremblement de terre permanent. Il a peur de tout. Des sacs. Des poussettes. Des cannes. Des chariots des vendeurs de hot dogs. Des sacs-poubelle. Des chapeaux. Des baskets. Et il a une sainte horreur des plantes de l'entrée au rez-de-chaussée. Il a fait pipi en les voyant! N'est-ce pas, mon chéri? On a eu une petite crise de panique, hein?

Murray se redressa pour secouer ses pattes en guise de réponse.

– Murray le portier déteste Murray le pisseur. Note bien, cela dit, c'est un chien végétarien. Formidable, non? Mon amie Moo mène une vie extrêmement ascétique, et elle le nourrit exclusivement de graines et de pâtés à base de légumes. J'aurais bien glissé un ou deux Xanax pour le calmer, mais sa fragilité fait partie de son charme...

– Combien de temps vous devez le garder?

– Jusqu'à ce que Moo arrive à bout de ses problèmes de chakra. C'est un petit chien, qui ne consomme pas trop, une version écolo du chien domestique normal. Bon, changeons de sujet, parle-moi un peu de Max.

Quand elle vivait à l'hôtel Hopewell, Mrs Amberson avait l'habitude de s'asseoir sur le rebord de la fenêtre de sa chambre pour fumer. Elle tournicota quelques instants dans le salon et s'installa sur une table en s'appuyant à une vitre derrière laquelle la ville de New York se déployait contre le ciel. Elle n'arrêtait pas de tapoter son index et son majeur l'un contre l'autre comme si elle avait une cigarette entre les doigts.

– Max ? Total antisocial, répondit Scarlett.

– C'est-à-dire ?

– Il m'a descendu le spectacle devant tout le monde juste avant le début. Il voue une haine féroce au milieu des artistes, surtout aux comédiens. Les spectateurs autour de nous étaient furieux.

– Je vois. C'est une personnalité aux multiples facettes.

– Comment ça, aux multiples facettes ?

Mrs Amberson agita la main pour évacuer la question. Murray était en train d'essayer de s'installer sur un petit vase décoratif aux pieds de Scarlett. Elle se pencha pour ramasser le vase, et le chien lui jeta un regard effaré, avant d'enfouir sa tête sous le revers du tissu du canapé.

– Il t'aime bien, fit Mrs Amberson.

– Ah bon ?

– Tu devrais voir comment il se comporte quand il n'aime pas quelqu'un ! Tu es très aimable, O'Hara, il faut que tu en aies conscience. C'est pour ça que tu es mon arme secrète !

– Dans quel sens ?

– Par exemple, quand tu étais avec Max, j'en ai profité pour passer un coup de fil à Miranda Biggs. Elle se fait beaucoup de souci pour son fils. Au cas où tu ne l'aurais pas remarqué, elle est obnubilée par la carrière de ses deux enfants. Chelsea, c'est bon, elle la contrôle. Mais

Max, c'est une autre paire de manches. Elle a l'impression de n'avoir aucun pouvoir sur lui, et pour elle, ce pouvoir-là, c'est tout.

– Donc ?

– Elle m'a avoué qu'elle était rassurée de savoir que quelqu'un avait l'œil sur lui au lycée.

– Oh non ! Non...

– Il faut que tu envisages ça d'un point de vue professionnel, O'Hara. Nous sommes une petite agence inconnue au bataillon, mais bientôt nous serons célèbres, respectées, et considérées comme élitistes. Sauf que, pour l'instant, ça se résume à quelques cartons dans un appartement. Chelsea aurait pu signer avec une grosse agence. Il me fallait un atout. Et cet atout, c'est toi. Je te l'annonce : Chelsea vient d'accepter d'être représentée par nous. Nous pouvons être fières de nous ! Nous venons d'acquérir notre deuxième client, ou cliente, en l'occurrence !

Scarlett aurait dû manifester un minimum d'enthousiasme, mais c'était plus fort qu'elle, elle réagit en hurlant :

– Je refuse d'espionner Max !

– Tu n'as pas compris, ma chérie. Il ne s'agit pas de l'espionner. Il se trouve que vous allez être dans le même lycée. Je te demande simplement d'avoir l'œil sur lui. Comme une espèce de contrat d'assurance.

– Je n'ai rien à faire de particulier, j'espère ? Vous n'imaginez quand même pas que je vais vous faire un rapport quotidien sur lui !

– Bien sûr que non. Vous êtes dans le même lycée, c'est tout. Mon petit doigt me dit que Max était furieux de déménager à New York. Je dois dire que je le comprends. C'est sa mère qui l'a forcé à venir parce que sa fille a décroché ce rôle à Broadway. Il n'avait aucune raison de bouger, d'autant moins que M. Biggs, le père, n'est pas venu. Il dirige un golf. L'atmosphère familiale ne doit pas être au beau fixe. Le problème, c'est qu'ici ils ne connaissent personne. Ils n'ont pas d'amis. Pas de réseau. Miranda est rassurée par ta présence. Elle était grisée par l'idée que tu ailles à Broadway avec Max.

– Je n'irai plus jamais nulle part avec lui.

– D'accord, promis. Mais Max aura plus de mal à sécher et à mentir en sachant que tu es dans le même lycée que lui.

– Il faut que les choses soient claires. Je n'ai pas l'intention de le fliquer. Au contraire, mon plan à moi, c'est de garder un maximum de distance avec lui.

– Évite-le autant que tu veux. En tout cas, j'ai obtenu ce que je voulais. Chelsea vient de signer. Quand Miranda verra les contrats mirobolants que je vais obtenir pour sa fille, elle oubliera le problème de son fils. À vrai dire, tout ça ne t'affectera pas. C'est moi qui vais m'occuper de Chelsea. Et je te le répète, je ne te demande rien de spécial par rapport à Max. Bon, dis-moi, comment va mon client préféré ?

– Déprimé.

– Déprimé ? Spencer ? Ça ne lui ressemble pas.

– Il a l'impression d'avoir tout raté. Il ne sait même plus s'il a envie d'être comédien. Il n'a pas un rond. J'ai dû insister pour qu'il aille à l'audition de *Crime et Châtiment*.

– Tous les acteurs traversent des périodes de doutes.

Le problème, c'est que je ne lui ai pas encore trouvé le bon rôle. Cela dit, j'ai plusieurs auditions possibles pour lui dans les semaines qui viennent. Celle-ci, par exemple...

Elle prit quelques feuilles qui traînaient sur la table à côté d'elle.

– « Le comédien doit jouer comme si sa vessie était pleine à ras bord. Un mètre soixante minimum. » L'audition a lieu demain.

Scarlett prit le script sans mot dire.

– Et on ne sait jamais pour *Crime et Châtiment*. Je te l'ai déjà dit, ils étaient très intéressés par lui. Bon, il faut que j'y aille. Pendant ce temps-là, tu pourrais sortir Murray ? La laisse est sur la poignée de la porte, avec un sac en plastique pour ce que tu penses.

À peine rentrée chez elle, Scarlett fila boire un verre d'eau dans la cuisine. Elle tomba sur Lola. Il était rare de tomber sur quiconque de la famille Martin dans la cuisine. Les trois réfrigérateurs et les deux grands fours destinés à préparer de quoi nourrir les clients hypothétiques étaient rarement utilisés, que ce soit par les parents ou par les enfants. Personne dans la famille n'était très doué en cuisine. La preuve ? Lola debout devant un plan de travail était en train de retirer d'une jatte des bouts de coquille d'œuf.

– Je n'arrive jamais à casser un œuf comme il faut. Je ne sais pas comment les gens se débrouillent, dit-elle.

– Qu'est-ce que tu fais ?

– J'essaie d'apprendre à faire des muffins. Ça ne coûte vraiment rien de les préparer soi-même, ça revient beaucoup moins cher que de les acheter à la boulangerie. On attend de nouveaux clients envoyés par une agence de voyages, quatre chambres en tout. Papa et maman sont en train de préparer les lits là-haut, et Spencer les aide à déplacer les climatiseurs.

L'hôtel Hopewell ne possédait que quelques climatiseurs et téléviseurs en bon état de marche, si bien qu'à l'arrivée de nouveaux clients, on déplaçait ces appareils d'une chambre à l'autre. Quand les clients n'étaient pas nombreux, le jeu de chaises musicales était plutôt drôle, et toute la famille conservait l'air conditionné. Mais quatre chambres occupées, ça voulait dire faire des choix. Heureusement, la mère de Scarlett avait un don pour deviner les priorités et les goûts des gens, le degré de confort qu'ils attendaient, les accessoires qui leur étaient indispensables, etc.

– Voilà pourquoi je voulais préparer des muffins pour le petit déjeuner, reprit Lola en continuant sa pêche aux bouts de coquille.

À vrai dire, les œufs n'étaient pas cassés, mais littéralement explosés. Et Lola entassait consciencieusement sur une coupelle les bouts de coquille repêchés.

– Je te conseille de recommencer à zéro, proposa Scarlett.

– Mais j'ai déjà cassé une douzaine d'œufs. Ça serait du gâchis. La situation est rattrapable. Regarde ! Il n'y en a presque plus.

Elle lui présenta le plat avec fierté, et Scarlett y aperçut des petits trucs blanchâtres qui devaient être des éclats de coquille. Presque rien ! D'autant moins qu'elle vit une chose beaucoup plus intéressante au poignet de sa sœur : la montre Cartier que Chip lui avait offerte en cadeau de rupture.

Lola croisa le regard de sa sœur et eut le réflexe de saisir la montre timidement.

– Ah... oui..., bafouilla-t-elle.

– Ça veut dire quoi, exactement ?

– Pour l'instant, rien. Tu sais, en fait, quand j'y réfléchis, le problème, ça n'a jamais été lui. C'est plutôt ses copains. Heureusement, à Boston, il va se faire de nouveaux amis. Ça sera différent. Il m'a demandé de l'accompagner au bal de la rentrée, et j'ai accepté.

– Toi, tu vas à un bal ? Tu nous avais caché ça !

La maladresse de Lola, piètre danseuse, faisait partie de la légende de la famille Martin. Certes, s'il s'agissait de traverser une pièce en ligne droite, Lola était d'une grâce irréprochable, capable d'aller et venir sur des talons hauts de plusieurs centimètres. Mais dès qu'on lui demandait de faire un pas précis, ou de tourner sur elle, elle se cassait la figure. Dans la famille, on avait baptisé son syndrome du nom de « danselexie ».

– Quoi ? Qui va à un bal ?

C'était Spencer, qui venait d'apparaître dans l'encadrement de la porte. Il bondit pour s'accrocher au montant avant de sauter dans la pièce, un petit exercice qu'il faisait systématiquement avant d'entrer dans la cuisine.

– Moi, répondit Lola en se retournant vers lui.

Spencer s'écroula par terre.

– Sérieusement ? Et... où ? Avec qui ?

Voyant que sa sœur tâtait sa montre, il comprit.

– J'en étais sûr, murmura-t-il tourné vers Scarlett. Je te l'avais dit.

– On ne pourrait pas sauter la partie récriminations contre Chip? l'interrompit Lola. Pour une fois? En plus j'ai un service à te demander. Puisque tu es d'une souplesse exceptionnelle, je me disais... Tu avais des cours de danse tous les jours au lycée, non? Je t'ai vu danser dans plein de spectacles. Alors peut-être que tu pourrais me donner... un ou deux cours? De quoi ne pas me ridiculiser devant tout le monde?

Scarlett luttait pour ne pas éclater de rire.

– Je ne suis pas vraiment professeur de danse, se défendit Spencer.

– Je sais, mais tu ne pourrais pas me montrer deux ou trois pas? S'il te plaît. Je n'ai pas envie de me rétamer et d'être humiliée devant tout Boston. En plus, ça m'évitera de me casser la jambe, et si je n'ai pas de jambe cassée, je te propose de faire quelques corvées ménagères à ta place. Par exemple, le tri des ordures jusqu'à la fin du mois.

– D'accord, répondit Spencer en croisant les bras, sans enthousiasme.

– Il le prend mieux que ce que j'imaginais, avoua Lola à sa sœur dès qu'il eut quitté la cuisine.

Mais Scarlett préféra suivre son frère pour savoir ce qu'il en pensait vraiment.

– Hep! l'interpella-t-elle au pied de l'ascenseur. Je trouve que tu as accepté un peu vite.

– À quoi bon se battre? répondit-il en appuyant avec rage sur le bouton.

– Tu as été à l'audition de *Crime et Châtiment*?

– Oui, c't aprèm. Ils étaient ultrastressés.

– Et alors?

– Aucune idée.

– Sonny Lavinski était là ?

– Non. Mais j'y suis allé comme promis. Je préfère qu'on arrête d'en parler, O.K. ?

L'ascenseur arriva, et Spencer ouvrit la grille. Il se précipita contre le soleil d'argent fixé sur la paroi du fond, quand soudain il remarqua le script que sa sœur avait à la main.

– C'est quoi ?

– Oh, rien.

– C'est grave à ce point-là ? Allez, donne.

Scarlett lui remit à contrecœur le script de cette histoire de vessie suractive. Spencer parcourut les pages avec un regard neutre, avant de les lui rendre au moment où ils atteignaient le quatrième étage.

– Je ferais peut-être bien d'y aller, dit-il en bifurquant vers sa chambre. À côté de ça, le « jour de la chaussette » serait sans doute un bon souvenir.

Ces mensonges dont tout le monde est au courant

Le lycée Frances Perkin occupait un bâtiment assez remarquable, situé au nord de Central Park West. C'était un somptueux immeuble de brique rouge et or, avec une belle tour à chaque extrémité, de hautes fenêtres de style gothique et un long porche avec des portiques comme certaines villas italiennes. Sur le fronton du bâtiment une plaque annonçait « l'un des plus anciens hôpitaux de la ville », mais tout le monde savait que c'était un ancien asile psychiatrique qui avait fermé ses portes dans les années 1970. On disait que les patients libérés alors avaient rendu le quartier particulièrement dangereux, qu'ils s'embusquaient au sommet du grand mur ceinturant le parc à la hauteur de la Cent-quatrième Rue et sautaient sur les gens pour leur dévorer le cerveau. Les rumeurs les plus effroyables allaient bon train…

En vérité, le lycée Frances Perkin n'avait jamais été un asile, mais un sanatorium, pour les tuberculeux. Tous les murs étaient arrondis, et voici pourquoi : la famille généreuse qui avait financé la construction de l'établissement était convaincue, mais à tort, que les microbes ne sauraient proliférer dans des pièces sans coins. L'édifice avait donc été bâti sur des idées erronées.

Peu importait la destination d'origine des bâtiments, car maintenant, Frances Perkin était un excellent lycée qui accueillait parmi les élèves les plus brillants de New York. Il était très difficile d'y être admis. Les candidats devaient avoir eu d'excellentes notes et passer des tests de très haut niveau pour être acceptés au cœur de cette enceinte presque sacrée. Le lycée attirait donc beaucoup de bosseurs, de forts en thème et de rats de bibliothèque, mais, comme c'était un établissement public, l'argent n'était pas un critère de sélection.

À cause d'un problème technique, les emplois du temps avaient été envoyés la veille de la rentrée aux élèves, qui s'étaient empressés de les comparer par courriel. Scarlett n'avait pas vraiment tiré le gros lot: français, relations internationales, déjeuner en troisième service (en général, il ne restait que des céréales, et c'était un moment creux que les élèves utilisaient pour finir leurs devoirs ou piquer un petit somme), trigonométrie (bon pour la sieste postdéjeuner), histoire de l'art, anglais, éducation civique et biologie II.

– Trop nul, ton emploi du temps, commenta Josh. Au fait, tu ne voudrais pas sortir avec moi?

– Tu me l'as déjà demandé hier. D'habitude, j'ai droit à la question une fois par mois, pas plus.

– Oui, mais je ne t'ai pas vue de l'été, répondit-il en se dirigeant vers son casier. Je voulais juste te dire que je suis disponible.

– C'est sympa. Merci.

Le jour de la rentrée était une sorte de répétition générale où les professeurs faisaient l'appel, attribuaient des places à chacun, distribuaient toutes sortes de papiers, et prenaient le temps d'expliquer aux élèves quel genre de tortures ils leur avaient concoctées pendant les vacances.

En attendant, le lycée avait été largement rafraîchi pendant l'été. Les linoléums avaient été changés ; les casiers éraflés, repeints, et les portes des salles de classe avaient de nouvelles plaques en plastique. Quelqu'un avait dû faire une donation, vu les équipements flambant neufs, tels les superbes écrans plats installés dans les couloirs, sur lesquels défilaient des informations permanentes, messages de bienvenue et indications de salles.

Cette donation avait bénéficié surtout à la cafétéria. On y trouvait un comptoir de salades rutilant, un immense bac de fruits, un coin céréales et un chariot de café, tous nouveaux ; et des tables argentées, avec de superbes chaises orange et des prises de courant pour les ordinateurs. Enfin, un panneau accroché à une piñata au-dessus du self-service annonçait : « Les tacos sont de retour le vendredi ! »

Pour l'instant, Scarlett était surtout en train de faire le bilan de son emploi du temps. Le français ? pareil que l'année précédente. Les relations internationales ? une suite de mauvaises nouvelles et de cartes de géo. La trigonométrie ? un mauvais moment à passer en serrant les dents. L'histoire de l'art ? intéressant mais finissait dans deux mois. L'anglais ? aurait été mieux avec un autre professeur. L'éducation civique? un repaire d'activistes en chambre. La biologie? rachetait le tout; car les cours de biologie étaient donnés par une certaine Miss Fitzweld, jeune, sympathique et couverte de tatouages en forme de cœurs brisés et de *hula girls* qu'elle essayait de dissimuler en portant des manches longues et des chauffe-bras. Scarlett l'avait déjà eue en biologie I et savait tout sur elle. La mère de Dakota avait été son tuteur quand elle passait son doctorat à l'université de Columbia. Conclusion: d'un côté, Dakota était excellente en biologie; de l'autre, miss Fitzweld avait un petit faible pour elle et Scarlett.

À peine entrée dans le laboratoire pour le premier cours, Scarlett se précipita sur un des derniers postes de travail libre. Chaque poste étant conçu pour deux élèves, elle posa ses affaires sur le tabouret à côté du sien pour réserver la place à Dakota. Deux secondes plus tard, elle entendit le bruit d'un sac atterrissant sur le tabouret. Elle se retourna et tomba nez à nez avec Max.

– La place est prise, dit-elle.

– Il n'y a personne, que je sache.

– Si.

– Tu ne trouves pas qu'il serait temps qu'on fasse connaissance? Moi oui. Donc je m'incruste.

Et il s'installa sur le tabouret voisin du sien. Dans la salle, le jeu de chaises musicales battait son plein. Les élèves se précipitaient sur leur place préférée car ils savaient qu'ils avaient peu de chances d'en changer avant la fin de l'année. Miss Fitzweld avait toujours procédé ainsi; du coup, les premières minutes de son cours de rentrée étaient particulièrement tendues. De son côté, Dakota ne devait pas trop se presser, persuadée que Scarlett lui avait gardé sa place.

– Sérieusement, se défendit Scarlett face à Max. J'ai réservé la place pour une amie, mais elle est un peu à la traîne.

– C'est la loi du plus fort, fondamentale en biologie.

Enfin Dakota débarqua. Elle tomba des nues en découvrant Max assis à côté de Scarlett.

– C'est ma place, se justifia-t-elle.

– Je n'ai pas vu ton nom affiché où que ce soit.

– D'abord, tu es qui, toi ?

– Un superpote de Scarlett. On est allés au théâtre ensemble hier soir.

Dakota, troublée, se retourna vers Scarlett.

– Je te présente Max, répondit celle-ci sans enthousiasme. Le frère de Chelsea Biggs.

– Je peux savoir qui est Chelsea ?

– Une actrice qui joue dans *La Jeune Fille en fleur*.

– Encore un truc lié à ton boulot. Décidément, ce job est un cauchemar.

– Moi, je ne bosse pas, c'est encore mieux, intervint Max. Je suis trop paresseux. En plus, je triche. Je te préviens, autant que tu le saches puisque je vais être assis à côté de toi. Je suis un tricheur patenté.

– Dis à ton copain de bouger, déclara Dakota en se tournant vers Scarlett. Qu'il se casse, et tout de suite.

– Qu'est-ce que tu veux que je fasse ? Que je le soulève et le prenne dans mes bras ?

Max ouvrit grands les bras pour encourager Scarlett. Et Miss Fitzweld finit par remarquer – pas trop tôt ! – que Dakota n'avait pas de place.

– McMann, l'appela-t-elle, viens ici. Il y a une place au premier rang.

– Mais…

– Pas de « mais ». Viens ici tout de suite.

La question était résolue. Dakota traversa la salle et alla s'asseoir à côté de Doug Taylor. Et voilà, l'année était foutue pour toutes les deux. Scarlett vit neuf mois de galère à venir, qui se déroulaient tel qu'un long catalogue couvert de pattes de mouche illisibles. Elle faillit se jeter sur Max pour le renverser. Si elle avait pu, elle l'aurait trucidé. Évidemment, c'était impensable, elle risquait le renvoi immédiat, et même le renvoi définitif. Le règlement du lycée était extrêmement strict en matière de violence.

Max se pencha vers elle comme s'il cherchait quelque chose, et elle reconnut cette odeur bizarre, un vague parfum de fleurs artificiel qui venait de ses cheveux.

Elle essaya de se concentrer sur le tableau blanc où Miss Fitzweld avait commencé à griffonner le programme de l'année. Mais elle avait beau essayer de s'investir, de stimuler la partie de son cerveau qui s'intéressait à ses études et à son avenir, la seule chose dont elle était réellement consciente, c'était la présence angoissante de Max à ses côtés – à vingt-deux centimètres d'elle exactement. Max qui, en plus, pianotait avec ses longs doigts sur leur poste de travail, tout en tapotant du pied à un rythme qui n'avait rien à voir. Impossible de ne pas réagir à ce contrepoint, trop entêtant pour qu'elle puisse suivre leur professeur. Pendant ce temps-là, toutes les informations importantes sur le déroulement de l'année lui échappaient. Miss Fitzweld finit par leur distribuer à chacun un manuel qui pesait une tonne, des lunettes de protection, des gants, un tablier en plastique, de même que le programme et la date des examens.

– Toi et moi, lança Max quand la sonnerie retentit, on est scotchés ensemble jusqu'à la fin de l'année.

Après cette journée de rentrée, Scarlett avait envie de tout, sauf de passer chez Mrs Amberson pour aller promener Murray. La laisse de ce pauvre clebs était grotesque. On aurait dit un long bracelet clouté rouge accroché au bout d'un fil. Elle la prit et s'approcha de Murray qui recula en écarquillant ses yeux noirs.

– Ne t'inquiète pas.

Elle noua la laisse autour du cou de Murray, tremblant, mais le chien refusait de bouger et elle fut obligée de le prendre dans ses bras. Elle attrapa d'un geste rageur un sac en plastique, et descendit.

Comme prévu, Murray le portier les fusilla du regard en les voyant débarquer. Scarlett avait déposé le chien qui trottinait à côté d'elle.

– Ce chien, dit-il, c'est pas possible, faut que vous fassiez quelque chose.

Soudain Chien Murray paniqua face à Portier Murray et se réfugia contre les chevilles de Scarlett.

– Il n'est pas à moi. Il appartient à Moo.

– À qui ?

– À Moo.

– À moi ?

– Non, pas à vous, à Moo.

– Je ne comprends rien. Faut que vous fassiez quelque chose. Il a tout le temps des accidents dans l'entrée. Trois fois déjà, aujourd'hui !

– Il est fragile.

– Je m'en fous qu'il soit fragile ! Je ne veux plus que ce clebs traverse dix fois par jour cette entrée ! Je n'en peux plus. Faut que vous fassiez quelque chose. Dites à votre patronne de trouver une solution.

Scarlett sentit quelque chose près de son pied droit. Elle baissa les yeux et eut la stupeur de voir une minuscule flaque qui s'élargissait lentement mais sûrement : vite, elle dégagea son pied et tira Murray jusqu'à la sortie avant qu'on remarque quelque chose.

Elle traversa la rue pour longer Central Park, là où le trottoir était protégé du soleil de fin d'après-midi par les feuillages. L'été touchait à sa fin. Bientôt il faudrait sortir les premiers manteaux, les premiers gants et les premiers bonnets. Scarlett avait horreur de son manteau, acheté pour l'unique raison qu'il était en solde. Il était noir, informe, déprimant à souhait..., et le pire, c'est qu'il n'était pas particulièrement chaud. L'idée de ce manteau, avec l'automne qui l'attendait, ne la réjouissait pas. Quant à l'hiver, ça ne serait pas mieux. Toute l'année semblait gâchée par ce maudit paletot qui empêchait toute promesse de bonheur et de rigolade.

Pourtant, et contrairement à beaucoup de gens de son âge, Scarlett aimait la rentrée, et d'une certaine façon, le lycée. Pas les devoirs. Ni les réveils matinaux. Ni le fait d'être obligée de rester assise. Ni, au fond, quatre-vingt-dix pour cent des données qui faisaient que le lycée était toujours le lycée. Mais Frances Perkin était une exception. La majorité des lycées de New York étaient à fuir : soit ils étaient archi-snobs, soit ils étaient nuls, ou alors c'était de vrais coupe-gorge. Frances Perkin avait l'avantage d'attirer des élèves de tous bords. Beaucoup venaient de familles d'universitaires ou d'artistes. Certains, au contraire, venaient de familles richissimes, mais si les parents avaient choisi cette école, c'est que l'argent n'était pas tout pour eux et qu'ils avaient les pieds sur terre.

Autre avantage de Frances Perkin : le sport n'était pas trop important, ni les activités optionnelles. La direction du lycée jugeait sans doute que les élèves qu'elle avait sélectionnés sauraient s'occuper intelligemment à New York. La ville présentait une foule d'opportunités de jobs bénévoles ou de stages plus intéressants que ce que le lycée aurait pu proposer. Si les élèves voulaient pratiquer tel ou tel sport, jouer de tel ou tel instrument de musique, écrire pour un magazine ou un site Internet, cela ne posait aucun problème, du moment que c'était hors des horaires de cours. Et s'ils voulaient monter un spectacle ou créer un cours de yoga, le lycée mettait à leur disposition un local et les aidait un peu financièrement. Il n'y avait donc aucune pression pour que vous deveniez capitaine de ceci ou chef de cela, et l'équipe phare du lycée, quoique non officielle, était une équipe de jeu de balle baptisée « Nous sommes tous des bosseurs ». Toutes les semaines avaient lieu des compétitions dans Central Park contre les lycées Bronx Science ou Stuyvesant.

Bref, France Perkin était un lycée bien.

Hélas ! cette année il y avait Max. Max, qui s'était

immiscé, tel un poisson-serpent en pleine nuit, et en avait défait l'harmonie de l'écosystème environnant. Tout le travail que Scarlett avait fait sur elle pour commencer l'année sur de nouvelles bases, risquait d'être mis à mal par ce type un peu bizarroïde et animé par de mystérieuses intentions. Non seulement il avait empêché Dakota de s'installer à côté d'elle en cours de biologie, mais il semblait déterminé à lui pourrir la vie. Il faudrait donc qu'elle se coltine toute l'année son expression d'autosatisfaction déplaisante, et en plus sa sœur, qui, elle, affichait un masque de perfection professionnelle exaspérant. Bonjour les Biggs!

– Allez, viens, Murray, dit-elle en tirant sur la laisse.

Mais Murray était tétanisé, car il venait de rencontrer un chien encore plus petit que lui, à peine visible à l'œil nu. Scarlett le prit d'office sous le bras et traversa pour rentrer.

– Il est mignon, fit une voix.

– Il n'est pas à moi.

Son cerveau mit quelque temps à comprendre à qui appartenait la voix en question.

La fièvre

Eric Hall était un « chic type » originaire du Sud, plus exactement de Winston-Salem, en Caroline du Nord. C'était le genre de garçon qui avait le sourire facile, que l'on se figurait sentir l'herbe fraîchement coupée et la tarte aux pêches de sa grand-mère, le gars qui bronzait dès le premier jour de l'été et que tout le monde trouvait tout de suite sympa, surtout les filles, car il était beau, bien bâti et blond. On l'imaginait parfaitement chevauchant de grandes plaines à cheval – chose que, hélas, Scarlett imaginait trop volontiers...

Ce jour-là, elle remarqua tout de suite qu'il s'était fait couper les cheveux. Elle le préférait avec les cheveux un peu plus longs, mais ça allait. Ça faisait plus propre. Plus net. Il n'avait plus ses pointes de mèches décolorées par le soleil. Scarlett étant elle-même très blonde, elle trouvait cette couleur un peu ennuyeuse. Elle était attirée par tout ce qui était foncé.

Soudain elle s'entendit répondre à Éric.

– Elle a distribué des cartes de visite professionnelles

à toute la classe, se justifiait Eric. J'avais envie de passer voir. Je sors de cours. Je t'ai vue traverser la rue avec…

– Murray, bafouilla Scarlett.

– Comment ?

C'était Murray, le portier, qui les observait d'un regard teinté de dégoût.

– Non… Pas…

À présent, Scarlett bégayait. Elle fit une pause pour reprendre la maîtrise de sa voix.

– Pas vous, répondit-elle en s'adressant au gardien. Le chien. Le chien s'appelle aussi Murray.

– Ce clebs s'appelle aussi Murray ? s'écria celui-ci.

Scarlett prit le chien sous le bras comme un ballon et courut jusqu'à l'ascenseur. Comprenant qu'il y avait péril en la demeure, Eric se précipita derrière elle. Ouf ! la porte de l'ascenseur se ferma tel qu'un rideau de velours, loin des grincements apocalyptiques des grilles de l'ascenseur de l'hôtel Hopewell.

– Je ne suis pas sûr qu'il ait apprécié, fit remarquer Eric.

– Peut-être, mais il a horreur de Murray. En plus, c'est vrai, il s'appelle aussi Murray.

– Une pure coïncidence ?

– Non. La preuve de l'humour de ma patronne.

– Elle est trop, cette Amy !

La porte de l'ascenseur s'ouvrit. Le superbe palier XIXe siècle les attendait. Mrs Amberson n'était sûrement pas rentrée. Scarlett aurait voulu le dire à Eric pour le rassurer, mais elle avait perdu la parole. Il ne lui restait plus qu'à se lancer dans la longue marche qui la mena jusqu'à la porte 18D sur l'épaisse moquette bleue, suivie par Eric qui sautillait joyeusement et Murray qui trottinait, ravi.

– Tu as la clé ? demanda Eric. Elle te fait complètement confiance, c'est fou.

Scarlett entra et appela Mrs Amberson au cas où elle serait cachée au fond de sa chambre, prête à débarquer à moitié nue. Silence.

– Elle a dû sortir, dit-elle en serrant Murray dans ses bras.

Enfin elle eut le courage de lever les yeux sur Eric. Peut-être qu'il allait partir, puisque Mrs Amberson était absente. Mais non, pas du tout. Il entra tranquillement dans l'appartement et fit le tour en émettant de charmants petits claquements de langue à mesure qu'il appréciait le volume du salon, le beau mobilier blanc, et les baies vitrées qui donnaient sur Central Park.

– C'est le genre d'appart qui coûte des millions, non ?

Il avait posé sa question sur un tel ton que Scarlett culpabilisa. Mais ce n'était quand même pas sa faute si Mrs Amberson vivait dans un aussi bel espace !

– En fait, elle le sous-loue pour pas grand-chose à une amie, se justifia-t-elle.

– Je ne sais pas ce que tu appelles pas grand-chose, mais chez moi, dans le Sud, avoir une vraie pelouse avec sa voiture, c'est déjà du luxe. Ça équivaut à avoir un bout de jardin dessiné par un paysagiste à New York.

Il passa devant le bureau et s'arrêta au panneau de photos qui affichait désormais cinq portraits de Chelsea. Il fit une longue pause devant sa photo à lui, puis alla s'asseoir sur un des tabourets du bar qu'il fit pivoter.

Il gratifia Scarlett de l'un de ses sourires étudiés, qui semblait signifier : « Je suis tellement irrésistible... et inoffensif ! »

Scarlett se réfugia au fond du canapé en serrant dans ses bras Murray qui tremblait. Si Murray se calmait, elle se calmerait aussi, songeait-elle. Sauf que Murray était incapable de rester en place. C'était une petite boule de nerfs qui semblait avoir été balancée dans le monde sous la forme d'un chien.

– Comment ça va chez toi, à l'hôtel ? Les choses sont revenues à la normale ?

– Plus ou moins, sauf que chez nous, ça n'a pas beaucoup de sens, « à la normale ».

Ce bref échange provoqua chez Eric un second sourire au charme encore plus ravageur. Pendant ce temps-là, Murray vibrait comme un téléphone portable, il était difficile de l'ignorer.

– Spencer râle toujours à cause du « jour de la chaussette » ?

– Ouais, répondit Scarlett, incapable de ne pas sourire – mais d'un sourire malaisé et douloureux. Il y a fait plusieurs fois allusion.

– Je ne l'ai jamais vu aussi fumasse. Remarque, si...

Eric lâcha un petit ricanement sec et baissa les yeux. Bien sûr qu'il avait déjà vu Spencer dans un état dix fois pire. Le jour où Spencer lui avait flanqué un coup de poing « accidentel » en pleine figure. À cause de Scarlett.

Laquelle était de plus en plus tendue. Murray dut le sentir, car soudain il se dégagea de son emprise et se précipita à travers le canapé. Hélas ! dès qu'il paniquait, le pauvre Murray se lâchait. C'est ainsi qu'un long filet jaune apparut sur la toile blanche du canapé jusqu'à ce qu'il saute à terre et se lance dans une course effrénée autour de la pièce, dérapant sur le plancher ciré et ne cessant de se cogner aux meubles. Scarlett se retint de tout commentaire, car elle ne voulait pas insister sur ce petit incident, pas particulièrement sexy.

Eric observait ce curieux manège d'un regard calme, presque clinique.

– Depuis quand Amy a-t-elle ce chien ? demanda-t-il.

– Il n'est pas à elle. En plus il est complètement fou.

– En effet. Cela dit, on ferait mieux de nettoyer avant que ça s'incruste, répondit Eric en indiquant le long filet d'urine.

Il descendit de son tabouret pour aller dans la cuisine. Scarlett l'entendit fouiller, jusqu'au moment où il réapparut, tenant une bouteille d'eau gazeuse et un rouleau d'essuie-tout bio. Il versa très calmement de l'eau sur le canapé en absorbant soigneusement l'urine avec le papier.

– Je suis désolée, ça serait plutôt à moi de le faire.

– Ne t'inquiète pas, j'ai quatre chiens à la maison, en Caroline. J'ai l'habitude. Vous, les New-Yorkais, surtout quand vous vivez dans des hôtels chicos, vous ne savez pas ce que c'est que les animaux, contrairement à nous, les ploucs.

– Tu parles ! Si tu voyais ce qu'on se coltine ! À côté des clients d'hôtel, les chiens, c'est rien.

Eric ricana.

Scarlett prit un peu d'essuie-tout et s'attaqua à l'autre extrémité du canapé. Eric avançait peu à peu vers elle… quand soudain il se retrouva nez à nez avec elle.

Son bras frôla le sien. Il ne semblait pas l'avoir remarqué, mais ce doux frôlement dura une longue et délicieuse minute...

Chaque fois qu'elle pensait à Eric, Scarlett devait faire un effort particulier pour effacer l'image de ses bras, car ils étaient sublimes: pas trop musclés, ni gonflés artificiellement, mais des bras pleins, solides, juste assez larges pour que les manches de sa chemise tirent légèrement. Même ses avant-bras étaient musclés, à tel point qu'il devait avoir un bracelet de montre particulièrement long pour faire le tour de son poignet. Un jour, dans un théâtre où l'on mourait de chaleur, Scarlett s'en souviendrait toujours, ces bras l'avaient soulevée dans les airs comme si elle ne pesait rien...

Scarlett se redressa pour ne pas vaciller. Eric s'immobilisa, son bras frôlant toujours le sien. Il leva les yeux, son visage à quelques centimètres, et planta son regard dans le sien. Ils étaient seuls dans l'appartement (à part Murray qui s'était enfin calmé et mâchouillait l'intérieur de sa cuisse avec un air pensif).

– Tu viens souvent ici? demanda Eric, l'air soudain concupiscent.

Scarlett luttait pour ne pas sourire. Car un sourire, ça voulait dire se laisser aller à... à quoi, au juste? Il demeura de marbre jusqu'à ce qu'elle craque. Et toute sa façade s'écroula.

– Je t'ai eue! s'exclama Eric, manifestement ravi de son coup.

Il se redressa et ramassa les bouts d'essuie-tout usés pour les rapporter à la cuisine. Scarlett prit la bouteille et le suivit. Elle se retrouva à côté de lui devant l'évier, où ils se lavèrent les mains. Il recula et s'appuya contre le réfrigérateur.

– Alors, dit-il, comment va ?

– Ça va, répondit-elle en attrapant un seau à glace vide.

– Et le lycée ?

– Rien de spécial, la rentrée. Mais plutôt sympa.

– New York University, ça craint. Je me doutais bien que je ne serais plus la vedette du quartier, ni le type qui décroche tous les premiers rôles dans les spectacles de fin d'année, mais jamais je n'aurais imaginé à quel point les autres seraient meilleurs.

Il enfonça les mains dans ses poches et lâcha un long soupir.

– Tu es bon, dit Scarlett tout de go.

Son compliment était sorti tellement vite qu'il anéantissait tout sous-entendu sentimental.

– Allez, il faut que je rentre, répondit Eric. Je répète dans une heure. Je voulais juste passer. Tu diras bonjour à ta chef de ma part ?

– Oui, oui, répondit-elle en tâchant d'être naturelle, alors que sa voix se faisait soudain rauque.

Eric fixait le sol en granit noir émaillé d'éclats de mica.

– Bon, dans ce cas-là...

Ils étaient à deux pas l'un de l'autre, et Scarlett n'avait qu'une envie, lui saisir la taille et le prendre dans ses bras. Il était trop bien élevé pour la repousser. Il la prendrait lui aussi dans ses bras, la regarderait droit dans les yeux et...

Non. Ça ne se faisait pas, on ne se jetait pas sur les

gens. Surtout sur ceux qui vous attiraient irrésistiblement, même s'ils étaient debout à côté de vous dans une cuisine riquiqui et que vous veniez de nettoyer du pipi de chien avec eux.

C'est ainsi qu'Eric, ne sachant plus quoi dire, leva la main en signe d'adieu et sortit en reculant peu à peu hors de la cuisine, de l'appartement... et de la vie de Scarlett.

Elle mit au moins trois quarts d'heure à se calmer, dont une bonne partie au téléphone avec Dakota.

– Si on le tuait ! suggéra Dakota avec entrain.

– Je ne rigole pas. J'ai besoin que tu m'aides. Je suis sous la table.

– C'est quoi cette expression, du Shakespeare ? Genre : « Diantre, je suis sous la table ! Je vous en prie, monseigneur, donnez-moi ce bâton afin que je fustige ce rustre ! »

Scarlett était en effet recroquevillée sur l'épais tapis blanc sous la table à manger jamais utilisée et reléguée dans un coin de l'immense salle de séjour.

– Il est passé me voir, tu te rends compte ? dit-elle en revenant au sujet principal. Pourquoi est-il venu, franchement, qu'est-ce que tu en penses ?

Un long silence suivit au bout du fil.

– Réfléchis, finit par répondre Dakota. Où est-ce que tu travailles ?

– Chez... Pour Mrs Amberson ?

– Qui est...

– Agent.

Bien sûr ! Qu'elle était bête ! Ce n'était pas pour la voir qu'Eric était passé, c'était pour voir sa patronne ! Il était à la recherche d'un agent et il était tombé sur Scarlett par hasard, point barre. Et elle était tellement bouleversée qu'elle n'y avait vu que du feu.

– Ça va? demanda Dakota.

– Ça va. Faut que j'y aille.

– Appelle-moi quand tu veux.

– Merci.

Elle raccrocha et réfléchit. Il était passé. Ils avaient discuté. Il voulait parler à sa patronne. C'était tout. Et alors? Oui, mais pourquoi était-elle obligée de croiser les bras pour arrêter de trembler, et pourquoi avait-elle envie de sortir en courant pour le rattraper, le suivre, voir où il allait, à qui il parlait, et si les filles de son cours étaient aussi jolies que dans ses cauchemars? D'un autre côté, elle l'avait vu et elle avait survécu. Ça voulait dire qu'elle était sacrément forte, non? Personne ne gagnait une bataille à moins d'avoir affronté son ennemi face à face, or c'est ce qu'elle venait de faire.

L'interphone sonna. Elle sursauta et se cogna la tête contre le plateau de la table. Le portier devait appuyer exprès le plus fort possible, parce que la sonnerie était extrêmement soutenue et puissante, de quoi vous rendre dingue. Pas étonnant que le chien Murray soit traumatisé.

Elle se redressa prudemment en se frottant la tête pour aller répondre.

– Coursier, grommela le portier. Faut que vous descendiez pour signer. Je ne le ferai pas monter. Sa moto l'attend devant l'immeuble. Je ne veux pas de moto devant l'immeuble.

Arrivée au rez-de-chaussée, elle tomba sur un coursier

coiffé d'un casque blanc qui l'attendait avec un carnet à souches à signer.

– AAA? aboya-t-il en relevant sa visière.

– Oui, répondit Scarlett en prenant le carnet pour signer.

Le coursier lui remit une grosse enveloppe en échange.

– Et cette moto qui tourne à vide..., marmonnait Murray tandis que Scarlett remontait avec son paquet en main.

Sans faire attention, elle déchira l'enveloppe dans l'ascenseur alors qu'elle pensait à Eric. C'était reparti! Pourvu qu'elle ne recommence pas...

Elle sortit les quelques feuilles de l'enveloppe en arrivant au dix-huitième étage. Encore un scénario débile, bon à augmenter la pile de paperasses sur le bureau de Mrs Amberson.

Tout à coup, son regard tomba sur la première feuille: CRIME ET CHÂTIMENT, ÉPISODE 391, «FEUX CROISÉS». EXEMPLAIRE DE TOURNAGE. NE PAS DUPLIQUER. Une deuxième feuille indiquait une liste de lieux et des horaires, ainsi qu'un nom en haut de la page: SPENCER MARTIN.

Quand le succès pointe son nez

Pour la première fois depuis qu'elle avait décidé de tourner la page, Scarlett eut l'impression d'avoir du nouveau. La perspective de l'audition de son frère était tellement géniale, tellement inattendue, qu'aussitôt les nuages liés à Eric s'étaient dispersés. Ce matin-là, le ciel était entièrement dégagé.

– Tu sais la première chose que je vais faire ? lui annonça Spencer.

Il était assis derrière le bureau de la réception (ce qui était interdit, mais il n'y avait personne à part sa sœur), en train de fabriquer un chapeau avec un vieux numéro du *New York Times*. L'ascenseur grinça, signalant une arrivée au rez-de-chaussée. Il sursauta.

– Je vais me débarrasser de mon vieux biclou pour en acheter un nouveau. J'aurai enfin assez d'argent à la fin de la semaine. J'ai déjà retiré le cadenas pour que le premier passant le prenne. C'est un cadeau que j'offre au monde !

– Et le monde entier te remercie, car un vieux vélo

bourré de ruban adhésif est ce dont il a besoin de toute urgence !

– Arrête !

L'ascenseur s'ouvrit et Marlène apparut, habillée de façon très étudiée pour son jour de rentrée. Elle avait dû utiliser le fer à friser car ses cheveux étaient à moitié bouclés et à moitié mis en plis, ou plutôt mis en ces espèces de triangles un peu bizarres qui apparaissent quand l'embout n'est pas manipulé correctement.

– Bonjour, dit-elle poliment. Je vais préparer des toasts. Vous en voulez ?

– Merci, je ne dis jamais non à des toasts, répondit Spencer.

Marlène se retourna vers Scarlett.

– Non merci, ça va.

Marlène se dirigea tranquillement vers la cuisine.

– Elle a besoin de quelque chose, murmura Scarlett, je ne sais pas de quoi, mais elle a besoin de nous.

– Si elle a envie de préparer des toasts, tant mieux, répondit Spencer. Tu ne pourrais pas te mettre à ce genre d'activités, toi aussi ?

– Je te rappelle que je bosse pour ton agent qui t'envoie passer une audition pour la meilleure série télévisée du moment.

– Très bien. À supposer que ça marche. À ce propos, je voulais vous demander deux ou trois choses d'un point de vue contrat. Et... tu ne voudrais pas parcourir le script une dernière fois avec moi ? S'il te plaît. Tu as deux minutes, non ?

Ils avaient beau avoir lu ensemble le script quatre fois la veille, Spencer était sur les nerfs. Scarlett étant l'experte de la série, son frère voulait être sûr de bien comprendre l'enchaînement des événements avant le moment où son personnage intervenait.

– D'accord, répondit Scarlett. Ça commence au moment où la police trouve un cadavre dans une décharge. Sonny Lavinski et son partenaire, Rick Benzo, prennent l'affaire en main.

– Et Benzo n'arrête pas de se gourer, c'est ça ?

– Oui. En plus personne n'apprécie vraiment Benzo. Le truc, c'est qu'avant, Sonny Lavinski travaillait avec un certain Mike Mulligan, excellent, qui savait que Sonny Lavinski ne se trompe jamais. Mike est mort dans le métro il y a trois ans alors qu'il essayait de sauver un bébé. En fait, c'était une femme qui avait volé un bébé...

– Je ne suis plus, l'interrompit Spencer en secouant la tête. Si je résume, Sonny a toujours raison, et Benzo toujours tort.

– Leur nouvelle affaire ressemble à un vol, mais Sonny Lavinski a l'intime conviction que ça n'en est pas un. Il a un sixième sens pour ce genre de choses. Il a toujours raison, mais il faut attendre le dernier moment de chaque épisode pour qu'il ait les moyens de le prouver. Du coup, il court après le temps pour trouver une preuve, un objet concret... Dans notre cas, là, il n'y a pas de sac, pas de carte d'identité, rien de tout ça, juste du matos de laboratoire. Le type du labo est assez marrant. Il s'appelle Pez, et il ligote le corps pour te le mettre sur le dos, à toi, David Frieze.

– Lequel a laissé tomber Harvard pour lancer un site porno sur Internet, précisa Spencer. Millionnaire à vingt ans. Super appart sur les toits. Content de lui et antipathique. Mais très intelligent, contrairement à Chip.

– Sauf que tu as un alibi. Du coup, ils ne peuvent pas t'arrêter, même si Sonny Lavinski sait que c'est toi.

– Ce qui est vrai.

– Tu as failli le reconnaître, ce qui prouve à quel point tu es sûr qu'on ne t'arrêtera jamais. Benzo n'a rien pigé et n'arrête pas de dire qu'il s'agit d'un vol, mais Sonny Lavinski continue à enquêter. Il te poursuit, il te harcèle dans une boîte de nuit en public, du coup vous avez une altercation, mais c'est lui qui l'emporte parce qu'il est génial. Le lendemain, Sonny Lavinski découvre sur son ordinateur tous ces trucs porno illégaux. Manifestement, c'est toi qui les as transférés en piratant son ordinateur. Sauf que personne ne fait ce genre de coup à Sonny Lavinski. Le type est d'autant plus décidé à te mettre la main dessus.

– Et il y arrive ?

– Ça pour y arriver, il y arrive. Il passe la nuit au commissariat pour comprendre comment tu as pu transférer ces données, ensuite il se pointe chez toi, vers deux heures du matin, et il te tire du lit. Vous vous engueulez. Tu as recours à un avocat très en vue. Tu es sur le point de t'en sortir, mais Sonny te coince au beau milieu du procès devant le jury et tu es reconnu coupable. Là, tu perds la boule, tu hurles, et on est obligé de te sortir de la salle *manu militari*.

Spencer ferma les yeux et commença à réciter son rôle en silence.

– Ce que je ne pige pas, poursuivit sa sœur, c'est qu'on dirait que c'est le premier épisode de la saison, celui de la semaine prochaine. J'avais lu le résumé sur Internet. Je croyais qu'ils tournaient les scènes des semaines, voire des mois à l'avance.

– En général, oui, mais je les ai eus au téléphone ce matin. Apparemment, ils ont eu un problème et ils ont pris du retard. Ils étaient un peu gênés. C'est pour ça que l'emploi du temps est ultraserré, avec des journées de boulot de dix-huit ou vingt heures. Je m'en fous, du moment que j'ai le rôle.

Marlène apparut alors avec une grande pile de toasts posés sur un petit plateau vert.

– Je les ai beurrés, annonça-t-elle en posant le plateau. Un peu de confiture ?

– Tu connais mes goûts, non ? répondit Spencer.

Marlène retourna à la cuisine. Scarlett observait la tour de toasts avec un air intrigué.

– Pourquoi..., marmonna Scarlett, mais pourquoi ?

– Parce que la situation a changé, répondit son frère en croquant à pleines dents dans un toast. La malédiction de la chaussette vient de prendre fin.

Deuxième jour de lycée. Non seulement Scarlett en avait déjà assez, mais elle était jalouse et de Spencer et de Lola. Eux, aux moins, ils en avaient fini avec les cours. Spencer allait passer la journée sur le plateau de sa série préférée. Il ferait la connaissance de Sonny Lavinski, le grand, le bien-aimé Sonny Lavinski. Lola, elle, avait une journée moins grisante, mais au moins elle n'était pas obligée de quitter l'hôtel si elle n'en avait pas envie.

C'était sa première vraie journée de lycée, et elle était chargée comme un baudet, avec des dizaines de manuels qui pesaient des tonnes. En plus, elle avait complètement décroché au cours de l'été et elle avait du mal à se concentrer.

Plus la journée avançait, plus Eric s'immisçait dans son esprit: en cours de français, puisque le français était censé être la langue des amoureux, bien qu'elle n'ait jamais compris pourquoi: quand ils parlèrent du système universitaire européen, gratuit, puisque Eric allait à l'université; en anglais, grâce à un sonnet d'amour de Shakespeare; en trigonométrie, sans raison – Eric avait débarqué là sans prévenir; ou encore en histoire de l'art, à cause du portrait d'un homme nu sur une diapo; et même en cours d'éducation civique, où il fit une apparition imprévue sur une carte des États-Unis, puisqu'il était du Sud. Il fallut attendre le cours de biologie pour qu'il disparaisse, délogé illico par Max et son éternel rictus.

Max avait fait des efforts vestimentaires pour cette première journée de cours. Il portait une chemise élégante savamment froissée, une cravate encore plus froissée, et un jean largement déchiré aux genoux qui révélaient ses jambes d'ado poilues. Et il s'était donné un seul but pour ce cours de biologie: rendre folle Scarlett en ayant recours à une succession de méthodes. Il se collait contre elle et regardait tout ce qu'elle écrivait au-dessus de son épaule. Il pianotait avec ses doigts quelque part. Il posait les pipettes dans le sens inverse. Il échangeait leurs becs Bunsen dès que Miss Fitzweld tournait le dos. Tantôt il se contentait d'une flamme normale, tantôt, si le professeur ne faisait pas trop attention, il passait la main au ras de la flamme ou la titillait avec un bout de papier. Mais le pire, le plus exaspérant pour Scarlett, c'est quand il ne faisait rien, assis sur son tabouret avec un sourire de sphinx. Elle était tellement énervée qu'elle rédigea un mot désagréable pour lui dire de se tenir à carreau, mais il la remercia par écrit, ravi.

– Et si je te disais que j'ai besoin de passer dans le niveau supérieur en biologie ? lui lança Scarlett. Et d'avoir de vraies bonnes notes ?

– Je te répondrais... va te faire foutre.

– C'est quoi ton problème ? Tu me connais à peine.

– Je vais t'expliquer, répondit Max.

Il se pencha vers elle en parlant beaucoup trop bas et trop près de son oreille. Elle sentit le souffle de sa respiration chaude contre son cou et le lobe de son oreille. Elle frissonna.

– J'ai entendu dire que tu étais chargée de me surveiller. Une espèce de service secret personnel.

– Je ne suis absolument pas là pour t'espionner.

– Tu parles ! répondit-il tout bas en se redressant.

Une nouvelle pile d'enveloppes – un carton entier – attendait Scarlett quand elle arriva dans le vestibule de l'immeuble de Mrs Amberson.

– Il a fallu que je me casse la tête pour trouver un carton, dit Murray en rouspétant.

– Merci, il est parfait.

– Vous vous fichez de moi ?

Scarlett se précipita vers l'ascenseur sans répondre.

Elle entra dans l'appartement et tomba sur Mrs Amberson, étalée de tout son long sur le tapis blanc, les yeux clos.

– Ne fais pas attention à moi, O'Hara. Je suis dans la posture dite *savasana.*

Scarlett l'enjamba pour poser le carton sur le bureau. Elle ouvrit les enveloppes et sortit les photos une par une. Puis elle tria les cartes publicitaires pour toutes sortes de spectacles et d'événements auxquels les comédiens les conviaient. Puis il y avait tout ce qui arrivait par courriel, qu'il fallait également trier : des photos extraites de clips vidéo, des portraits envoyés par des agences Internet... Scarlett avait l'impression que les comédiens ne faisaient que ça : envoyer des cartes, des photos et des mots à des agents qui ne redoutaient que ça, les cartes, les photos et les mots. Tant d'espoir ! Tant d'efforts ! Tant de gâchis !

– J'en ai ras le bol des comédiens ! lâcha-t-elle.

– C'est bien ! fit Mrs Amberson en souriant face au plafond. C'est un premier pas sur la voie de la sagesse.

– Je ne peux pas.

– Peux pas quoi ?

– M'occuper de Chelsea. Ni de sa famille.

– Bien sûr que tu peux.

– La mère de Chelsea a dit à son fils que j'étais là pour le surveiller. Vous savez très bien que c'est exactement ce que je ne veux pas. C'est peut-être ce qu'elle s'est mis en tête, mais dans ce cas-là c'est son problème.

– Oui, je sais. Il n'y a qu'elle pour y croire. Ne t'inquiète pas. Il existe des gens plus sympathiques que Miranda Biggs.

– Mais Max est persuadé que je suis là pour le fliquer !

– Souviens-toi d'une chose, quand tu es très jeune, le succès provoque une... tension très spéciale. Notre job, c'est d'accompagner Chelsea pour qu'elle sache exploiter ce succès sans perdre la tête.

– Et moi ? Et ma santé mentale à moi ?

– Je ne me fais aucun souci pour toi. Tu as une force de caractère incroyable.

– Pas du tout.

– Détends-toi, O'Hara. Tu as vu la position dans laquelle je suis ? Tu sais comment ça s'appelle ?

– Oui, ça s'appelle être allongé.

– Non, ça s'appelle la position « zéro anatomique », qui te permet de sentir les masses et les volumes qui forment l'équilibre de ton corps. La tête est une masse, par exemple. La courbe de la nuque est un espace. Les épaules sont une masse. La région lombaire, un espace. Le bassin est une masse. Le...

– J'ai pigé.

– Notre corps est une série de douces vagues qui ondulent des pieds à la tête. Nous sommes conçus suivant une série de flux et de reflux, O'Hara. Et tu es en plein reflux. Il faut que tu laisses le flux s'écouler en toi.

Mrs Amberson se rassit et inclina la tête de côté, comme si son oreille était pleine d'eau.

– Cette pause s'appelle la pause *shava asana*, ou la pause du cadavre. À la fin d'une séance de yoga, tu fais comme si tu étais morte. Tu laisses ton corps absorber tout ce qu'il vient d'apprendre. Absorber l'expérience, O'Hara. Voilà ce en quoi je crois. Bon, maintenant, dis-moi où en est ton frère.

– Ça va mieux. J'ai travaillé avec lui sur son script. Il se trouve que *Crime et Châtiment* est ma série préférée.

– C'est un bon rôle. Deux ou trois jours de boulot,

une excellente référence sur un CV et quelques points auprès de la Guilde des acteurs.

Scarlett fut surprise par la froideur professionnelle de Mrs Amberson, comme si jouer dans la meilleure série télévisée du moment était parfaitement banal.

– J'ai un service à te demander, ajouta Mrs Amberson. J'aimerais que tu dînes avec les Biggs demain soir. Tu es invitée par Miranda. Avant de dire non…

Scarlett s'apprêtait effectivement à dire non.

– Ça barde du côté de Broadway, reprit Mrs Amberson. *La Jeune Fille en fleur* risque de ne plus être à l'affiche très longtemps. Il faut prévoir des auditions pour Chelsea.

– C'est pour ça qu'il faut que je dîne avec eux ?

– Tu es invitée.

– Mais pourquoi ?

– Parce que tu es liée à Max, quoi que tu en dises, par le lycée, mais aussi parce que Miranda voudrait que sa fille ait une amie.

– Une amie n'est pas un truc qui se loue.

– Tu serais étonnée de voir de quoi les gens sont capables. Je ne suis pas en train de dire que vous deviendrez amies proches. Mais ça serait l'occasion d'apprendre à connaître cet étonnant trio. D'un autre côté, réfléchis, Max finira peut-être par comprendre que tu n'as aucune intention de l'espionner. Une conversation détendue au cours d'un dîner, et il sera tout de suite en confiance.

– Je ne comprends plus rien.

– Je te propose cinquante dollars pour aller dîner chez eux.

Scarlett était mortifiée de voir avec quelle facilité elle pouvait être achetée, d'autant plus qu'elle imaginait déjà à quoi elle pourrait consacrer cette somme. Cinquante dollars, ça représentait un mois de cafés, quatre ou cinq courses en taxi pour aller ou revenir du lycée en cas de pluie, ou encore un pull, une pile de bouquins... Un tas de petits plaisirs quotidiens, de douceurs qu'elle pourrait enfin s'offrir. En outre, elle était assez curieuse de voir à quoi ressemblait la maison de la famille Biggs.

– Ne me dis pas que ça ne t'intéresse pas, O'Hara, dit Mrs Amberson comme si elle avait lu ses pensées. Je sais que tu aimes étudier l'âme humaine. Je te donnerai cinquante dollars quand tu m'auras fait le compte rendu du dîner. Sache qu'ils se mettent à table très tôt, pour que Chelsea puisse aller ensuite au théâtre. Vas-y pour seize heures. Du coup, je ne pense pas que tes parents auront quoi que ce soit à redire.

– Très bien. Mais je ne resterai pas toute la soirée. Juste pour le dîner. Qui devrait durer... quoi... une heure ?

– Une heure, oui, c'est assez, conclut Mrs Amberson en souriant.

Un petit quelque chose de spécial

Scarlett se pointa parfaitement à l'heure pour le dîner le lendemain, un peu sur ses gardes mais avec vingt-cinq dollars déjà en poche. Chelsea et sa famille habitaient sur la Trentième Rue, du côté est, dans un vieil immeuble modeste, et sans portier. L'ascenseur était minuscule, prévu pour deux personnes au maximum. Le palier était sombre, avec trois portes à peine, dont l'une était entrouverte. Scarlett poussa et sentit que la porte rebondissait contre quelque chose de doux et d'épais, sans doute des manteaux accrochés au mur.

– Scarlett ? l'appela Mrs Biggs. Je t'en prie, entre !

Elle se retrouva dans une petite entrée dont la moitié était occupée par les manteaux des uns et des autres. Puis dans un salon plein à craquer, où s'entassaient un grand canapé, des étagères, une commode, une console avec une télévision et une chaîne stéréo, des piles de DVD de comédies musicales et des bouquins sur le théâtre… Il y avait également un piano électronique, un ballon de gymnastique, des haltères et des tas de disques. Le tout donnait une impression inouïe d'activité et de vie.

Mrs Biggs était assise devant un petit bureau près du coin cuisine et travaillait sur son ordinateur. Elle portait la robe que sa fille avait le jour de leur rencontre, qui lui allait très bien. La mère et la fille avaient presque la même taille.

– Chelsea doit rentrer d'une minute à l'autre, dit-elle en faisant signe à Scarlett, sans lever le regard, de s'installer sur le canapé. Deux secondes. Elle a reçu deux ou trois e-mails de fans. Il faut que je réponde. Assieds-toi en attendant.

D'un côté, le canapé était couvert de couvertures, de coussins et de vêtements ; de l'autre, il y avait un désodorisant électrique qui dégageait un parfum non pas de linge frais, mais d'une espèce de détergent floral assez lourd. Une odeur qui disait quelque chose à Scarlett... Mais oui, c'était ça !

Elle était sur le lit de Max, qui traînait avec lui cette épouvantable odeur de désodorisant toute la journée !

Elle se détourna du canapé et fit le tour du séjour en faisant semblant de s'intéresser à ce qui était accroché aux murs. Un thème se dégageait nettement, qui avait pour nom Chelsea. Il n'y avait pas un centimètre, pas un coin de mur qui ne soit pris par une affiche ou une photo relative à Chelsea. Les seuls signes de la présence de Max étaient le lit et la pile de vêtements.

Voyant que Scarlett observait les lieux, Miranda se crut obligée de s'expliquer.

– Je suis désolée, dit-elle en indiquant la pile de

vêtements. J'ai beau dire à Max de ranger ses affaires, il ne m'écoute jamais.

Pauvre Max! Où pouvait-il ranger ses affaires? L'appartement était bourré à craquer. Déjà, pour une personne il aurait été étroit; pour un couple, à peine vivable; alors pour trois personnes ayant chacune besoin d'un espace à soi, il était infernal. Personnellement, Scarlett serait devenue folle.

Mrs Biggs tapait toujours sur son ordinateur. Scarlett trouvait curieux d'avoir été invitée, mais encore plus curieux d'être aussi ouvertement ignorée par son hôte. En digne fille d'hôtelier pour qui l'hospitalité n'était pas un vain mot, elle était profondément choquée.

– Voilà, conclut enfin Miranda en refermant son ordinateur. Bon, je pensais que ce serait bien que Chelsea discute un peu plus longtemps avec toi, de même que... Max. Nous venons d'arriver à New York, nous ne connaissons pas beaucoup de... Chelsea est très occupée par son spectacle, et Max ne...

En dépit de ces phrases inachevées, Scarlett comprit. Chelsea et Max n'avaient pas d'amis. Heureusement pour elle, les amis étaient quelque chose dont Scarlett n'avait jamais manqué. Elle n'avait peut-être pas douze ans de danse derrière elle, ni joué dans une publicité ou une comédie musicale à Broadway, en revanche, quand elle se réveillait le matin, elle avait toujours quelqu'un qu'elle pouvait appeler et à qui elle pouvait se confier.

– Dis-moi, reprit Miranda en se dirigeant vers la cuisine, comment ça se passe au lycée?

D'habitude, quand un adulte normal lui posait la question, elle répondait que le lycée, c'était le lycée, mais elle y était plutôt heureuse. Sauf que la question de Miranda Biggs n'était pas innocente. Celle-ci voulait en savoir plus sur son fils. Or Scarlett n'avait pas l'intention de lui lâcher la moindre information sur le sujet. Mais puisque c'était comme ça, elle parlerait de tout sauf de ça, et avec moult détails. Elle lui passa ainsi en revue tous ses cours, sauf de celui de biologie. Pendant ce temps-là, Miranda coupait des légumes en dés avec une certaine fébrilité.

– J'ai compris, finit-elle par interrompre Scarlett, légèrement agacée, mais tu n'as pas un cours avec Max ? De biologie, si je ne m'abuse ?

– Ah ! Ouais.

– Et comment ça se passe ?

– Très bien.

– Très bien ?

– Ben oui, le cours vient à peine de commencer.

Un cliquetis de clés se fit entendre et Chelsa entra. Elle avait deux petites couettes tressées et un ravissant survêtement. Elle ne portait pas un gramme de maquillage mais elle avait les deux joues légèrement rosées, telles deux pommes d'amour, sans doute parce qu'elle revenait d'un entraînement.

– Salut ! gazouilla-t-elle. Désolée d'être en retard, je sors d'une séance avec mon coach.

– Très bien, répondit Miranda. Il faut que je sorte acheter des brocolis. Tu as fait des haltères ?

– Non. Je crois que j'ai un peu forcé sur un des muscles du cou. Derrick m'a conseillé de ne pas insister, sinon je risquais d'avoir des problèmes sur scène ce soir.

– Je sais que ta masse musculaire contribue à

augmenter légèrement ton poids, mais du moment qu'on équilibre tout ça par ailleurs...

– Derrick vérifie tous les jours. J'ai pris deux kilos, mais manifestement je suis plus mince.

– Du moment que Derrick vérifie.

Après cet échange mère-fille fort sympathique, Miranda sortit faire ses courses et Chelsea s'excusa avant d'aller prendre une douche. Scarlett finit par s'asseoir sur le canapé en observant les affaires de Max.

Quelques secondes plus tard, Chelsea était de retour, enroulée dans une grande serviette de bain.

– J'arrive, dit-elle avant de disparaître pour se changer dans ce qui devait être sa chambre.

Apparemment il y avait deux chambres dans l'appartement, une pour Chelsea et une pour sa mère.

– Ça doit être dur, à trois dans cet appartement, dit Scarlett.

– Oui, tu n'as pas idée, répondit Chelsea en réapparaissant avec un superbe survêtement, presque identique.

Elle devait en avoir des dizaines en réserve dans ses tiroirs, songea Scarlett.

– Max dort dans le salon, c'est pour ça que ses affaires traînent partout, poursuivit Chelsea. J'imagine qu'il en souffre; en même temps, c'est lui qui a le plus d'espace.

Elle haussa les épaules comme si elle n'y pouvait rien et s'assit près de Scarlett pour nouer ses baskets.

– On est censés emménager dans un appartement plus grand dès que possible, mais pour l'instant on n'a pas les moyens. Tout est tellement cher ici! Remarque,

Max n'avait aucune envie de venir à New York et en plus il n'en avait pas vraiment besoin, contrairement à moi. Mais maman s'était mis en tête de l'envoyer dans un lycée à Manhattan.

– Tu sais qu'on est assis l'un à côté de l'autre en cours de biologie ?

– Fais gaffe. Il triche.

– C'est ce qu'il m'a dit. Je pensais qu'il me faisait marcher.

– Non, c'est vrai. Il est cossard et il va sûrement te demander de l'aider. Méfie-toi de lui. Cela dit, fais-moi confiance, je ne m'en mêlerai pas. Je ne sais pas pourquoi maman s'est crue obligée de le traîner à New York. Il aurait mieux fait de rester à la maison.

– À la maison ? C'est-à-dire ?

– Binghamton. À quelques heures d'ici. Là où vit mon père.

– Tes parents sont toujours mariés ?

Scarlett pensait que Mr. Biggs avait plus ou moins disparu dans la nature et que Mrs Biggs avait divorcé avant de prendre ses enfants sous le bras pour monter à New York avec eux. Elle comprit qu'elle avait fait une gaffe. Chelsea se contenta de ricaner.

– Oh... mes parents sont juste... rien de spécial. Je ne pense pas qu'ils tiennent tellement à se voir. À mon avis, mon père aime bien avoir la maison à lui. Il dirige un cours de golf, et la maison est sur le cours. Au moins, il peut jouer au golf autant qu'il veut. Ça a toujours été son rêve.

Mrs Biggs revint de ses courses, avec Max à la traîne. Qui parut effaré de découvrir la présence de Scarlett au milieu du salon. Celle-ci aurait préféré le prévenir, mais elle ne l'avait pas vu en cours de biologie dans la journée – ce qui lui avait fait plutôt plaisir. Une journée entière sans Max, ça aurait été la totale, mais il ne faut pas rêver !

– J'ai invité Scarlett à dîner, expliqua Mrs Biggs.

Suivit un grognement de Max qui lâcha son sac à dos au milieu de la pièce.

– Pas au milieu du salon ! s'écria sa mère. Quelqu'un va se prendre les pieds dedans.

– Qui ? répondit Max en donnant un coup de pied dans son sac.

– J'ai préparé un poulet aux légumes, poursuivit sa mère en s'adressant à Scarlett. Je n'aime pas les plats... étranges, les épices, ce genre de choses.

À vrai dire, ce qu'elle n'aimait pas, c'est tout ce qui avait un peu de goût. Les brocolis avaient été cuits à la vapeur jusqu'à ce qu'ils soient complètement insipides. La laitue était posée en vrac, sans le moindre assaisonnement, sur les cuisses de poulet trop cuites. Et le tout était servi sur une petite table, conçue pour deux personnes au maximum. Max s'était installé à sa place sans prendre le temps de retirer ses écouteurs et on entendait les vibrations de sa musique.

– J'ai de la vinaigrette légère en spray, proposa Mrs Biggs. Max ! Arrête-moi tout de suite cette musique !

Mais il n'entendait rien. Elle tira brusquement sur un des écouteurs, puis tendit le bras vers le réfrigérateur pour prendre la vinaigrette, sans se lever.

– Ton frère était au Lycée des arts de la scène, c'est ça ? demanda Chelsea.

– Oui.

– Et toi, tu n'as pas le virus du théâtre ?

– Pas du tout, non.

– Alors qu'est-ce que tu fais ?

Scarlett vit Max lever le regard. Il était loin d'être indifférent à la conversation.

– Je... je vais... au lycée, bredouilla-t-elle, telle une gamine qui répondrait « Je vais à l'école ».

Super. À part ça, que faisait-elle ? Elle nouait les lacets de ses chaussures. Elle aimait bien les chats...

– Ouais, répondit Chelsea, soulignant la platitude de la réponse de Scarlett. Le théâtre, c'est un truc qu'il faut sentir. Un truc que tu as en toi. En fait, toi, tu es... agent. Ou genre...

Là-dessus, Max soupira bruyamment, prit le spray de vinaigrette et aspergea son assiette jusqu'à ce qu'elle luise.

– Il faut avoir une personnalité très forte pour devenir star, renchérit Mrs Biggs en coupant sa cuisse de poulet avec l'énergie d'un bourreau préposé à la guillotine. Ça ne te tombe pas dessus comme ça. Il faut du talent, de la concentration. Chelsea travaille dans cette perspective depuis toujours. Cela dit, tu as des gens qui ont beau travailler toute leur vie, s'ils n'ont pas un don, une petite flamme originale, ils n'y arriveront jamais. Chelsea a les deux, elle.

Scarlett aperçut un battement de paupières chez Max.

– Max est plus scolaire, plus cérébral, poursuivit Mrs Biggs. Il s'en sort grâce à son intelligence.

– Et grâce au sang des vierges, ajouta-t-il.

– Les plaisanteries les meilleures sont les plus courtes, le réprimanda sa mère.

– Elles sont aussi les moins longues.

Mrs Biggs lui jeta un regard las.

– C'est pas vrai, intervint sa sœur à mi-voix, c'est pas comme ça que Max s'en sort.

C'était la première fois que Scarlett assistait en étrangère à un dîner de famille où tout le monde s'envoyait des piques pleines de sous-entendus. Elle pensa à... Eric... et même à Chip, qui avaient assisté à plusieurs repas en famille chez eux. Ils avaient dû faire de sacrés efforts pour ne pas perdre la face !

– Il faut que j'y aille, dit-elle au moment où Mrs Biggs se levait pour retirer les assiettes. Je vous remercie, mais...

– Tu reviens quand tu veux ! s'exclama Chelsea.

Juste au moment où elle pensait avoir échappé au dîner, alors qu'elle était au milieu de l'escalier, elle entendit un grincement au-dessus d'elle. Elle leva les yeux : Max !

– Alors, tu cherches à flatter ma frangine ? Servile jusqu'au bout, c'est ça ?

– Ma patronne m'a filé cinquante dollars. La prochaine fois, j'exige le double.

Pour la première fois de sa vie, elle entendit Max rire. Non pas un ricanement qui ressemblerait à un caquètement ou à un cri d'oiseau à l'agonie, mais un vrai beau rire. Un rire d'acteur, qui venait du ventre, franc et rond. Un rire si plein et si humain que tous deux furent pris de court.

Vite, Max tourna les talons pour remonter chez lui.

Scarlett approchait de l'hôtel Hopewell quand elle reconnut le vieux vélo de son frère, toujours appuyé contre le même panneau stop. Quelqu'un avait déposé un hamburger à moitié entamé sur la selle, mais personne ne l'avait emporté.

Elle entra et monta dans sa chambre. L'atmosphère était calme. Des pigeons roucoulaient, tranquillement perchés sur le climatiseur en pianotant avec leurs pattes grêles. Elle jeta un œil sur sa liste de devoirs : trois paragraphes de français, trente-cinq exercices de trigonométrie, cinq chapitres des *Grandes Espérances* de Dickens à lire, une leçon de biologie avec six questions à résoudre, et cinq articles sur le gouvernement pakistanais à trouver, rassembler et résumer.

Elle commença par les articles, mais une fois sur Internet, elle ne put s'empêcher d'ouvrir sa boîte de d'e-mails et de lire ses messages, puis de visionner plusieurs fois la publicité d'Eric – en prenant soin de refermer soigneusement la fenêtre à chaque fois tout en se jurant de ne pas la rouvrir...

Elle referma brusquement son ordinateur, furieuse. Autant affronter le silence. Le silence au milieu duquel une question se fit jour. Une question angoissante. Que la famille Biggs avait indirectement soulevée : Que comptait-elle faire dans la vie ? Jamais elle n'avait senti la moindre pression pour répondre à une telle question jusqu'alors. Elle avait encore au moins deux ans avant d'avoir à choisir le type d'études qu'elle voulait entreprendre et l'université où elle voulait aller. Ceci dit, d'ici là il faudrait qu'elle opte pour certains cours plutôt que pour d'autres. Qu'elle choisisse certaines matières. La plupart de ses amis avaient un talent qu'ils exploitaient. Et pas seulement Chelsea, qui s'entraînait depuis le jour de sa conception, quand elle était à peine une cellule. Par ailleurs, tout n'était pas qu'une question d'argent. Après tout, Spencer avait choisi de devenir comédien. Certes, il était plus ou moins né comédien, mais il travaillait et n'arrêtait pas d'apprendre des tas de choses, et seul. Il avait une espèce de vocation. Quant à Marlène, elle avait... un cancer, qui, curieusement, lui avait apporté une vie sociale très riche, et une espèce de perspective. En plus, elle n'avait jamais que onze ans, alors elle avait toute la vie devant elle.

La seule qui ne semblait pas avoir de but vraiment clair, c'était...

La porte de la suite Orchidée s'ouvrit tout en douceur et... devinez qui se glissa à l'intérieur ? Lola...

Qui, hélas, avait l'air de tout sauf de Lola. Elle avait le visage rouge et les yeux gonflés. Elle qui d'habitude avait une démarche fluide et gracieuse, elle entra avec des gestes nerveux, le dos voûté.

– Ça va ? lui demanda Scarlett.

Lola enleva brusquement son T-shirt Bubble Spa et le jeta au bout de son lit.

– Oui, répondit-elle, la mâchoire tendue.

Scarlett ne la lâcha pas du regard jusqu'à ce qu'elle juge nécessaire de s'expliquer.

– Tu te souviens de Boonz ? reprit-elle.

– L'amie de Chip ?

– Oui, la petite copine d'un de ses copains. Qu'il

n'aime pas, du reste. Celle qui s'est moquée de moi à cause de ma robe.

– Ah oui. Elle!

La robe en question était une robe ravissante, de chez Dior, que Chip avait offerte à Lola. Celle-ci l'avait repérée dans une vitrine de chez Bergdorf et elle en avait longuement rêvé, mais jamais elle n'avait imaginé qu'un jour elle serait à elle. Elle l'aimait tellement, cette robe, qu'elle la portait à la moindre occasion, et elle l'entretenait avec une attention digne d'un conservateur de musée. Jusqu'au jour où cette fille, Boonz, lui avait fait une remarque perfide sur le fait qu'elle la portait tout le temps, allant jusqu'à lui demander si elle avait d'autres robes. Ce jour-là, Scarlett avait compris qu'il devait être parfois pesant pour sa sœur d'être toujours beaucoup moins riche que les gens qu'elle fréquentait, même si Lola ne s'en plaignait jamais. L'incident avait eu lieu au cours d'une soirée de bienfaisance, et Lola avait brusquement fui non seulement la soirée, mais aussi Chip, préférant tourner le dos à ce milieu et abandonner ce type de compétition qu'elle était condamnée à perdre.

– Jamais je ne pensais que j'aurais encore à affronter ce genre d'humiliation, dit-elle. Chip est à Boston. Il ne voit donc plus beaucoup ces gens-là. Mais cet après-midi, Boonz est venue chez Bubble Spa avec une copine. J'étais en train de remplir des étagères de stocks. Elles ne m'ont pas lâchée; elles n'arrêtaient pas de me poser des questions débiles, histoire de se moquer de moi parce que je travaillais. J'ai même raté un client, un super client, à cause d'elle.

Pauvre Lola ! Elle était mortifiée, et Scarlett était incapable de trouver quoi que ce soit pour la consoler.

– Je suis désolée, dit-elle.

– Oh ça va, répondit Lola qui n'avait pas l'air d'aller du tout.

Elle voulut prendre une chemise dans sa commode, mais le tiroir était coincé. Elle tira un peu mais le tiroir ne lâcha qu'un ou deux centimètres. Elle le secoua brusquement, en vain, jusqu'au moment où Scarlett vit une petite fente apparaître, et le tiroir fut complètement bloqué.

– Après tout c'est leur problème, conclut Scarlett. Je ne vois pas en quoi c'est bizarre d'avoir un boulot.

– Je sais, c'est pour elles que c'est un problème ! hurla Lola. Elles ne me lâchent pas, ces peaux de vache. Si tu savais à quel point je doute à cause d'elles ! Je doute de... de tout..., de tout ce que je fais dans ma vie.

Elle plongea la main dans la fente du tiroir, mais en vain : trop étroite. Quand soudain elle empoigna le tiroir des deux côtés et tira de toutes ses forces.

– Et merde ! grommela-t-elle. Et merde, et merde, et merde !

À chaque juron le ton montait et la secousse augmentait en intensité. Jusqu'à ce que le panneau frontal lâche et qu'elle se retrouve avec un quart de tiroir en main, et le contenu de la commode entièrement mis à nu. Elle prit le premier chemisier qui lui tomba sous la main et s'assit sur son lit, les yeux rivés sur la commode éventrée. Trop symbolique...

Le terrible secret de Spencer

Après l'agitation des premiers jours de la rentrée suivit une semaine plutôt calme. Ses devoirs s'accumulaient à une telle vitesse que Scarlett avait plus ou moins oublié son chagrin d'amour. Tous les jours, elle se retrouvait à côté de Max qui faisait tout pour l'agacer, mais après le cours de biologie, soit elle allait rejoindre Dakota et sa clique pour discuter et travailler, soit elle filait chez Mrs Amberson. Puis elle rentrait chez elle, où l'attendaient de nouveaux devoirs, une heure ou deux pendant lesquelles elle devait lutter pour ne pas écrire à Eric, et un peu de télé. C'était le moment difficile à passer.

Elle n'avait pas vu Spencer de la semaine. Officiellement il devait tourner pour *Crime et Châtiment* pendant vingt-quatre heures d'affilée, mais pas plus. Bien sûr, çà et là elle tombait sur des preuves comme quoi il était repassé à l'hôtel, sur des vêtements par exemple. Et de temps en temps il lui envoyait des textos. En tout cas, quand il refaisait surface, il ne prévenait jamais.

Elle était en train de surfer sur Internet pour trouver des informations sur le système bancaire allemand, quand, soudain, il déboula dans sa chambre, sans frapper.

– Viens ! lança-t-il en la prenant par la main pour l'entraîner dans sa chambre.

Il ferma soigneusement la porte à clé derrière lui, ce qui était exceptionnel.

– Elle ferme à clé ? demanda Scarlett qui n'avait jamais remarqué qu'il y avait un verrou.

– Ouais. Moi non plus je n'avais jamais remarqué, jusqu'au jour où j'ai ramené Suzanna à la maison et... enfin bref. Assieds-toi.

Scarlett s'installa sur le canapé. Son frère sortit de sa besace une enveloppe en papier kraft qui contenait un DVD.

– Ça ne serait pas...

– Si, l'épisode en question !

– Mets-le. Mets-le, vite !

Sauf que Spencer ne mit rien du tout.

– Ce DVD contient des rushes d'une extrême importance, que je ne suis absolument pas censé posséder, dit-il. C'est un des monteurs qui me les a prêtés. Il a fallu que je jure sur la tête de ma mère que je ne les montrerais à personne, sauf que j'estime que tu n'es pas n'importe qui... Je suis dix fois trop angoissé pour regarder l'épisode tout seul. Mais jure-moi que tu ne diras jamais rien à personne. Promis juré ?

– Promis. D'autant plus que je sais déjà ce qui va se passer, et l'épisode passe à la télé dans trois heures.

– D'accord, mais promets-moi quand même. Genre,

je le jure, etc., sur la tête de je ne sais qui. Tu n'as même pas le droit de le mentionner par mail à une copine.

– Spencer, j'ai lu le script.

– Mais le script a changé.

– Alors, vas-y, fais voir !

Spencer prit plusieurs respirations et inséra le DVD dans le lecteur. Il s'assit à côté de sa sœur, prit la télécommande, puis fit une pause avant d'appuyer sur « play ».

– Il faut d'abord que je t'explique deux ou trois choses.

– La ferme ! Fais voir !

Il prit une dernière respiration et appuya sur la touche « play ».

L'épisode commençait sans générique, mais précédé par une succession de fonds d'écran bleus sur lesquels défilaient les informations suivantes : le nom de l'épisode (« Feux croisés »), le numéro (391), la date. Puis soudain la scène commença, en pleine rue, conformément à ce que Scarlett avait lu sur le script : Sonny Lavinski et son partenaire, Benzo, tombaient sur un cadavre dans une décharge.

– Tu vas voir, j'interviens juste après cette scène, annonça Spencer.

Un superbe gratte-ciel apparut alors, il ressemblait un peu à celui de Mrs Amberson.

– Voilà ! s'exclama-t-il. J'imagine que c'est mon QG maudit, je ne sais pas, c'est la première fois que je vois les prises de vue extérieures.

Le fait est que la caméra pénétra à l'intérieur du bâtiment, jusqu'au moment où apparut Spencer, assis face à une série d'écrans d'ordinateur. Il était coiffé un peu différemment de la normale, les cheveux domptés par une bonne dose de gel. Son visage paraissait plus étroit, moins souriant et moins détendu que dans la vie. Le personnage qu'il incarnait, David Frieze, était un type arrogant qui répondait aux questions des enquêteurs avec une politesse feinte, tout en tapotant sur une dizaine de claviers en même temps.

Il se justifia en disant qu'il était concentré sur une vente aux enchères d'e-Bay pour s'acheter un jeu vidéo Pac-Man original, ce qui lui valut une remarque sèche de la part de Sonny.

– Tu viens de parler à Sonny Lavinski ! s'écria Scarlett.

– Oui, répondit Spencer, les bras croisés, concentré sur son jeu.

L'épisode se déroulait plus vite que d'habitude, car il n'était pas coupé par des publicités. Benzo n'arrêtait pas de faire des bourdes qui ralentissaient l'enquête, et un peu plus tard il fut de nouveau question du personnage joué par Spencer.

– Tu vas revenir dans un prochain épisode ! en conclut Scarlett, grisée. Ils veulent te réinterroger. Même Benzo commence à avoir des doutes sur toi, ce qui n'arrive jamais, en tout cas pas si tôt. Il reste encore vingt minutes avant la fin. En général Benzo ne pige qu'au dernier moment, genre dix minutes avant que tout soit bouclé. C'est bizarre.

Spencer prit la télécommande et appuya sur « pause ».

– Bon, il faut que je te prévienne, déclara-t-il. La partie qui suit est inédite. C'est là que je décris ma méthode de...

– Chut ! Ne me dis pas ! Je préfère que ce soit une surprise.

– Mais il faut absolument que tu saches...

– Spencer !

– D'accord, dit-il en rappuyant sur la télécommande.

Sonny et Benzo étaient de nouveau chez Spencer, mais cette fois-ci dans son salon, qui offrait une superbe vue sur Central Park. Spencer se comportait de façon encore plus grossière, répondant aux questions tout en jouant avec une console de jeu. Sonny lui mit la pression jusqu'à ce qu'il arrête de jouer.

Scarlett sentit que son frère était de plus en plus nerveux, jusqu'au moment où il se cacha les yeux avec la main.

– C'est l'angoisse ! s'exclama-t-il.

Spencer l'acteur se lança alors dans un long monologue sur le porno en ligne, en filant une drôle de métaphore où il était question de beignets : beignets à la crème, beignets à la confiture, beignets en forme de couronnes ; autant de nourritures sympathiques et innocentes qui étaient à présent contaminées, répugnantes, empoisonnées à vie. Entendre une telle sortie dans la bouche d'un inconnu eût été déjà traumatisant, mais l'entendre prononcée par son propre frère ! Heureusement, Sonny – béni soit-il, le saint homme – finissait par le faire taire.

Spencer arrêta la vidéo, sans lever les yeux.

– C'est ce que j'appelle la « théorie du porno unifié », déclara Spencer.

Scarlett était sans voix.

– Je ne pensais pas qu'on pouvait tenir ce genre de propos sur une chaîne publique, finit-elle par dire.

– Si, mais ils affichent à l'écran un avis du genre: «La scène que vous allez voir n'est pas adaptée au jeune public.»

– Ni à la petite sœur du comédien.

– Ouais, je sais, j'y pensais au moment où je tournais: Dire que ça va passer à la télé! Et tout le monde va me voir en train de proférer ces horreurs! Du reste, j'ai essayé d'exploiter mon stress pour jouer. D'une certaine façon, ça me rend encore plus présent, non? Ils m'ont demandé de forcer un peu la note pour que le mec ait vraiment l'air d'un psychopathe.

– Je comprends, répondit sa sœur qui avait du mal à partager son enthousiasme. Tu as réussi ton coup. Tu as l'air d'un vrai pervers.

– Je te remercie.

– Alors, c'était ça, ton secret? Ne t'inquiète pas, je n'en parlerai à personne. J'ai plutôt envie d'oublier cette scène.

– Il y a autre chose, mais de beaucoup moins traumatisant, répondit Spencer en relançant le DVD.

Scarlett ne remarqua rien de spécial au cours de la suite. L'épisode se déroulait suivant ce qu'elle avait lu sur le script: le procès, le verdict qui déclarait le suspect coupable, le grabuge en plein tribunal... Le méchant était retiré *manu militari* de la salle, menotté, et Sonny le suivait en lâchant quelques plaisanteries au passage.

– O.K., dit Spencer, hum...

– Chhhhhut!

Soudain, Spencer (David) fit ce qu'il savait faire de mieux: il se jeta sur les marches du palais de justice et se roula par terre au milieu de la foule qui se dispersait, paniquée. Sonny se précipita sur lui et tous deux se bagarrèrent jusqu'au moment où le premier le flanqua à terre. Spencer (David) attrapa le revolver de Sonny.

Et tira.

Sonny s'écroula. Spencer (David) s'échappa en attrapant un badaud au passage comme otage. Benzo déclara Sonny mort. Et l'épisode finit brutalement.

Spencer éteignit le lecteur de DVD et attendit un moment afin que sa sœur se remette.

– Tu... tu viens de tuer Sonny Lavinski ?

– Plus ou moins.

– Mon personnage préféré ? Depuis toujours ?

– Euh...

– Il n'est pas mort, rassure-moi ? C'est une pirouette pour clore l'épisode, c'est ça ?

Spencer agitait les pouces nerveusement.

– Désolé, dit-il.

Scarlett le frappa violemment, mais il ne fit pas le moindre geste pour se défendre.

– Au fond, il le méritait, déclara-t-il. Tu ne trouves pas que cette scène est plus réussie que l'autre, dans le genre pervers ?

– Pas du tout ! Tu viens de le tuer ! Mais... tu es sûr qu'il a disparu définitivement ?

– Tu ne peux pas savoir à quel point l'ambiance était bizarre sur le plateau, répondit Spencer en se calant dans le canapé. Le problème, c'est que le type qui joue Sonny est arrivé un peu pompette le matin, et il n'a pas arrêté de hurler contre les autres toute la journée. Ç'a été un cauchemar.

– Sonny Lavinski ? Vraiment ?

– Le mec a un caractère de chien, crois-moi. Et d'après ce que j'ai compris, depuis toujours. Même si ce jour-là, il était pire que d'habitude. Juste après la pause-déjeuner, il a annoncé qu'il plaquait tout, comme ça, en plein tournage, devant toute l'équipe.

– Quoi ? Sur un coup de tête ?

– Ouais. Il a prévenu qu'il restait encore trois heures sur le plateau, et hop, il se cassait. Le réalisateur et les techniciens ont perdu la boule. Tout le monde était scotché à son portable. Personne ne savait comment réagir. Les scénaristes de la série ont été convoqués illico, et les responsables se sont réunis en urgence. Je ne sais pas ce qu'il s'est passé exactement, mais à un moment ils m'ont appelé. À l'origine, j'étais censé hurler contre lui alors qu'on m'emportait hors du tribunal. Au lieu de quoi, les types m'ont demandé de m'échapper, d'attraper le flingue de Sonny accroché à son ceinturon et de lui tirer en plein cœur. On n'a même pas eu le temps de répéter. J'ai improvisé dès la première prise de vues. Je me suis jeté sur les marches, j'ai tiré sur lui, ils ont filmé son corps et il est parti.

– Donc... Donc quoi ?

– Je fais désormais partie de la distribution plus ou moins permanente, en tout cas pour les semaines à venir. Sans doute jusqu'au mois de décembre, ils m'ont dit, mais peut-être plus. Ça dépend de la façon dont l'intrigue se poursuit. Ils ne s'attendaient pas vraiment à ça.

Spencer se leva pour aller près de la fenêtre. Il ouvrit les épais rideaux argentés et appuya le front contre la vitre en jetant un regard las sur la rue.

– Mon vélo est toujours là. Il n'y a pas quelqu'un qui pourrait le prendre ? Il n'est quand même pas si pourri que ça.

– Tu pourrais te réjouir, non ? Normalement on devrait sabrer le champagne pour fêter ton premier succès professionnel.

– J'ai la trouille.

– Tu n'as plus rien à faire. Ça y est, c'est bon.

– Il n'y a qu'au moment où je joue que je me calme. Jouer, c'est fastoche. Mais là, c'est différent. Il faut que j'attende.

– Attendre quoi ?

Spencer tournait comme un lion en cage en passant la main dans ses cheveux.

– Les gens sont ultra-impliqués. La moitié de l'équipe était en larmes quand on a tourné la scène. Et après la mort de Sonny, ils me regardaient d'un drôle d'air. Les stagiaires ne voulaient plus me servir de café. Dis-moi, toi qui es une fan de Sonny Lavinski, comment tu réagis ? Qu'est-ce que tu penses de ton frère tel que tu viens de le voir à l'écran ? Je ne pourrais jamais demander ça à Marlène. Ni à Lola. Ni même à maman. Je ne sais même pas comment j'ai réussi à regarder ça avec toi. Je n'en peux plus. Je suis désolé... Il faut que je sorte. Je reviens tout à l'heure, avant que l'épisode passe...

Il prit le DVD et le rangea dans l'enveloppe.

– N'oublie pas, ajouta-t-il. Pas un mot de ce que tu as vu à qui que ce soit.

Il s'en alla, et Scarlett prit peu à peu conscience de ce qu'elle était la seule – ou presque – à savoir. Sonny

Lavinski était mort. Et son assassin venait de sortir pour se libérer de ses angoisses en faisant un tour sur son vieux biclou.

Dans quelques heures, le monde entier allait découvrir Spencer Martin.

Acte III

NEW YORK EN DEUIL APRÈS LA MORT DE SONNY LAVINSKI

New York Bulletin

L'histoire de la télévision vient de vivre un événement majeur, hier soir, alors que l'inspecteur Sonny Lavinski (interprété par Donald Purchase) était assassiné à la fin du premier épisode de la saison de Crime et Châtiment. *La mort de Lavinski fut un réel choc pour les milliers de spectateurs qui découvraient le début de la seizième saison de Sonny Lavinski. L'épisode commençait sous la forme d'une enquête classique impliquant l'assassinat d'un étudiant de NYU, pour finir par un meurtre sur les marches du palais de justice, suivi par la mort de Sonny Lavinski dans les bras de son partenaire, Mike Benzo.*

Les réactions du public n'ont pas tardé à travers tout le pays et sur Internet. L'annonce de la mort de Sonny Lavinski a tout de suite occulté celle des autres meurtres, réels, ayant eu lieu le même jour. La nouvelle a été commentée par tous les internautes de Manhattan, provoquant une cohue de badauds à Times Square. Le site de la série, qui se vante d'avoir plus de deux cent mille membres, a aussitôt explosé.

Certains membres de l'équipe affirment que le départ de Sonny Lavinski était prévu depuis longtemps, mais que tout était fait pour que la série se poursuive sans que rien ne filtre sur cet éventuel départ.

« C'était une question de temps, a déclaré l'un des scénaristes qui a tenu à garder l'anonymat. Travailler avec Donald était un plaisir. Le jour où il nous a avoué qu'il voulait s'en aller, on était désespérés. Il ne voulait pas que son départ traîne. Il pensait que cela blesserait les spectateurs attachés à son personnage. Il préférait disparaître rapidement, d'où la fin de l'épisode telle que vous l'avez vue. »

Le meurtrier de Lavinski, David Frieze, est interprété par un nouveau venu, Spencer Martin, âgé de dix-neuf ans.

« L'intrigue vient de prendre un tournant inédit que nous allons exploiter, a confirmé un autre membre de l'équipe. David Frieze est le nouveau méchant de la série. »

Une veillée à la bougie rassemblant plus de cinq cents fans a eu lieu au pied du palais de justice de New York, là où a eu lieu le meurtre.

Je n'arrête pas de pleurer », nous a avoué Félicia Wills, venue de Brooklyn pour déposer une gerbe au pied des marches où s'est écroulé Sonny Lavinski. « Rien ne sera plus comme avant sans lui. »

Andrew Walsh, habitant de Manhattan, raconte qu'il était sur son vélo quand il a remarqué un attroupement au pied du palais de justice.

Je rentrais tranquillement chez moi, a-t-il témoigné, et je comptais regarder le nouvel épisode à la télé. Jamais je n'au-

rais pensé qu'un jour ils tueraient Sonny Lavinski. C'est comme si on tuait… la télévision. Je suis sous le choc, vraiment sous le choc. »

Une cérémonie plus importante est prévue dans Central Park samedi prochain.

L'amour des masses

Le lendemain matin, Scarlett eut la surprise de tomber sur son frère sortant de la salle de bains tout de blanc vêtu : pantalon blanc et chemise blanche. Jamais elle ne l'avait vu habillé ainsi. Seul l'éclat d'une cravate argentée apportait une touche colorée à l'ensemble.

– On dirait que tu viens de recevoir le titre de colonel du Kentucky, ambiance guerre de Sécession ! s'exclama-t-elle.

– Non, mais j'avais envie d'être un peu mieux sapé que d'habitude, répondit-il en serrant son nœud de cravate. Je n'ai que deux pantalons un peu élégants, celui que je porte pour travailler et celui-ci. Et mon costume, mais je n'avais pas envie de le mettre. Il n'est pas mal, non, ce pantalon ?

– Oui, j'aime bien. Mais ça fait un peu costume de... comédie musicale.

– Justement, répondit son frère en appuyant sur le bouton de l'ascenseur. Je le portais quand j'étais figurant dans *Le Musicos*. Je l'ai piqué à la fin du spectacle.

J'ai aussi la veste, mais elle ne me va pas très bien. Les manches sont trop courtes. Tiens, à propos, lis ça.

Il sortit le *New York Bulletin* de sa besace en indiquant une page déjà ouverte.

– Les gens écrivent n'importe quoi, dit-il. Ils prétendent que j'étais prévu dans le déroulement de la suite.

– Pourquoi est-ce qu'ils racontent ça? répliqua Scarlett en parcourant l'article. Je ne comprends rien. Tu m'as dit que l'acteur principal avait brusquement quitté le plateau.

– Parce que ça fait mieux que «le comédien, légèrement ivre, amer, et âpre au gain, quitte le plateau sans prévenir après quinze saisons de bons et loyaux services». Et tu as vu comment ils me présentent, «un nouveau venu»? J'adore! Je suis le nouveau méchant de service.

L'ascenseur arriva. Spencer ouvrit la grille pour sa sœur.

– Je me sens d'humeur généreuse ce matin, ajouta-t-il. J'ai envie d'offrir à ma petite sœur chérie un café glacé.

– Je te rappelle que tu as tué Sonny. Ce n'est pas avec de la caféine froide que tu m'achèteras.

– Et si je t'offrais aussi le taxi jusqu'au lycée?

– Ah, l'art de savoir se faire pardonner! Tu penses que tu seras toujours aussi généreux?

– Tant que je serai une vedette de la télé à la mode.

La grille de l'ascenseur se referma, et ils commencèrent à descendre.

– Tu as l'air plus apaisé.

– Tu sais, répondit Spencer en haussant les épaules,

plus j'y pense, plus je suis content d'avoir tué ce type. S'il le fallait, je recommencerais.

Scarlett le gifla légèrement pour rire, et il se jeta sur le soleil argenté fixé sur la paroi de l'ascenseur avant de s'écrouler au sol. Soudain, la grille s'ouvrit et le couple allemand qui occupait la suite Sterling lui jeta un regard interloqué. Comme il avait les yeux clos, Spencer ne remarqua rien. Scarlett lui flanqua un coup de pied discret.

– Pardon, dit-il en se redressant avant de sortir de l'ascenseur en vacillant. J'ai un problème d'équilibre à cause d'une histoire d'oreille interne...

Les deux Allemands avaient l'air un peu, et même extrêmement, inquiets.

– Ça va passer, les rassura Spencer alors que la grille se refermait. J'ai l'habitude. Je vous souhaite une bonne journée.

– Ils ne parlent pas anglais, intervint Lola, assise derrière le bureau de la réception. Tu ne pourrais pas faire le mort ailleurs, dans un espace public par exemple ?

– Je t'interdis de me gronder, répondit Spencer en se penchant au-dessus du bureau. Au contraire, tu devrais ressentir un élan de tendresse exceptionnel pour ton frère.

– Je ne t'en veux pas, se défendit-elle en souriant. Mais j'aime autant qu'on ne perde pas nos derniers clients. En plus, je te rappelle que tu n'es pas censé porter du blanc le lendemain de la fête du Travail.

– Je suis le méchant, le type qui ne respecte aucune règle.

– Tu as encore des gens à tuer aujourd'hui ?

– Non. Aujourd'hui, on travaille à la table. Allez, à plus !

Alors qu'il descendait la Troisième Avenue avec Scarlett, Spencer vit plusieurs passants se retourner sur son passage. Il rayonnait de bonheur, et le temps d'arriver devant un café, il sifflotait tranquillement, ravi. Sa sœur et lui prirent place dans la queue, derrière un homme qui commandait une grande boîte de beignets et un café glacé. L'homme n'arrêtait pas de se retourner, louchant sur Spencer avec de plus en plus d'insistance.

– Le type n'arrête pas de me zyeuter, murmura Spencer.

– Je te rappelle que tu as tué Sonny Lavinski hier soir à la télé. En plus, tu es habillé comme Ice-Cream Man*.

– Je sais, mais je ne pensais pas qu'on me reconnaîtrait. En tout cas, pas aussi facilement.

Le client qui était devant eux n'était pas le seul à l'avoir repéré. Deux femmes venaient de s'arrêter derrière la vitrine du café en le montrant du doigt. Spencer se retourna et les gratifia de son plus beau sourire en agitant la main.

L'homme prit sa boîte de beignets et son café, paya, et demanda :

– Vous ne seriez pas ce petit saligaud de *Crime et Châtiment* par hasard ?

– Si, répondit Spencer en glissant un sourire discret.

– Je me disais bien…

L'homme émit une espèce de grognement qui n'était

---

* Référence au logo d'une entreprise de vente de glaces à but non lucratif.

pas sans évoquer le vrombissement d'un mixeur qui peine à démarrer, puis il fit un pas de côté pour laisser passer Spencer, qui commanda deux cafés glacés. Pendant que son frère minaudait face à la vendeuse, Scarlett observait ce drôle d'énergumène qui se comportait comme s'il était en manque ou s'il avait oublié de prendre un médicament. Il avait les yeux rivés sur Spencer.

– Tiens, dit Spencer en tendant un gobelet de café glacé couvert de crème à sa sœur. Un petit déjeuner très sain.

Il prit son gobelet à lui et glissa un billet de cinq dollars dans la coupelle des pourboires. Il s'apprêtait à sortir du café, saluant l'homme au passage, quand celui-ci s'exclama :

– Fils de pute !

Le sourire de Spencer s'évanouit sur-le-champ.

– Pardon ?

– Fils de pute !

– Sympa, répondit Spencer en poussant sa sœur vers la sortie. Je suis ravi de vous avoir rencontré. Je vous recommande d'être toujours aussi courtois.

– C'est quoi, son problème ? demanda Scarlett une fois sur le trottoir. Les gens ne font plus la différence entre la fiction et la réalité, ou quoi ?

– Le type est chtarbé, c'est tout. On a grandi à New York, on est habitués.

– Je sais, répondit Scarlett, mais...

Soudain quelque chose atterrit dans son dos, un objet assez solide. Elle se retourna et vit le client qui les suivait d'un pas rageur avec sa boîte de beignets grande ouverte.

– Tiens, fils de pute, celui-là, c'est pour toi !

Spencer pivota et se prit un beignet à la crème en plein cœur.

– Je n'y crois pas ! Le mec me balance des beignets !

– Nous balance des beignets, oui !

Spencer s'arrêta pour se placer de façon à protéger sa sœur.

– Ça va pas la tête ? hurla-t-il. Je vous interdis de jeter des beignets sur ma sœur !

– Laisse béton, murmura Scarlett en tirant sur sa chemise.

Hélas ! son frère résistait, quand soudain, paf ! il se prit un second beignet, cette fois-ci à la confiture, en plein crâne. Le beignet fit une longue traînée de sucre glace sur ses cheveux sombres avant de déverser une coulée de framboise sur son cou et ses oreilles. On aurait dit qu'il avait du sang sur sa chemise blanche.

– Fils de pute !

Un véritable attroupement s'était formé autour d'eux. Tout le monde n'avait pas identifié qui était le « fils de pute », mais quelques-uns murmuraient déjà le nom sacré : Lavinski. Pour les autres, ma foi, ça n'était qu'une altercation en pleine rue – comme on en voit souvent à New York –, qui apporte un peu de piment dans le train-train quotidien.

– C'est un acteur ! s'écria Scarlett en s'adressant au lanceur de beignets. Et vous, vous êtes fou à lier !

L'homme saisit un nouveau beignet d'un geste rageur.

– Il a une boîte de douze beignets, ajouta-t-elle à mi-voix vers son frère. Vite, on se casse.

Mais son frère la repoussa derrière lui et poursuivit :

– Sérieusement, vous savez ce que c'est, une série télévisée ?

Le beignet à la crème qui suivit explosa un peu plus bas que le précédent, sur le bas-ventre de Spencer, laissant une grosse coulée de crème sur sa hanche. Puis l'attaque se fit par-derrière : un adolescent de l'âge de Scarlett profitait du chaos pour leur balancer une moitié de barre de céréales ; qui rebondit sur le coude de Scarlett et s'écrasa dans le caniveau.

– Raté ! lança Scarlett.

– Une série télévisée ! reprit Spencer, essayant de raisonner le premier assaillant. C'était pas un vrai revolver. Ni un vrai meurtre. Et sûrement pas une idée qui venait de moi...

Soudain Scarlett aperçut un taxi qui s'arrêta à deux pas d'eux. Elle attrapa son frère par le bras et le poussa vers la voiture. Cette fois-ci, il n'offrit aucune résistance ; il s'engouffra dans le taxi en manquant de se prendre un beignet à la confiture de myrtilles, qui explosa sur la carrosserie.

– Cent quatrième Rue et Park Avenue, annonça Scarlett. Plus vite vous démarrerez, moins votre voiture sera endommagée.

Spencer claqua sa portière juste avant que l'homme balance son gobelet de café glacé contre la vitre. Hélas ! celle-ci était à moitié ouverte, et il se prit la boisson en pleine figure.

– Ça va ? demanda-t-il à sa sœur, dégoulinant de café.

Scarlett était au bord de la crise de nerfs, sa chemise couverte de sucre glace et de confiture.

– Très bien, répondit-elle. Tu peux me déposer devant chez Dakota ? Il faut que je lui emprunte un haut.

Elle fouilla dans son sac pour voir si elle avait un mouchoir. Rien. Tant pis, elle se contenterait de papier. Elle déchira deux ou trois pages d'un de ses cahiers, mais Spencer était paralysé, tétanisé sur place. Elle tendit la main pour l'essuyer mais il l'arrêta tout de suite.

– Laisse tomber, dit-il.

– Pourquoi ?

– Je préfère ne rien toucher avant d'arriver en studio.

– Avec de la confiote plein la tête ?

– Ça ne sert à rien de nettoyer. De toute façon, ça se verra. C'est mon premier jour de gloire ; autant en profiter jusqu'au bout.

– Je ne pensais pas que c'était le prix à payer pour la gloire.

– Moi non plus.

Le taxi s'arrêta à un feu rouge, et le chauffeur leur tendit une poignée de mouchoirs pour qu'ils nettoient la banquette. Spencer essuya le siège autour de lui. Quant à Scarlett, qui voulut absorber ses taches, elle ne fit qu'empirer les dégâts.

Elle prit son portable et appela Dakota pour lui demander de descendre au pied de chez elle avec une chemise propre. Quelques instants plus tard, son amie était là, sur le trottoir, stupéfaite de découvrir le frère et la sœur dans un tel état.

– Désolé pour ces traces de petit déjeuner, s'excusa Spencer. Je mange comme un porc, demande à Scarlett.

Il sauta du taxi, qui repartit.

– Attends, reprit Dakota. Je ne te crois pas ? Qu'est-ce qu'il s'est passé ?

– On a eu un petit problème.

Scarlett expliqua les événements de la matinée à Dakota en montant à pied jusque chez elle. Prévoyante, Dakota avait posé plusieurs chemises sur son lit, et Scarlett choisit la plus simple, blanche.

– Tu peux m'expliquer pourquoi ton frère a préféré ne pas se changer alors qu'il avait de la confiture des pieds à la tête ?

Des années plus tôt, en sixième, Dakota était plus ou moins tombée amoureuse de Spencer. Peu à peu, sa fixette s'était transformée en plaisanterie, mais elle et Spencer avaient besoin de se lancer régulièrement des piques comme pour en découdre. Scarlett, elle, réagissait à peine, mal à l'aise, parce que Dakota était sa meilleure amie.

– Combien tu penses qu'il me demanderait pour lui prendre sa chemise ? demanda-t-elle à Scarlett, stupéfaite. Maintenant qu'il est célèbre et tout et tout ?

– Aucune idée. Un quart de dollar ?

– Tu crois ? Il vaut si peu ? J'aime bien l'idée, remarque.

Pendant que Scarlett se changeait, Dakota s'écroula sur son lit et continua d'asticoter Scarlett.

– Qu'est-ce que tu comptes faire ? Ton frère vient de tuer Sonny Lavinski.

– Moi ? Je ne compte rien faire de spécial. Personne ne sait que c'est mon frère, à part toi et deux ou trois copains. En plus, il ne va pas jouer éternellement dans cette série.

– Sauf que vous venez de vous faire sauvagement agresser.

– Parce qu'on est tombés sur un type complètement chtarbé. Ça m'étonnerait que ça nous arrive souvent. De toute façon, ça ne regarde personne, non ?

– Disséquer, hurlait Miss Fitzweld, ne signifie pas tailler en petits morceaux. Vous n'êtes pas en train de couper une côte de porc.

À vrai dire, Miss Fitzweld ne hurlait pas. Elle avait une voix aiguë et haut perchée qui portait naturellement.

– Je vous demande de couper le moins possible, poursuivit-elle. C'est clair ? À présent, j'ai besoin qu'un élève par poste de travail vienne récupérer un fœtus de porc. N'oubliez pas de prendre votre plateau de dissection.

Scarlett noua son tablier en plastique, chaussa ses lunettes de protection et avança, plateau en main. Elle grimaça en voyant ses camarades revenir avec leur fœtus protégé dans un petit sachet en plastique. L'odeur de formol était à peine soutenable. Ça sentait le mal de tête stérilisé.

– Je vois que l'ami Max a séché, fit remarquer Dakota en la croisant.

Le fait est que la place de Max était vide.

– Dommage, répondit Scarlett. J'ai l'impression que quelque chose est mort en moi quand il n'est pas là.

Scarlett arriva au pied du seau de fœtus. Il n'en restait plus que deux. Elle enfila ses gants trop étroits et se pencha, le nez au ras du seau. Elle souleva un des deux sacs en l'attrapant du bout des doigts.

– Arrête de faire la chochotte, la tança son professeur. Allez, prends-le, ce sac.

Même à travers deux couches de plastique, le poids du fœtus de porc humide était palpable.

De retour à son poste, elle lut le mode d'emploi de l'opération. Premièrement: déterminer le sexe du porc. Heureusement que Max était absent, songea-t-elle. Elle examina rapidement la bête et vit que c'était un petit mâle.

– Désolée, mon petit cochon chéri, murmura-t-elle.

Soudain la porte s'ouvrit et Max déboula dans la salle. Il portait une cravate rayée nouée négligemment autour du cou. Scarlett se rappela les douze façons d'étrangler son ennemi avec une cravate...

– Où étais-tu? l'interrogea sèchement Miss Fitzweld.

– Aux toilettes.

– Je te remercie de la précision. La prochaine fois, je diminue par deux la note de ton devoir sur table. Dépêche-toi, va t'asseoir à ta place.

– En fait, j'étais sur Internet, corrigea Max en enfilant ses gants à côté de Scarlett. Mais c'était plus marrant de dire que j'étais aux toilettes. Devine ce que j'ai découvert. Il paraît qu'un mec a balancé une boîte de beignets sur ton frère en pleine rue!

– Où as-tu lu ça?

– Sur le site Spies of New York*. Attends, je vais te lire l'article.

Il sortit discrètement son portable en le maintenant à hauteur des genoux.

* «Espions de New York.» (N.d.T.)

– Voilà… « L'assassin de Sonny était en blanc le lendemain de la fête du Travail ».

« Après avoir reconnu l'assassin de Sonny Lavinski, un fan de la série a réagi en lançant une volée de beignets sur le comédien, qui a dû se réfugier dans un taxi en compagnie d'une jeune fille blonde non identifiée… » J'imagine que c'était toi, non ? Les types doivent penser que tu étais sa copine… Et la suite : « Après avoir inondé Spencer Martin de confiture et de crème, l'assaillant lui a jeté un gobelet de café, au moment où le taxi démarrait. Inutile de dire que nous applaudissons à ce geste d'intérêt public et encourageons tous les citoyens animés par le même état d'esprit à venger la disparition de notre cher Sonny. » Eh ben dis donc, il a bien commencé la journée, ton frère ! Une boîte de beignets en pleine tronche à cause d'un type complètement cintré !

– C'est à cause de l'épisode qui est passé hier soir. Mon frère avait un monologue un peu louche où il s'agissait de beignets. Voilà pourquoi le type s'est vengé en lui lançant des beignets.

– Je sais. Je l'ai vu. Ma mère avait mis la télé parce qu'elle voulait voir quel genre de rôle ta patronne décroche pour ses clients.

– Pas la peine d'en faire toute une histoire. On s'est fait attaquer par un dingue, point barre, rétorqua Scarlett en poussant le plateau de dissection vers lui. Allez, coupe-moi ce fœtus de porc.

– Tu rigoles. Je vais tout foutre en l'air. Je suis sûr que tu feras ça beaucoup mieux que moi.

Scarlett rapprocha le plateau à contrecœur.

– Ton frère s'habille toujours en blanc ? poursuivit Max alors qu'elle tentait une première incision aux ciseaux. C'est bizarre. C'est le genre de couleur que tu portes quand tu veux que les gens te remarquent, non ?

– Je ne sais pas, peut-être. Il porte toutes sortes de couleurs...

– On dirait qu'il a fait exprès de choisir du blanc, comme s'il savait qu'un type allait lui balancer des beignets et qu'il voulait que ça se voie bien sur les photos.

– Écoute, j'y étais. J'ai assisté à toute la scène. Rien n'était planifié.

– C'est ça ! Un acteur ne prévoit jamais rien à l'avance !

– Il m'aurait prévenue.

– Tu te fais des illusions, ma vieille. Tout ce que les comédiens veulent, c'est qu'on les remarque. Crois-moi. Je vis avec une actrice.

– Et moi, je vis avec un acteur.

– D'accord, conclut Max en levant les mains. J'ai tort. Ton frère est une exception. C'était une pure coïncidence. Oublie.

Mais Scarlett avait du mal à oublier. Au contraire. L'idée de Max fit peu à peu son bonhomme de chemin dans son esprit. Et s'il avait raison ? L'incident qui avait eu lieu le matin était un peu incongru, quand même...

– Je sais que j'ai raison, ajouta Max en se penchant vers elle. Sauf que l'idée te rend dingue.

Désenchantée

– Ah, tu es là ! s'écria Mrs Amberson en voyant Scarlett rentrer du lycée. Dieu merci !

Une curieuse explosion avait dû avoir lieu dans l'appartement car tout, les murs, les tables, le canapé, était tapissé de petits bouts de papier couverts de noms et de numéros...

– Tu n'imagines pas la journée que j'ai eue, O'Hara. J'ai besoin que tu ailles tout de suite sur Internet pour trouver tout ce que tu peux, les commentaires, les photos... Tu vois ce que je veux dire ? J'ai des coups de fil à passer. Je suis dans ma chambre. Ton frère doit arriver d'une minute à l'autre.

Scarlett s'installa à son bureau. Murray émergea alors du canapé, la démarche un peu plus stable que d'habitude, pour l'observer.

– Murray m'a l'air plus calme, non ?

– Oui, répondit Mrs Amberson du fond de sa chambre. Il sort d'une séance d'acuponcture.

Murray leva ses grands yeux noirs sur Scarlett

comme pour l'implorer en hurlant « au secours » dans son langage de chien.

– Je suis désolée, lui répondit-elle.

Il réagit par une brève secousse qui fit valser ses quatre petites pattes, et schlac ! il s'étala de tout son long au sol.

Scarlett se mit tout de suite au travail, car elle était curieuse de voir ce qui l'attendait sur Internet. Elle eut très vite la réponse : des milliers de courriers et des tonnes de photos avaient été envoyés par téléphone sur toutes sortes de sites, de blogs, de liens... La fameuse scène de l'agression était partout. Plus elle l'observait, plus elle voyait à quel point elle était théâtrale. « Ton frère porte-t-il souvent du blanc ? » Non, pas du tout, son frère n'en portait jamais. La question était donc la suivante : quelle était la probabilité pour que Spencer décide de s'habiller intégralement en blanc le jour même où ils tombaient sur un dingue qui, comme par hasard, lui balançait une boîte de beignets qui, comme par hasard, était le sujet dont Spencer avait parlé la veille dans un long monologue d'une série télé ?

Une probabilité très faible, à n'en pas douter.

Le fait est qu'en y pensant..., c'était tout à fait le genre de canular que Spencer était capable de monter. Ou mieux..., Mrs Amberson !

Elle prit une longue respiration. Elle ne savait plus ce qui était pire : que ce soit son frère ou Mrs Amberson qui ait tout organisé sans rien lui dire, et que Max ait raison – si c'était bien vrai.

L'interphone retentit. Mrs Amberson se précipita pour ouvrir tout en parlant sur son portable.

– ... une formation classique, l'entendit expliquer Scarlett. Naturellement un peu clown, oui, mais les clowns ont toujours un jeu particulièrement dense. Pas mal d'expériences de comédie musicale, on peut donc envisager une option combinant chant et danse... Excusez-moi, ne quittez pas, il faut que j'ouvre...

Elle prit l'interphone qu'elle colla contre son autre oreille.

– Oui, oui, poursuivit-elle. Envoyez-le-moi... Non, ce n'est pas le moment de parler du chien... Pardon, Carmine, je m'adressais au portier, pas à toi... Murray, je suis navrée de cet incident, mais il suffit de... Oui, formidable, Carmine, rappelle-moi dès que tu sors de ce tunnel... Mais non, il n'a pas la rage, ce n'est pas parce qu'il bave qu'il a la rage. Allez, il faut que je vous laisse... Toi aussi, Carmine. Je t'embrasse... Non, Murray, ce n'était pas pour vous. Au revoir, monsieur.

Elle raccrocha les deux combinés puis s'appuya contre le mur pour reprendre son souffle.

– O'Hara ! C'est ton frère. Commande-lui quelque chose à manger, et pour toi aussi. Je dois avoir des adresses de traiteurs avec plats à emporter quelque part.

Quelques secondes plus tard, Spencer apparut à la porte, vêtu d'une chemise flambant neuve et d'un jean de marque qui devait coûter une fortune. Il était presque aussi chic que Chip !

– Ma star préférée ! s'écria Mrs Amberson en l'embrassant. J'espère que personne ne t'a agressé en cours de route ?

– Non, ils m'ont trouvé une voiture. À partir de maintenant, j'aurai droit à un chauffeur. En plus, la costumière a eu pitié de moi ; c'est elle qui m'a donné ces vêtements. Ils ont mis sur e-Bay le pantalon que je portais ce matin. Je n'y crois pas, mon pantalon... aux enchères sur e-Bay !

– C'est formidable, sauf que je ne sais pas ce que c'est qu'e-Bay. Peu importe, on a du travail. Je te laisse avec ta sœur le temps de passer un dernier coup de fil.

Mrs Amberson fila dans sa chambre.

– Ça s'est passé comment au boulot ? demanda Scarlett.

– Trop bizarre. Les gens se comportent déjà différemment, avec une espèce de respect. C'est le comble, moi que personne n'a jamais respecté !

– Si, moi.

– Ouais, mais tu es mauvais juge.

– Je sais.

Il s'approcha pour regarder les photos sur l'ordinateur et se figea.

– Un rat, s'exclama-t-il en reculant. Un rat !

– Mais non, c'est Murray. Attention, parce qu'il a tendance à faire pipi quand il ne connaît pas les gens.

Spencer et Murray se dévisagèrent quelques instants d'un air soupçonneux.

– D'où sort-il ?

– De chez Moo.

– Quoi ?

– Moo.

– Mais qu'est-ce que c'est ?

– Une personne. Une amie de Mrs Amberson.

– Elle a une copine qui s'appelle Moo ? Et qui possède ce... clebs ?

– Je te promets. En plus, il se lâche assez facilement question pipi. Alors, évite de l'effrayer.

Spencer recula et s'écroula sur le canapé.

– Je n'ai jamais vécu une journée aussi hallucinante. Hier, je me réveille, personne ne me connaît. Et aujourd'hui, j'ai ma pomme aux infos... Scarlett..., tu peux me dire ce qu'il se passe exactement ?

Le contraste entre son air ahuri et son look à la mode était frappant. La coupe de cheveux qu'on lui avait faite pour son rôle, une légère brosse, mettait en valeur sa chevelure sombre qui brillait juste comme il faut. Il avait de surcroît des vêtements impeccables, et pas une goutte de transpiration... Il avait été entièrement relooké pour avoir l'air professionnel et plein aux as. Sauf que son enthousiasme initial en avait pris un coup au passage.

– Tu es quand même content ? lui demanda Scarlett.

– Oui, oui. C'est juste que... mon cerveau... Je ne comprends plus rien...

– C'est pour ça que tu m'as caché que c'était un coup monté ?

Spencer plongea la tête dans les mains.

– Je voulais te protéger, mais tu n'arrêtais pas de te mettre devant moi.

– Parce qu'il y avait un type qui voulait t'agresser ! Avec des beignets !

– Désolé pour ta chemise. Je t'en achèterai une nouvelle.

– Je m'en fous de ma chemise. Mais je n'aime pas que les gens me mentent.

Brusquement, Mrs Amberson émergea de sa chambre.

– Je viens d'avoir une discussion incroyable ! s'exclama-t-elle.

– Elle est au courant, lui répondit Spencer. Je vous avais dit qu'elle découvrirait le pot aux roses.

Mrs Amberson ne semblait pas regretter quoi que ce soit. Au contraire, elle avait l'air ravie.

– Bien joué, O'Hara ! Rien ne t'échappe. Ton frère m'avait prévenue et il avait raison.

Scarlett les observait tous deux, perplexe, attendant une explication.

– J'ai été obligé de prévenir Amy que le scénario avait changé en cours de tournage, se justifia Spencer. Il fallait qu'elle signe en mon nom... pour l'épisode suivant. Mais quand elle a vu le monologue que j'avais..., elle a eu l'idée que tu sais.

– C'était évident, O'Hara. Il fallait faire quelque chose. En plus, c'était l'occasion pour Spencer de se faire une sacrée publicité.

– Mais pourquoi m'avez-vous mêlée à ce micmac ?

– Question de solidarité, O'Hara. Tu as vu les photos ? Le comédien qui protège sa petite sœur de l'agression de ses fans. Tu as joué un rôle essentiel.

– Pourquoi personne ne m'a prévenue ?

– Tu n'aurais jamais accepté de jouer le jeu, répondit Spencer.

– Exactement, renchérit Mrs Amberson. Comme ça, tu n'as pas eu à jouer la comédie, mais simplement à réagir. Je savais que tu protégerais spontanément ton frère et que tu nous pardonnerais ce petit péché par omission.

Le fait est que Mrs Amberson avait orchestré le tout

avec un art consommé de la publicité. Son frère avait parfaitement suivi, et elle n'y avait vu que du feu.

– D'accord, mais je n'aime pas avoir l'impression de me faire rouler dans la farine, c'est le cas de le dire, se défendit-elle. Alors, promettez-moi que vous ne me referez jamais le coup.

– Promis, O'Hara. On ne te cachera plus rien.

– Bon, maintenant qu'on peut en parler, intervint Spencer, c'était qui, ce type ?

– Oh, un gars un peu bizarre que j'ai rencontré dans la rue. Je lui ai donné cinquante dollars pour les beignets, et je lui ai promis cent dollars supplémentaires si ça marchait. Je surveillais la scène d'une vitrine un peu plus loin.

– Vous avez tout vu ? s'écria Scarlett.

– Il fallait que je veille à ce que ça ne dérape pas et que je paye le type après. J'avoue qu'il y a mis beaucoup de cœur.

– Il était un peu angoissant, même, renchérit Spencer. Il jetait ses beignets avec une hargne incroyable.

– Je voulais aussi que la scène soit photographiée, ajouta Mrs Amberson. Je suis contente. *Spies of New York* m'a acheté trois photos. Je les ai envoyées à partir de ton adresse électronique, O'Hara. J'espère que tu ne m'en veux pas. Bon, maintenant parlons du but de l'opération. Toi...

Elle se retourna vers Spencer.

– ... tu as rendez-vous sur le plateau de *Good Morning, New York !* demain matin à six heures et quart. Ensuite on file dans le nord de Manhattan pour que tu fasses une rapide apparition dans l'émission *The Point* à neuf heures. Et après, retour au sud pour une interview avec un journaliste de *Entertainment Now*. Et déjeuner avec un reporter du *New York Bulletin*. Puis tu es attendu sur le plateau pour une lecture du prochain épisode de la série. Pas mal, comme programme, non?

Mrs Amberson caressait le brave Murray avec un petit air satisfait. Quant à Spencer, il semblait avoir un peu de mal à tout enregistrer et regardait dans le vide, l'air hébété.

– Une petite séance de *media-training* ne te ferait pas de mal, poursuivit Mrs Amberson. Je te propose une ou deux heures avec moi tout de suite. Scarlett, tu pourrais aller nous acheter un plateau de sushis, s'il te plaît? Je sens que le programme de la soirée va être chargé. Ah! et n'oublie pas de sortir Murray.

Scarlett prit le chien, de même que la poignée d'argent liquide que lui tendit Mrs Amberson, et quitta l'appartement. Elle descendit en réfléchissant... Elle était encore sous le choc d'avoir été exclue, mais surtout de savoir que... Max avait tout deviné. Il avait parfaitement déchiffré le comportement de deux personnes qu'elle connaissait dix fois mieux que lui. Voilà qui n'était pas de très bon augure. Car s'il avait vu juste là-dessus, il verrait sûrement juste sur bien des surprises à venir...

Remarque, se dit-elle, c'est le hasard, tout le monde a raison un jour ou l'autre. Même les types comme Max. Question de chance.»

Le lendemain matin, la famille Martin était au complet pour regarder les interviews de Spencer à la télé avant le départ à l'école. Celui-ci portait une chemise marron chocolat qui mettait en valeur ses yeux brun profond face à la caméra, et il avait les cheveux savamment ébouriffés.

– Il est vraiment bien, commenta Lola en professionnelle. Je ne sais pas qui l'a habillé, mais c'est carrément réussi. Il aurait avantage à porter du marron. En plus, j'ai l'impression qu'ils ont un peu foncé ses cheveux. Ils sont presque noirs. Ce n'est pas sa couleur naturelle. C'est celle de maman.

– Il a toujours eu les cheveux un peu plus foncés que les miens, répondit sa mère en remuant fébrilement sa tasse de café. Au fond, je n'ai jamais douté qu'il y arriverait, mais j'avoue que ça me fait un drôle d'effet d'être là, assise à regarder la télé en attendant que mon fils apparaisse à l'écran. Je me demande comment ma propre mère aurait réagi. Je ne sais pas si elle aurait été excitée, ou atterrée.

– Atterrée, répondit le père de Scarlett.

L'émission commença. Les événements furent résumés par un présentateur pendant que de courts extraits de *Crime et Châtiment* défilaient. Puis Spencer apparut, tranquillement installé dans un fauteuil de studio. Mrs Amberson l'avait bien préparé, car il avait l'air très détendu.

Les questions étaient un peu laborieuses, mais Scarlett fut impressionnée par le professionnalisme de son frère. Connaissait-il la série ? (Non, mais sa sœur lui avait expliqué l'intrigue. Le nom de la sœur ne fut pas mentionné mais toute la famille se tourna vers Scarlett.) Était-il un fan de Sonny ? (Qui ne l'était pas ? La réponse était absurde, vu la question précédente, mais Spencer répondait avec un charme irrésistible.) Quel effet cela faisait-il de travailler avec un comédien de cette envergure ? (Spencer mentit de façon éhontée, répondant que Donald Purchase était un type génial et archisympa. Il faut reconnaître qu'il ne pouvait pas se permettre de dire le contraire.)

– Je suis sûr qu'ils lui ont teint les cheveux, reprit Lola.

– Le pantalon que vous portiez quand vous avez été agressé est en vente sur e-Bay, poursuivit le journaliste. J'ai entendu dire que le prix était monté à quatre cents dollars. Qu'en pensez-vous ?

– Ah oui ! répondit Spencer en gloussant, comme s'il avait déjà oublié l'affaire.

Scarlett savait parfaitement qu'il avait envoyé plusieurs textos à Marlène pour qu'elle suive les enchères et le tienne au courant heure par heure. Marlène, qui était ici même, assise avec son ordinateur portable sur les genoux !

– Quatre cent soixante, corrigea Marlène.

– Qu'en pensez-vous ? insista le journaliste. Un pantalon couvert de taches de café et de confiture qui flambe à un tel prix ?

– Ça ne me choque pas plus que ça. Pour quatre cents dollars supplémentaires, je serais même prêt à faire le mannequin.

– Je vous conseille tout de même de faire attention, répondit le journaliste en riant. Les gens réagissent parfois...

– Oui, comment ?

– Mon Dieu ! s'exclama Lola en s'adressant à l'écran. Qu'est-ce que tu vas encore sortir ?

Scarlett faillit dire que l'agression était un coup monté, mais elle se retint. Autant elle estimait qu'elle aurait dû être prévenue, autant il valait mieux que les autres n'en sachent rien. Ne serait-ce que parce que ça lui éviterait une avalanche de questions. Sans compter que si Marlène était au courant, elle le crierait sur tous les toits.

– Je vous remercie d'être venu nous voir, conclut le journaliste. Spencer Martin est désormais David Frieze, le personnage le plus détesté de tout New York.

Un immense portrait de Sonny Lavinski apparut à l'écran, tel un spectre menaçant.

Le malheur des uns fait le bonheur des autres

L'appel eut lieu quelques jours plus tard, alors que Scarlett rentrait du lycée en passant par Central Park. Ne reconnaissant pas le numéro affiché sur son écran, elle eut quelques secondes d'hésitation. Hélas ! c'était tout bêtement Chelsea.

– Pardon de te déranger, dit celle-ci, la voix un peu heurtée. J'ai appelé Amy et ça ne répondait pas, et maman est partie, alors je ne savais plus à qui m'adresser...

Soudain, elle éclata en sanglots. Scarlett écarta le téléphone de son oreille, car ce n'était pas une crise de larmes, mais une véritable tempête tropicale !

– Ça va ?

Qu'elle était bête ! Quelle idée de lui poser une telle question.

– C'est à cause du spectacle, ajouta Chelsea. C'est fini. On vient de nous prévenir. Je voulais le dire à Amy... mais maman n'est pas là... et j'avais besoin d'en parler à quelqu'un et... je me demandais... si peut-être... tu pourrais passer ?

Scarlett pouvait difficilement refuser.

– D'accord, répondit-elle, j'arrive.

Un moment plus tard, elle était devant la porte de l'appartement, sur le seuil duquel l'attendait Chelsea. Le salon était encore plus désordonné que le soir où elle était venue dîner. Partout traînaient des chaussures et des vêtements, sur le canapé, sur la table basse...

– Je suis désolée, s'excusa Chelsea. Viens, on va dans ma chambre.

La chambre de Chelsea, sûrement la plus grande de l'appartement, était pleine à craquer, avec un lit double, une commode, un vélo d'appartement... Vu le peu d'espace et le fait que la jeune fille passait son temps dans son club de gym, outre six cours de danse par semaine, le vélo semblait un peu superflu, mais Scarlett ne fit pas de commentaire. C'était une évidence, non? Il ne pouvait pas ne pas y avoir de vélo d'appartement.

Heureusement, elle qui s'attendait à trouver une chambre impeccablement rangée et entièrement conçue pour la carrière de l'enfant chérie de la famille, elle découvrit un joyeux chaos. Certes, les chaussures de gymnastique et les chaussons de Chelsea étaient parfaitement alignés dans un coin, et le lit était fait, avec un édredon douillet couleur vanille et des petits coussins assortis, mais les murs étaient couverts de bouts de papier collés dans tous les sens. Il y avait un mur en particulier, qui était littéralement tapissé à hauteur d'yeux de listes rédigées au feutre argent ou bleu sur des morceaux de papier de couleur: chansons à apprendre, courses, devoirs, noms de personnalités, de films, de livres... Ailleurs, c'était surtout des photos d'acteurs découpées dans des magazines, de vieilles affiches de théâtre, des annonces de spectacles, des phrases à retenir...

Scarlett remarqua, fixée au-dessus du lit de Chelsea, une carte postale où elle lut une citation de l'actrice Helen Hayes : « Les comédiens ont beau turbiner, la couleur de cheveux peut orienter leur destin. » Comme si ce message pouvait se diffuser dans l'esprit de Chelsea pendant son sommeil...

Celle-ci s'assit tout naturellement par terre, entre sa table de nuit et sa rangée de chaussons. Elle alluma sa lampe de chevet, affreuse, qui faillit tomber tant elle était légère.

– Maman est allée visiter des appartements à Brooklyn, et je ne voulais pas lui annoncer la catastrophe au téléphone, dit-elle. De toute façon, on n'a plus besoin d'appartement. Nous allons être obligés de quitter New York.

Elle luttait pour ne pas éclater en sanglots en serrant les poings et plissant les yeux. Scarlett ne doutait pas une seconde de sa sincérité, pourtant il y avait quelque chose d'artificiel et d'affecté dans ce comportement qui l'agaçait. Elle posa une main sur l'épaule de Chelsea, car la Scarlett extérieure compatissait. Cependant, il faut bien avouer que la Scarlett intérieure se réjouissait. Pour une fois, Chelsea rencontrait un obstacle. Tous ces efforts pour être parfaite, cet entraînement permanent, cet état d'esprit tendu vers la célébrité..., tout était anéanti. Elle était réduite au même niveau que Scarlett.

Cela dit Scarlett culpabilisait. Après tout, Chelsea ne lui avait rien fait. Elle la tapota gentiment sur l'épaule, mais elle fut incapable d'articuler un mot de consolation.

– Tu sais ce dont je rêve? avoua Chelsea en reniflant. D'un milk-shake.

Ah! ça au moins c'était concret et humain. Et Scarlett connaissait un endroit où il s'en vendait d'excellents dans le quartier.

– Viens, je sais où il y en a, répondit-elle.

– Mais je n'ai pas droit aux milk-shakes.

– Bien sûr que si. Allez, viens, je t'emmène, tu choisis celui que tu veux, on paye et c'est bon.

Chelsea lui jeta un regard qui signifiait: « Si c'était si facile, tout le monde passerait son temps à s'acheter des milk-shakes. »

– Tu choisiras ton parfum préféré, ajouta Scarlett en la tirant par le bras. Ils vendent les meilleurs milk-shakes de New York à deux pas d'ici. Chez Shake Shack. À un quart d'heure à peine.

Chelsea résistait. Elle était dix fois plus musclée que Scarlett, et ses pieds étaient bien fichés dans le sol et ses bras sacrément costauds.

– Je n'ai pas bu de milk-shake depuis..., avoua-t-elle, hésitante... Je ne sais plus. Depuis que j'ai... dix ans?

– Quoi? Alors tu y as carrément droit! Allez, accompagne-moi. Tu vas voir, ils sont sublimes, et tellement crémeux! S'il y a un jour où tu mérites un milk-shake, c'est bien aujourd'hui, tu ne trouves pas?

Chelsea sursauta en entendant le verbe « mériter ».

– Oui, c'est vrai, je trouve que je le mérite. Je travaille comme une brute depuis des années. C'est pas de ma faute si le spectacle s'arrête.

Scarlett profita de cet instant de relâchement pour l'entraîner hors de l'appartement, mais une fois en route, plus rien ne semblait arrêter Chelsea. Dix minutes plus tard, les deux « amies » étaient devant Shake Schack, au cœur de Madison Square Park, un petit carré de verdure niché au milieu d'un quartier de restaurants et de boutiques très passant.

– C'est toi qui commandes, déclara Chelsea en lui donnant de la monnaie. Je ne peux pas.

– Quel parfum tu veux ?

– Je ne sais pas, répondit Chelsea en détournant le regard. Choisis.

Scarlett demanda deux grands milk-shakes noir et blanc, son préféré.

– Trop bon, le cheese-burger ! s'exclama Chelsea en observant un client transportant un plateau avec un cornet de frites et un cheese-burger.

– Avec un cheese-burger, ajouta Scarlett, et une grande portion de frites.

Quelques secondes plus tard, les deux filles s'installaient sur un banc dans le jardin. Chelsea jeta un regard effrayé sur la boîte en carton avant de sortir un des deux milk-shakes.

– J'avais oublié que ça pesait si lourd, dit-elle en examinant le gobelet.

Scarlett jugea inutile de lui rappeler que les milk-shakes étaient faits à partir d'une bonne crème anglaise bien épaisse.

Chelsea enfonça sa paille, hésita avant de poser ses lèvres, respira pour se détendre, et prit son courage à deux mains pour aspirer une première fois. Ses joues se creusèrent mais elle dut aspirer une deuxième fois pour obtenir quelque chose, quand soudain ses yeux brillèrent, trahissant sa surprise.

– C'est bon, non ? lança Scarlett.

Devant une telle orgie de graisse et de sucre, Chelsea était sans voix. Elle hocha la tête et aspira de plus belle, avec une ardeur insoupçonnable, gobant sa boisson à une vitesse inouïe. La pauvre, ça faisait tellement longtemps qu'elle était sous-alimentée !

– La comédie musicale s'arrête dans deux semaines, peut-être avant, dit-elle en reprenant sa respiration. Ils sont en train de réfléchir à la date.

Elle remua la paille dans le petit trou du couvercle, provoquant un grincement peu discret. Puis elle retira le couvercle et malaxa le fond du milk-shake avec sa paille avant de le regarder retomber lourdement au fond du gobelet. Elle était fascinée par l'épaisseur onctueuse de la boisson interdite. Scarlett en profita pour lui passer la boîte qui contenait le cheese-burger et les frites. Chelsea y jeta un regard soupçonneux.

– Je te conseille de tremper une frite dans le milk-shake, tu vas voir, c'est pas mal, dit-elle.

– Sérieusement ?

Scarlett prit la main de Chelsea et la guida jusqu'à ce qu'elle trempe une frite dans le liquide épais. Chelsea gloussa légèrement et goûta.

– Pourquoi c'est si bon ? lança-t-elle.

– Parce que c'est fait à partir de...

Scarlett s'arrêta juste avant de prononcer le mot « graisse ». Ah la graisse ! Si bonne, si nécessaire à la vie !

– ... d'ingrédients naturels. Totalement bio. Et ultrafrais.

Chelsea trempait déjà une deuxième frite.

– Je ne sais pas ce que je vais faire après le spectacle, poursuivit-elle. Il a commencé il y a trois semaines à peine, mais j'ai l'impression que toute ma vie tourne autour.

En effet, songea Scarlett.

– Ouais, répondit-elle en prenant elle-même une frite, mais tu as plein d'autres activités, plus le lycée, les auditions...

– Sauf que c'est grâce à la comédie musicale qu'on paye l'appartement.

Scarlett était stupéfaite. Jamais ses parents ne lui auraient demandé de prendre en charge le loyer familial. Elle ne dit rien, préférant laisser Chelsea déguster, ou plutôt dévorer, son cheese-burger et ses frites, et racler les dernières gouttes de milk-shake.

– Tu sais ce que j'aimerais? avoua Chelsea en tripatouillant sa paille au fond du gobelet. J'aimerais sortir avec un garçon. Je n'ai jamais été invitée par un garçon. Il faut dire que je ne rencontre pas grand monde, à part les gens du boulot. En plus je n'ai pas le temps. Tu as un copain, toi?

La question était tellement inattendue que Scarlett faillit s'étouffer, la bouche pleine de milk-shake.

– Je... non. Non, pas... Pas du... Non.

– Mais je suis sûre que tu es déjà sortie avec un garçon.

Était-elle vraiment sortie avec un garçon? En fait, non. En tout cas, jamais officiellement, pour un vrai rendez-vous galant. Disons qu'elle avait fait des... rencontres. C'est plutôt comme ça qu'elle appellerait les vagues expériences qu'elle avait connues. Avec Eric, par exemple. Ou même Josh. Des rencontres un peu inattendues, informelles, excitantes, mais souvent sources de panique, et dans des endroits un peu poussiéreux, des petites pièces ou devant la télévision. Mais jamais des rendez-vous prévus d'avance, ni organisés. C'était ça qu'on appelait « sortir avec quelqu'un » ? Comment savoir ce que ça voulait dire exactement ?

– Oui, répondit-elle d'un air vague.

– J'y crois pas, dit Chelsea en lâchant la tête. Je suis trop nulle.

– Mais... c'était plutôt des trucs foireux.

– C'est vrai ?

– Oui, des histoires qui m'ont plutôt fait perdre la tête.

Chelsea esquissa un sourire. Elle prit une frite et racla le fond du gobelet.

– Ma mère va tout de suite voir que j'ai trop mangé, déclara-t-elle en regardant d'un air contrit le gobelet et la boîte de cheese-burger vides.

– Comment ?

– Question d'intuition. Je vais devoir lui annoncer non seulement que bientôt je n'aurai plus de boulot, mais que j'ai dû prendre un ou deux kilos.

Elle jeta les dernières frites dans une poubelle, sans en proposer à Scarlett.

Pendant tout le trajet du retour, elle maintint les deux mains sur son ventre et gémit parce qu'elle se sentait lourde et avait mal au cœur, tout en se demandant si elle ne ferait pas mieux d'aller directement dans son club de gymnastique.

Enfin elles arrivèrent chez Chelsea. Max était rentré. Il était affalé devant la télévision, volume à fond et écouteurs aux oreilles. Impossible d'écouter les deux à la fois, songea Scarlett. À peine aperçut-il les filles, qu'il arracha ses écouteurs et leur jeta un regard intrigué, presque coupable.

– Tu vas être trop content, annonça sa sœur. Dans quelques jours *La Jeune Fille en fleur* ne sera plus à l'affiche.

Il inclina la tête et observa le visage de Chelsea qui avait les yeux humides.

– C'est la preuve que Dieu existe, répondit-il.

– Va te faire foutre, grommela sa sœur en filant dans sa chambre.

Scarlett préférait rester au salon et affronter le silence de Max. Certes, elle n'était pas fana de Chelsea, et elle n'était pas fâchée d'apprendre que son spectacle prenait fin, mais quand même, il y a des choses qui ne se font pas. Flanquer un coup à sa sœur alors qu'elle est au fond du trou, par exemple.

– Quand est-ce que ça finit? demanda Max, comme s'il lui demandait à quelle heure ils dînaient.

– Ta gueule! Crève!

Il sourit en regardant Scarlett, comme pour lui dire: « Tu as vu? »

Peu après Chelsea apparut avec son sac de sport.

– J'y vais. Tiens, Scarlett, dit-elle en lui remettant un petit tas de billets retenus par un élastique. C'est des invitations. Si tu connais des gens qui veulent aller voir le spectacle, tu peux leur en donner, il suffit qu'ils appellent avant en donnant mon nom. Je n'en ai plus besoin ; de toute façon, il reste des tonnes de places.

Chelsea se dirigea vers la porte mais Scarlett ne fit pas un geste.

– J'ai des trucs à demander à Max en biologie.

– Ah… d'accord. Bon. Merci d'être venue… Merci beaucoup.

Son frère agita la main pour la saluer, et elle claqua la porte.

– C'est quoi, ton problème, merde ? lança Scarlett.

– Tu es restée pour me faire la morale ? Je te préviens, si c'est le cas, tu perds ton temps.

– On s'en fout si la comédie musicale où elle joue est nulle. C'est ta sœur, je te rappelle.

– Elle s'en remettra. C'est pas la fin du monde.

– Pour elle, si. Elle est bouleversée.

– Tu as remarqué, elle n'a pas une seule copine à appeler quand il lui arrive une tuile ? Elle a été obligée de t'appeler, alors que tu ne l'aimes pas particulièrement.

– Toi non plus tu n'as pas d'amis, répondit-elle. Tu peux m'expliquer pourquoi, du reste ?

– Parce que je suis exigeant. Quant à toi, tu fais semblant de compatir, et je me demande ce qui est pire : en avoir clairement rien à cirer, ou prétendre qu'on est touché ?

Et mince ! Bien envoyé.

Scarlett regarda Max droit dans les yeux. Si l'on pouvait remplacer sa personnalité par une autre, il ne serait pas mal, songea-t-elle. Pas comme Eric, qui était objectivement beau mais avec un physique très classique. Lui, Max, avait quelque chose de différent. Un truc dur.

– Tu sais pourquoi elle n'a pas d'amis? poursuivit-il. Tu t'es déjà demandé ce que son spectacle nous apportait, à nous? Tant mieux si ça s'arrête. On devrait même organiser une soirée pour fêter la bonne nouvelle. On va enfin pouvoir rentrer chez nous.

– Rentrer?

– Personne ne m'a jamais demandé mon avis pour savoir si j'avais envie de déménager à New York.

– Sauf que tu as passé l'examen d'entrée à Frances Perkin, et tu l'as eu, ce qui n'est pas donné à tout le monde. Ils prennent peu de nouveaux élèves, surtout en première. Alors, il faut croire que tu as fait un minimum d'efforts pour y arriver.

Là-dessus Max ne dit rien. Il se retourna vers la télévision.

– Laisse béton, conclut-il. Tu ferais mieux d'y aller. J'aime autant qu'il n'y ait personne quand je regarde des films porno.

Scarlett rentra chez elle et monta directement dans sa chambre. La petite valise à roulettes de sa sœur était grande ouverte au milieu de la suite Orchidée, et une superbe robe rouge flambant neuve était étalée sur le couvre-lit bleu de sa sœur. Lola était au téléphone, plongée dans une conversation à mi-voix avec... Chip. Elle venait de rentrer de Boston, où elle s'était rendue pour le fameux bal.

– Tu as une nouvelle robe? demanda Scarlett dès que sa sœur eut raccroché.

– Ah oui! répondit Lola en se plaquant la main sur la bouche. C'est un cadeau de Chip. Plus ou moins pour remplacer l'autre.

– Et le bal?

– J'ai évité la partie vraiment danse. Spencer m'avait appris deux ou trois pas, mais j'arrivais à suivre parce que c'est lui qui menait. En réalité, Chip n'est pas non plus très bon danseur.

Scarlett s'assit sur son lit et vida le contenu de son sac, posant d'un côté ses livres de classe, et de l'autre tous les bouts de notes et les mots qu'elle avait gribouillés dans la journée. Lola l'observait d'un air affligé.

– Tu veux faire mes devoirs à ma place? lui demanda Scarlett en lui tendant un exemplaire écorné de *La Lettre Écarlate* qui venait de la bibliothèque de son lycée.

– Non, ça va. Tu t'en sortiras sûrement mieux que moi. L'anglais, ça n'a jamais été mon fort. Du reste, aucune matière n'a jamais été mon fort.

Scarlett coinça son stylo dans sa bouche en réfléchissant à la façon de procéder pour ses devoirs. Elle commencerait par la trigonométrie pour s'en débarrasser. Le français, c'était plus long, il fallait qu'elle rédige deux pages après avoir été au Metropolitan Museum pour sélectionner douze peintures sur lesquelles elle devait écrire. Or, elle n'avait pas été au musée. Quant à la biologie, il fallait qu'elle lise un long chapitre, avec des questions à la fin auxquelles il fallait répondre.

Pendant ce temps-là, Lola tournicotait dans la chambre, rangeant son linge sale dans le panier prévu pour et examinant le contenu du tiroir qu'elle avait cassé la semaine précédente.

– C'est superjoli, Boston, dit-elle. Du reste, j'en ai profité pour aller voir Carly à Harvard. Tu te souviens de lui, Carly? Et de mon petit copain en seconde, Dev? Il est au M.I.T. Darcy, elle, est à Wellesley; du coup, j'ai aussi réussi à la voir. Je n'arrêtais pas de tomber sur des gens que je connaissais. On dirait que tout le monde s'est donné rendez-vous à Boston, c'est fou! En fait, j'aurais adoré faire des études dans le Massachusetts. C'est exactement comme ce que j'imaginais: des beaux bâtiments en briques, des arbres, des étudiants et des profs qui portent des écharpes chics et se retrouvent dans des cafés...

– Alors pourquoi tu n'essaies pas d'y aller? On est en automne. C'est le moment de remplir les dossiers d'inscription pour l'année prochaine.

– Oui, je sais. En même temps, je me sentais un peu mal à l'aise. J'étais la seule à ne pas être inscrite quelque part. Tu vois ce que je veux dire? J'avais l'impression que je n'étais pas à ma place. Et puis tout ce travail, ces heures à étudier... Je ne suis pas assez sûre de moi. Toi, tu as toujours eu des facilités.

Scarlett leva les yeux pour voir si sa sœur était sérieuse. Elle l'était.

– Qu'est-ce que tu racontes?

– Je te promets. Tu ne peux pas savoir à quel point j'ai trimé pour arriver jusqu'au bout du lycée. Je mettais toujours plus de temps que les autres à finir mes devoirs. Je m'en sortais avec la moyenne, à peu près. Sauf en maths, toujours en dessous. Je t'ai vue, toi. Il suffit que tu lises un truc, et tu l'enregistres illico. Ou tu es là, assise devant un problème de maths, et tu le résous, tout de suite, sur place. Tandis que moi, je restais assise devant mon exercice jusqu'à ce que j'aie les yeux secs. Et en plus, je me trompais. Et je ne te raconte pas en anglais ! Chaque fois que j'avais une dissert à écrire, je me cassais la tête, mais les profs me reprochaient d'avoir résumé l'histoire ; et parfois, mal résumé. *Hamlet* cet été, par exemple ? J'ai vu la pièce, genre vingt fois. Je ne comprends toujours pas exactement ce qu'il se passe. Alors que toi, tu as participé à la mise en scène, de même que Spencer, et ça ne vous a posé aucun problème. Tant pis. C'est comme ça. Je m'exprime bien, je sais m'habiller, mais pour le reste, je suis nulle. Tout ce que je sais faire, c'est vendre des produits de beauté.

Voilà qui ressemblait fort peu à Lola. Elle qui était si posée, si douée, avec une si belle assurance. Dans le souvenir de Scarlett, sa sœur aînée avait toujours eu d'excellentes notes, frôlant parfois les dix-huit sur vingt. C'était une élève consciencieuse, qui travaillait et préparait ses devoirs. Et leurs parents avaient toujours l'air contents.

– Tu as été dans les universités les plus difficiles d'accès, dit-elle. Harvard, le M.I.T., et... je ne sais pas trop où va Chip. Il y a de quoi être impressionnée. Tu devrais tenter les universités où tu as vraiment envie d'aller ; demander les dossiers d'inscription.

Lola secoua la tête en souriant.

– Tout ce que je voulais te dire, reprit-elle, c'est que quand ça sera à ton tour de t'inscrire, ne prends pas une année pour réfléchir, comme moi. Remarque, de toute façon, tu n'es pas comme moi.

– Tu vas quand même déposer des dossiers quelque part ?

– On verra, répondit Lola. En attendant, Spencer passe sur *Tinsel Talk* à dix-neuf heures trente.

La porte est toujours ouverte

Un phénomène assez désagréable eut lieu à l'hôtel Hopewell au cours des trois semaines suivantes. Lola semblait avoir régressé de plusieurs années et sa voix s'était métamorphosée en un gazouillis de bébé assez agaçant. Elle passait son temps au téléphone avec Chip, se laissant aller à d'interminables conversations intimes quand elle était à la réception, quand elle faisait le ménage, quand elle marchait dans la rue... Le soir, pour ne pas qu'on l'entende, elle se réfugiait dans la salle de bains et se faisait couler un grand bain, sans égard pour ses frère et sœurs, obligés d'utiliser les salles de bains disponibles des autres étages. Pendant ce temps-là, Scarlett essayait de lire, de travailler et même de dormir, bercée par les chuchotements et le doux clapotis de l'eau qui résonnait de l'autre côté du mur de leur chambre. Si seulement Lola pouvait laisser tomber son portable dans la baignoire pour abréger ses tourments!

Chip rentra à New York trois week-ends successifs. Une fois, il arriva même à sécher ses cours pour prendre sa voiture en début d'après-midi et conduire les quatre ou cinq heures nécessaires pour revenir à New York. Scarlett tombait en général sur lui alors qu'il traînait dans l'entrée pendant que Lola perdait son temps avec un chiffon à poussière.

Il pouvait d'autant mieux se le permettre que Spencer n'était quasiment plus là. Tous les matins, aux aurores, son studio envoyait une voiture à Spencer, et tous les soirs il rentrait tard, épuisé, pour s'écrouler dans son lit. Quand il n'était pas trop fatigué, il racontait un peu le tournage à Scarlett : le chaos sur le plateau, les changements permanents de scénario et de ligne narrative, les nouveaux lieux de tournage, le lancement intermittent de beignets... Mais dans l'ensemble il était content, et à peine irrité par la présence de Chip.

Au début, Scarlett éprouvait une espèce d'exaltation, car elle passait des journées entières sans penser ni parler à Eric. Elle avait le sentiment d'avoir surmonté une épreuve. Mais plus le temps passait, plus un gouffre semblait se creuser dans sa vie et dans son cœur, là où Eric avait sa place. À tel point qu'elle se demandait s'il ne valait pas mieux se languir et ne penser qu'à lui plutôt que de ressentir ce vide si douloureux. Jusqu'au jour où...

C'était un samedi après-midi. Elle avait accepté de tenir le bureau de la réception car elle n'avait rien à faire. Elle avait descendu ses livres de classe, qu'elle avait posés autour d'elle, non pas qu'elle ait eu l'intention de travailler, mais parce que ça lui donnait l'impression d'avoir un but, d'être une élève sérieuse et déterminée. En fait elle comptait surfer un peu sur

Internet, puis aller chez Dakota regarder un film avec Josh, et rentrer se coucher. Et le lendemain, pareil, la même routine, mais peut-être qu'elle aurait le courage d'ouvrir certains manuels ; mais si elle avait la prudence de ne pas s'y engager dès maintenant.

C'est là qu'elle eut une surprise. Quelqu'un avait utilisé l'ordinateur de la réception avant elle, oubliant de fermer la fenêtre d'un blog dont le titre attira immédiatement son regard.

– *Le Journal d'un Powerkid*, lut-elle tout haut.

C'était le blog que Marlène tenait depuis son retour de camp, dans lequel elle racontait les sorties organisées par les Powerkids. Elle eut la stupeur de découvrir sa petite sœur sous un jour beaucoup plus agréable que celui qu'elle lui connaissait.

5 septembre

Aujourd'hui on est allés au zoo et on a pu suivre le gardien qui faisait la tournée pour nourrir les animaux. J'adore les animaux et j'étais trop contente. Les pauvres, ils ont l'air de tellement s'ennuyer, enfermés dans leur cage. Ça me rappelle quand je m'ennuyais à l'hôpital. En tout cas, le zoo était super et j'ai lancé des poissons aux phoques !!!

17 septembre

Aujourd'hui on est allés visiter une usine de glaces et on a vu la fabrication de mon dessert préféré. Je me souviens, quand j'étais malade, que les glaces étaient une des seules choses que je pouvais avaler sans vomir. Du coup, j'étais ravie de découvrir comment on les prépare. On a eu le droit d'ajouter les ingrédients qu'on voulait, et moi, j'ai ajouté des morceaux de guimauve et de beurre de cacahuète. C'était trop bien !!!!

24 septembre

Aujourd'hui on doit aller voir un match avec l'équipe de basket-ball féminine qui s'appelle New York Liberty. Je suis superimpatiente, parce qu'on doit rencontrer les joueuses et on aura un ballon dédicacé. Trop sympa.

Scarlett était d'autant plus étonnée qu'elle se souvenait des commentaires de sa sœur après chaque sortie. Le zoo ? Marlène trouvait que l'idée était idiote, parce que c'était à deux pas de chez eux. L'usine de glaces ? « Ça puait ». Le basket ? Elle avait horreur de ça. Alors à qui était destiné ce blog ? Qui le lisait ? Certes, il y avait des commentaires de Powerkids, mais en général ils se contentaient d'être d'accord avec elle.

– Qu'est-ce que c'est que ça ? demanda Scarlett à l'ordinateur.

Elle continua à lire, mais ne trouva rien de spécial à part la suite du compte rendu des activités de sa petite sœur.

La sonnerie de l'entrée retentit. Scarlett appuya sur le bouton pour ouvrir. Seules deux chambres étaient occupées en ce moment, par deux couples espagnols qui avaient échoué chez eux parce que le Holiday Inn du coin était complet. Chaque fois que Scarlett les croisait, ils faisaient une tête de trois pieds de long.

Elle leva les yeux et eut la stupeur de voir Eric qui se dirigeait vers elle d'un air piteux.

– Désolé de débarquer sans prévenir, dit-il. J'étais

dans le quartier et je sais que la porte est toujours ouverte. J'espère que tu ne m'en veux pas...

Le cœur de Scarlett s'arrêta de battre, telle une horloge tombée au sol. Elle demeura quelques instants immobile, prenant peu à peu conscience de son état et de sa tenue. Elle portait un vieux pantalon de survêtement de Lola et un T-shirt à peine présentable, à partir de la taille, et encore. Elle ne s'était pas vraiment coiffée, alors qui sait dans quel état étaient ses boucles. Elle n'avait pas un gramme de maquillage. Avec un peu de chance, elle n'avait pas de miettes ni de traces de nourriture sur le visage.

– Je te dérange? demanda Eric.

– Euh... non.

– En fait, je suis passé parce que j'aurais besoin que tu m'aides. Je dois jouer une scène pour une soirée ouverte au public la semaine prochaine et je suis complètement... largué. Je ne sais pas comment m'y prendre. Ça fait des jours que ça me turlupine et je me souviens que tu nous avais énormément aidés pour *Hamlet*. Je sais que c'est un peu grossier de ma part, mais il faut que je passe devant mon prof... demain. Tu ne pourrais pas m'aider, s'il te plaît?

– Qu'est-ce que tu as choisi?

– *La Mouette*. De Tchekhov.

Il sortit un exemplaire de la pièce, qu'il donna à Scarlett.

– Je joue Trigorine. C'est un écrivain connu qui se retrouve dans une propriété avec sa compagne, une grande actrice. Elle est plus âgée que lui; du coup, elle est un peu amère, parce qu'elle ne peut plus jouer les rôles d'ingénue. À ce moment-là arrive Nina, jeune, très jolie, qui avoue qu'elle rêve de monter sur scène et qui m'interroge sur ce que ça fait d'être un écrivain connu. C'est là que j'ai deux pages de monologue. Je n'ai aucune idée de la façon dont je pourrais le jouer.

Comme par hasard, Scarlett avait lu *La Mouette* l'année précédente au lycée. Elle avait trouvé la pièce ennuyeuse et elle se demandait pourquoi tous ces Russes s'obstinaient à aller à la campagne alors que ça leur donnait envie de se suicider.

– J'ai une petite idée, répondit-elle. Mais il faudrait que je relise vite fait la scène.

– Ça ne t'ennuie pas? Vraiment? Je te revaudrai ça. Mais tu avais l'air occupé...

– Non, j'étais juste assise à la réception. Il n'y a personne. J'ai un peu de temps.

– Tu pourrais? répéta Eric avec un immense sourire. Si tu pouvais lire le passage... Pendant ce temps-là, je sors pour t'acheter un grand café. Je reviens dans deux secondes, ça te va?

– Ça marche.

À peine Eric était-il sorti, elle faillit s'évanouir, et casser le tiroir du bureau dans lequel Lola rangeait son miroir. Elle commença par le visage... De ce côté-là, pas grand-chose à faire. Les cheveux? Trop longs, comme d'habitude. Les vêtements? Pas le temps de se changer, il faudrait qu'elle remonte dans sa chambre. Tant pis. Elle se débrouillerait comme ça; autrement dit, il fallait qu'elle parcoure la pièce sur-le-champ. Elle feuilleta le livre à toute vitesse, trébuchant sur ces interminables noms russes et ces tirades qui n'en finissaient pas.

Incompréhensible. Elle feuilleta de nouveau jusqu'à la page surlignée par Eric. Ça lui disait vaguement quelque chose. Elle relut trois fois le passage.

Elle songea à appeler Dakota. Elle aurait sûrement son mot à dire, elle, genre... le comédien redouté qui revient pour voir la jeune assistante d'un agent qui monte...

Non, il ne valait mieux pas l'appeler. Pitié ! Mais pourquoi une telle précipitation ? Des semaines de silence, et tout à coup monsieur débarque ?

– Tiens, dit-il en tendant deux gobelets de café brûlant d'un geste triomphal. On peut rester ici, ou...

– On ferait mieux d'aller là-bas, répondit Scarlett en indiquant les portes de la salle à manger.

Eric jeta un long regard sur la pièce dans laquelle ils avaient passé tant de temps au cours de l'été.

– Elle a l'air tellement vide, lâcha-t-il en s'asseyant sur une des chaises qui grinça. Et Spencer, comment ça va ? Il commence à être connu, non ? Et cette histoire de beignets, c'était quoi ? On ne vous arrête jamais, vous, dans la famille !

– Oui, je sais. Vivre avec nous, c'est un peu comme vivre avec une troupe de cirque.

Il rit, hésitant un instant jusqu'à ce que tous deux jugent qu'il était temps de se mettre au travail.

– Alors, commença Scarlett, tu es un écrivain d'âge mûr, célèbre. Tes livres ont du succès, les gens savent à quoi tu ressembles. Et Nina est plus ou moins une de tes... fans. Elle rêve d'avoir le même destin, de devenir une artiste connue. Elle lui dit qu'il a beaucoup de chance.

– Mais je ne l'écoute pas vraiment. Je la flatte, j'insiste sur le fait qu'elle est jeune.

– Si, si, tu l'écoutes. Mais tu cherches un prétexte pour parler de toi.

– Tu penses ?

– Et à partir de là tu monopolises la parole. Tu connais beaucoup de gens capables de parler d'eux-mêmes pendant dix minutes sans ennuyer leur interlocuteur ? demanda Scarlett en parcourant de nouveau le monologue. En fait, tu lui expliques que la célébrité te fragilise. Que tu ne réagis plus comme les gens normaux. Tu lui avoues la vérité mais en même temps tu mens un peu. Tu essaies de l'impressionner tout en minimisant ton succès.

– Je comprends. À la fin de la pièce, je me retrouve seul avec elle. J'essaie de la séduire.

Une alarme de voiture se serait mise à hurler dans la rue que Scarlett n'aurait pas été moins à l'aise.

– C'est toi qui mènes le jeu, poursuivit-elle néanmoins. Tu es parfaitement conscient qu'elle boit tes paroles. Bon, maintenant, si tu… essayais ?

Eric répéta quatre fois son monologue. À chaque reprise, Scarlett lui proposait d'apporter une nuance, un nouveau ton, une façon d'utiliser ses mains… Mais elle était obnubilée par le fait qu'il était là, face à elle, à quelques centimètres, discutant et réagissant à ses propos. Elle était mal à l'aise et Eric, lui, était frustré. Il fallait qu'elle fasse quelque chose.

Elle aperçut dans le coin de la pièce une poubelle en métal de taille moyenne que personne n'utilisait jamais. Elle alla la prendre et la brandit en proposant à Eric :

– Et si tu… si tu montais dedans ?

Eric observa la poubelle d'un air incrédule.

– C'était juste une idée, bafouilla Scarlett. Trigorine cherche à prouver que c'est lui qui mène le jeu et qu'il obtient toujours ce qu'il veut, même s'il dit qu'il manque d'assurance. Du coup, si tu montais dans la poubelle, tu pourrais...

Elle paniqua, prenant soudain la mesure de la folie de sa proposition. Mais elle eut la surprise de voir qu'Eric hochait la tête.

– Pourquoi pas ? approuva-t-il en prenant la poubelle. C'est pour ça que j'ai fait appel à toi. Tu as toujours des idées originales.

– Ça dépend, répondit-elle en détournant le regard alors qu'il grimpait dans la poubelle.

Elle lui arrivait juste aux genoux. Le fond métallique grinçait désagréablement à cause de la pression.

– J'espère que je ne vais pas la casser, bredouilla Eric.

– Ne t'inquiète pas. Concentre-toi et dis-toi que tu es génial, mais régulièrement, baisse les yeux et n'oublie pas que...

– Je suis debout dans une poubelle.

Il reprit son monologue, et cette fois-ci fut beaucoup plus convaincant. Était-ce parce qu'il était obligé de rester immobile à cause de la poubelle, légèrement instable ? Ou parce que sa situation était absurde ? En tout cas, il était bien meilleur. Quant à elle, elle tâchait de ne pas bouger et de faire comme le metteur en scène d'*Hamlet*, d'avoir l'air intéressée, mais un peu distante, à la limite de l'ennui.

Sauf qu'elle en était incapable. Ils étaient là, face à face, comme si le monde autour d'eux s'était évanoui,

Scarlett et Eric, lui tel un aimant, et elle comme un morceau de métal irrésistiblement attiré vers lui.

D'où la stupeur de la mère de Scarlett qui apparut à la porte avec un panier de linge à la main.

– Ah ! lâcha-t-elle.

À force de tomber sur des intrus qui se comportaient de façon inattendue chez elle, elle avait acquis une réelle maîtrise dans l'art de dissimuler sa surprise.

– On répète une scène, expliqua Scarlett.

– C'est bien ce qu'il me semblait. Dis-moi, ma chérie, tu sais si les clients de la suite Sterling… ?

– Non, ils ne sont pas rentrés.

– Bon, alors tu ne m'en voudras pas si je ferme les portes ?

– On n'en a plus pour très longtemps, ajouta Eric, aussi digne que possible alors qu'il avait les deux pieds dans la poubelle. Il va falloir que j'y aille, j'ai une autre répétition.

Scarlett pâlit. Il ne pouvait pas partir comme ça… Hélas ! il était déjà en train de sortir de la poubelle, tandis que les portes se refermaient.

– J'enchaîne les répétitions, se justifia-t-il. Je travaille sur trois projets en même temps. Merci de ton aide. Tu as été formidable. Grâce à toi, j'ai deux ou trois idées pour interpréter ce fameux monologue.

– De rien, répondit Scarlett en le regardant ramasser son sac d'un air triste. Tu me diras comment ton prof réagit demain ?

– Bien sûr.

La mère de Scarlett, assise à la réception, dit joyeusement au revoir à Eric, qui prit le temps de s'arrêter pour échanger quelques mots polis, comme à son habitude. Toujours courtois.

– Il est passé sans prévenir ? interrogea sa mère quand il fut parti.

– Ouais, répondit Scarlett en tâchant d'être le plus neutre possible. Mais comme ça lui était difficile, elle préféra se concentrer sur un flocon de poussière qui traînait sur un motif du panneau de bois.

La mère de Scarlett n'avait jamais fait de commentaire officiel sur la tension qui régnait entre sa fille et Eric, mais quelqu'un avait dû lui en parler, sans doute Lola. Elle aussi était le genre de femme que personne n'avait jamais larguée. Les parents de Scarlett s'étaient rencontrés à dix-huit ans (pour elle) et dix-neuf ans (pour lui). Sa mère venait de fuir son Ohio natal pour suivre des études au Hunter College. Son père était à mi-temps étudiant en photographie, et à plein temps membre d'un groupe de musique ska. Les grands-parents Martin s'étaient montrés tolérants, mais les grands-parents Reynolds n'étaient pas ravis du nouveau petit copain de leur fille. Et encore moins de leur mariage qui eut lieu quatre ans plus tard dans la salle à manger de l'hôtel. Ils avaient toujours vécu dans l'Ohio, et ils n'avaient jamais voyagé ni séjourné à l'hôtel.

Plus tard, comme il était difficile de bouger avec quatre enfants et de laisser un hôtel vide, les visites se firent rares. Puis les liens se résumèrent à quelques cartes postales et à quelques cadeaux envoyés aux petits-enfants tous les ans.

Vu cette histoire, Scarlett s'attendait à ce que sa mère fasse preuve de compassion. Sans doute ne pouvait-elle pas comprendre ce que signifiait se faire larguer; en revanche, avoir le sentiment d'être seul au monde parce qu'on est amoureux...

– Tu ne veux pas me dire ce qu'il se passe, ma chérie? Je suis sûre que ça te soulagerait, dit-elle.

– Mais il ne se passe rien. Il est venu parce qu'il avait besoin que je l'aide. On était en train de travailler une scène.

– Vraiment? En toute sincérité?

– Je te promets.

– Bien, répondit sa mère avec un léger soupir.

Elle se redressa pour lui laisser la place derrière le bureau et ajouta:

– Je n'ai aucune envie que Spencer vole à ta rescousse en lui sautant encore dessus.

Sa mère était donc au courant. Ce qui voulait dire qu'elle n'aimait pas Eric. Génial...

– Ne t'inquiète pas, conclut Scarlett.

Elle s'assit derrière le bureau et, à peine sa mère eut-elle disparu, elle plongea la tête dans les mains. Eric avait encore frappé. La douleur de Scarlett était intacte.

Une visite inattendue

Les parents Martin avaient accroché sur le mur du couloir menant à la suite Jazz un panneau de photos qui racontait une partie de l'histoire de chacun de leurs quatre enfants. À côté des photos classiques de bébés et d'école, on y trouvait quelques instantanés plus originaux. Par exemple, une photo de Spencer adolescent déguisé en cow-boy, avec une fausse moustache, dans la comédie musicale intitulée *Guys and Dolls*. Ou une autre, de Lola, à dix ans, timide et complètement craquante, dans une jolie robe le jour de Pâques. Ou encore Scarlett découvrant le vélo à six ans, avec une expression mystérieuse, cachée sous un nuage de boucles blondes qui ressemblait à un tableau météo. Et Marlène, à huit ans, dans la salle de jeux de l'hôpital, accordant un rare sourire.

Au centre de ce panneau se trouvait en particulier un ensemble de photos qui, si on les examinait suffisamment longtemps, résumaient l'essentiel de la vie de la fratrie Martin. C'était une série qui avait été prise quand

Marlène venait de sortir de l'hôpital. Elle avait perdu ses cheveux à cause de la chimiothérapie et un début de repousse plus ou moins rousse apparaissait au ras du crâne. Lola se tenait derrière elle, les bras autour de ses épaules, éclairée d'un sourire radieux. Spencer, qui venait d'atteindre la même taille que leur père, semblait dominer tout le monde.

Et au bord du cadre se trouvait Scarlett. À l'époque elle n'avait pas encore compris que, sur elle, «cheveux longs» était synonyme de «crinière échevelée», et qu'il y avait une ligne à ne pas franchir, en bas de la nuque, sous laquelle sa chevelure était un cauchemar. C'est pourquoi, sur ces photos, elle avait l'air un peu fofolle, ses boucles blondes fichaient le camp dans tous les sens. En outre, comme on venait de lui enlever les bagues de ses dents et, elle avait l'impression d'avoir une drôle de bouche, énorme. Elle portait une des vieilles robes de Lola (comme d'habitude), un chouia trop longue pour elle. Et elle était la seule à ne pas fixer l'appareil. Légèrement tournée du côté de l'hôtel, elle regardait dans son dos, avec une expression qui semblait signifier: «Suis-je la seule à voir ce que je vois?»

À l'arrière-plan, un homme était en train de voler le couvercle de la poubelle de l'hôtel.

Scarlett avait prévenu son père après la prise de vue, mais celui-ci avait simplement répondu: «Le couvercle a dû tomber. Jamais personne n'irait voler un couvercle de poubelle, penses-tu!» Sa réaction se comprenait fort bien, sauf qu'en l'occurrence il avait tort, et quand il avait regardé la photo, il avait simplement admis: «Ah oui. Tu avais raison.»

Et voilà. Ils avaient toujours la poubelle et celle-ci n'avait toujours pas de couvercle.

À une époque, cette photo trônait fièrement derrière le bureau de la réception avec une douzaine d'autres (les Martin aimaient beaucoup les photos), jusqu'au jour où Marlène avait demandé qu'on les enlève. Elle ne voulait pas que les gens voient ce qu'elle appelait ses «photos chauves». C'est ainsi que tout avait été transféré au quatrième étage. Scarlett avait d'autant plus approuvé la requête de sa petite sœur qu'elle ne voulait pas que les gens voient ce cliché, lequel semblait annoncer au monde entier qu'à l'hôtel Hopewell on pouvait voler, se faire photographier en flagrant délit de vol et s'en sortir avec des félicitations, ou presque.

Mais ce jour-là, quand elle rentra du lycée, ce n'est pas le cliché qui troubla Scarlett, c'est l'inconnue qui était en train de l'examiner. Ladite inconnue n'était pas une cliente. L'hôtel en avait alors cinq exactement, tous des hommes venus à New York pour une réunion professionnelle à propos d'une histoire de franchise de pop-corn. La femme en question avait une cinquantaine d'années. Elle tenait d'une main un sac en plastique de chez Macy's, et serrait dans l'autre une poignée de mouchoirs en papier. Scarlett, qui venait de vivre une semaine assez pénible, se demanda encore quelle mauvaise surprise l'attendait en ce vendredi après-midi.

– Vous cherchez quelque chose? demanda-t-elle, un peu anxieuse.

– C'est lui qui a tué Sonny, répondit la femme en tapotant sur Spencer avec ses mouchoirs.

Scarlett fit un rapide bilan de la situation. Vu le

silence qui régnait à l'étage, elle était le seul membre de la famille à être présente à ce niveau. Or l'étrangère était à une distance de trois portes par rapport à elle : après la salle de bains, la chambre de Marlène et la suite Jazz. Trois portes. Scarlett avait donc largement le temps de s'enfuir en courant, car il y avait peu de chances que la femme sache quelle était la porte des escaliers. Elle pouvait donc s'échapper s'il le fallait.

Elle fit un second inventaire en silence, examinant les lieux pour voir si elle aurait une arme en cas d'attaque. La seule chose qu'elle vit, c'était une paire de baskets de Marlène qui traînaient, mais trop petites et de mauvaise qualité. Scarlett avait les mêmes, et un jour elle avait essayé de tuer un cafard en frappant avec ; or le cafard s'était tranquillement détaché de la semelle avant de s'en aller ; tout juste s'il ne lui avait pas ri au nez. Seconde arme possible : une pile de journaux que l'un des enfants – elle – était censé descendre à la cave pour le recyclage. Les journaux sont une arme redoutable, c'est bien connu, songea-t-elle en souriant.

L'étrangère se tourna vers Scarlett avec un air sincèrement désolé.

– Pourquoi a-t-il fait ça ? Tuer Sonny ?

– Parce que c'est ce qu'il y avait écrit dans le scénario, vous ne croyez pas ?

La femme soupira. De toute évidence elle était inoffensive, mais on ne sait jamais.

– Comment avez-vous réussi à monter jusqu'ici ? demanda Scarlett.

– Un des hommes à la réception m'a laissée entrer. Comme il n'y avait personne, je suis montée à pied jusqu'à ce que je tombe sur cette photo. J'ai découvert l'existence de l'hôtel sur Internet...

– Vous savez qu'on vit ici, à cet étage, nous, la famille.

– Ah ! s'écria la femme l'un air navré. Je ne savais pas. Ça n'est indiqué nulle part.

– Il faut dire que la question se pose rarement.

– Ce jeune homme... c'est votre frère ?

– Oui, mon frère aîné. Il est adorable, d'ailleurs, et c'est loin d'être un tueur, mais il est comédien.

– Je vous crois parfaitement. Mais j'aurais voulu le voir pour l'interroger, lui demander pourquoi. Je l'adorais, Sonny. Ça faisait quinze ans que j'étais folle de Sonny.

– C'est quelqu'un de bien, c'est vrai. Mais il vient de déménager à Los Angeles.

– Quelqu'un ?

– L'acteur, je veux dire.

La femme inclina la tête en signe d'ahurissement.

– Le comédien qui jouait le rôle de Sonny, reprit Scarlett.

– Je voulais simplement savoir...

Elle éclata en sanglots.

– Je sors d'une longue maladie, expliqua-t-elle en tapotant sur ses yeux. Comme je ne pouvais pas faire grand-chose, je regardais très souvent *Crime et Châtiment.*

– Moi aussi j'ai une petite sœur qui a été très malade, répondit Scarlett qui voulait se montrer compatissante, bien qu'elle ne le fût pas vraiment. Elle regardait beaucoup la télé, et elle aimait bien Sonny.

– Dans mon esprit, Sonny était toujours là, je pouvais compter sur lui. Aujourd'hui, sans lui, je me sens perdue.

– La série dérivée est très bien. Vous connaissez? *Crime et Châtiment: Premier degré ?*

– J'ai essayé, se défendit la femme en pleurant de plus belle. Mais ce n'est pas la série que j'aime, c'est Sonny. Je ne comprends pas. Je veux savoir pourquoi. Comment peut-on faire un tel geste? Quel monstre?

Elle y croyait tellement que Scarlett en eut la chair de poule.

– Attendez, je vais vous montrer quelque chose, dit-elle.

– Comment tu t'en es débarrassée? demanda Spencer.

Ce soir-là, Spencer avait été le dernier à rentrer et il avait eu droit à toute l'histoire. À peine arrivé, on l'avait aussitôt emmené au salon pour une réunion en famille au sujet de l'étrangère. Il s'était assis par terre et mangeait un plat chinois acheté en chemin. Et Scarlett avait pris place au milieu du canapé. Toute la famille était rassemblée autour d'elle, car c'était elle, le témoin, la victime qui avait échappé au pire.

– Je lui ai montré une photo de toi avec une robe que tu portais pour... peu importe le spectacle, expliqua Scarlett. Ça l'a rassurée, et ensuite j'ai réussi à la persuader que Sonny préférerait sûrement qu'elle quitte l'hôtel.

– J'étais pas mal dans cette robe! répondit Spencer avec un petit air bravache. En plus j'avais une super-coupe de cheveux.

– C'est vrai, fit Scarlett. Mais tu avais l'air un peu grotesque.

– Ah, ça, je n'aime pas. C'est à cause des faux seins, non ? Je n'y peux rien. La nature ne m'a pas doté de cet attrait. J'aurais pu demander qu'ils soient plus gros, remarque…

– Ça suffit, l'interrompit leur père. L'heure est grave. Il y a des tonnes de fous qui traînent dans le coin, et manifestement ils n'ont aucun mal à trouver l'endroit où tu vis.

Spencer se tut, remuant ses nouilles en observant un ingrédient inattendu qui devait traîner au fond de sa boîte. Des pigeons roucoulaient tranquillement sur le rebord de la fenêtre.

– Je suis désolé, lâcha Spencer. J'imagine que les gens trouvent l'adresse à partir des articles consacrés à la série. Il y a quelques jours, j'ai donné un entretien à un journaliste dans l'entrée de l'hôtel, mais le papier n'a pas encore été publié…

– Ce n'est pas de ta faute, le défendit sa mère. Mais il faut qu'on se protège mieux. Il ne suffit plus de fermer l'entrée à clé quand il n'y a personne à la réception. Soit il y a quelqu'un en bas vingt-quatre heures sur vingt-quatre…

Scarlett entendit son père grogner tout bas.

– … soit on ne donne plus les clés aux clients. Et on relie la sonnerie à notre étage. En tout cas, il faut s'organiser pour que les gens ne puissent plus entrer comme dans un moulin.

– Mais c'est un hôtel, intervint Lola, soulignant une évidence. C'est notre gagne-pain. Par définition les gens doivent pouvoir entrer.

– Les gens qui veulent séjourner ici et payer, oui.

– Comment peut-on savoir si les gens ne vont pas entrer juste pour le voir? ajouta Lola en indiquant Spencer.

– Tu dis ça comme si avoir des clients était un problème, se défendit celui-ci.

– Ça l'est s'ils sont dingues.

– Les gens dingues ont aussi des cartes de crédit.

– Tu ne pourrais pas prendre les choses au sérieux pour une fois! s'écria sèchement Lola.

Là-dessus, elle quitta le salon, talonnée par Marlène. Spencer soupira, planta ses baguettes dans les nouilles et déposa sa boîte à côté de lui comme s'il se libérait d'un poids.

– Ce n'est pas de ta faute, le rassura sa mère. On va trouver une solution. Lola est…

– Je sais ce qu'elle est, Lola.

– Arrête, l'interrompit son père. C'est clair? C'est pas le moment.

Spencer prit sa boîte de nouilles et sortit du salon sans un mot.

– Ah, ces deux-là! lâcha son père d'un air las. Je me demande quel est leur problème? Tout le temps en train de se chamailler. Moi qui pensais que ça passerait en grandissant…

– Je te rappelle qu'ils ont encore un peu de temps avant de grandir dans le sens où tu l'entends, répondit sa femme.

– Sauf que, techniquement parlant, ce sont des adultes, se défendit leur père en regardant Scarlett. Et toi, quand penses-tu qu'ils arrêteront de se crêper le chignon?

– Oh, je leur donne jusqu'à… quarante ans?

Une demi-heure plus tard, les trois sœurs étaient dans la suite Orchidée. Scarlett essayait de se concentrer sur ses devoirs pendant que Lola tressait les cheveux de Marlène. Quant à celle-ci, elle gambergeait à vitesse grand V en imaginant tous les fous et les psychopathes qui pouvaient débarquer chez eux à tout moment. Pour saccager l'hôtel ; y mettre le feu ; déposer des produits chimiques mortels dans l'entrée ; se faire enregistrer sous de faux noms et pénétrer dans l'hôtel en pleine nuit afin de les tuer un par un… Enfin, sans aller jusqu'au meurtre, elle les imaginait lâchant des rats ou des pigeons (plus exactement, corrigea Scarlett, *plus* de rats et *plus* de pigeons), rédigeant sur Internet des commentaires désastreux sur l'hôtel (plus exactement, corrigea Scarlett, des commentaires *encore plus* désastreux), ou débarquant pour détruire tout le mobilier (là encore, ils ne feraient qu'ajouter au désastre).

Lola écoutait ses sœurs, les lèvres pincées, muette, tressant les cheveux de Marlène jusqu'à mi-chemin avant de tout défaire pour recommencer à zéro, plus obsessionnelle que jamais. Quant à Scarlett, elle relisait pour la sixième fois un passage du *Soleil se lève aussi*, mais en vain : le soleil refusait de se coucher.

Spencer attendit une bonne heure avant d'estimer possible de frapper à la porte et d'entrer discrètement. Scarlett savait qu'il finirait par les rejoindre. Il était incapable de laisser en suspens une dispute avec Lola. Il entra et s'écroula sur le lit de Scarlett.

– Je parie que tu penses que c'est de ma faute, dit-il à Lola en la fusillant du regard.

Son entrée en matière étant moins agressive que d'habitude, Scarlett en conclut qu'il devait culpabiliser.

– Oui, c'est de ta faute.

– Tu ne peux quand même pas m'en vouloir d'avoir trouvé un job.

– Je parlais d'un job normal. De toute façon, tu as l'art de semer la zizanie. Des barjots qui montent au quatrième étage, j'estime que c'est grave. Ta petite sœur qui est blessée, j'estime aussi que c'est grave.

– Je ne suis pas blessée, se défendit Scarlett. Tu n'as pas remarqué que je me porte comme un charme ?

– Tu penses que je m'en fous que des gens dingues s'en prennent à vous ? répondit Spencer.

– Je ne pense rien. La seule chose que je te reproche, c'est de ne jamais réfléchir aux conséquences de tes actes.

– Je ne sais plus ce que tu attends de moi, Lola. Ça me dépasse.

– C'est très simple. Je veux qu'on ait la paix. Désormais ta tronche est partout. Les gens savent que tu vis ici. C'est clair ?

– Tu voudrais que je déménage ?

– Je voudrais que tu assumes tes responsabilités ! On ne peut pas bouleverser tout notre mode de vie parce que monsieur est comédien.

Terrorisée, Marlène dégagea ses cheveux des mains de Lola. Quand Lola et Spencer se disputaient, ça pouvait monter très vite.

– Les mecs, arrêtez, prévint Scarlett.

– Je n'ai aucune envie de m'engueuler, se justifia Lola d'une voix tremblante. Crois-moi. Je n'en peux plus.

– Alors, stop, répondit Spencer. C'est quoi ton problème, au fond, Lola ?

– Mon problème, c'est que ton problème nous poursuit partout. Des gens complètement chtarbés te courent après dans la rue et Scarlett se retrouve impliquée malgré elle. Et maintenant, en voilà qui débarquent à la maison alors qu'on travaille...

– Les gens qui t'ont dérangée en plein travail n'avaient rien à voir avec Spencer, intervint Scarlett. C'étaient des copains de Chip.

Jusqu'ici Spencer n'avait pas osé aborder le sujet, préférant prendre tous les coups sans moufter. Mais à peine le nom de Chip fut-il prononcé qu'il eut un regard haineux et qu'il sortit de ses gonds.

– Ah ! les fameux amis de Chip ! Les copains de Chip te dérangent et c'est de ma faute ! C'est peut-être aussi de ma faute si tu sors avec un mec comme Chip ? Du reste, je me demande comment quiconque pourrait en vouloir à mademoiselle de sortir avec un mec aussi excitant ?

Scarlett avait déjà assisté mille fois à la discussion, mais cette fois-ci il y avait une violence qui lui fit froid dans le dos. La pression du baromètre baissa soudain, un phénomène auquel Marlène dut également être sensible, car elle était pâle comme un linge.

– Lola, intervint Scarlett, tu noircis un peu les choses. La première fois, cette histoire de beignets, ce n'était même pas...

Mais Lola se fichait de savoir ce que ça n'était pas.

– Arrête ! hurla-t-elle. J'en ai marre que tu prennes systématiquement sa défense !

– Elle ne prend pas ma défense, rétorqua Spencer. Tu ne supportes pas que je fasse quelque chose qui me plaît, alors que toi, tu n'as aucune idée de ce que tu veux faire. Mademoiselle est une martyre parce que mademoiselle a abandonné l'idée d'aller à la fac. Personne ne t'y a obligée. Tu n'as même pas tenté ta chance. Et comme par hasard, c'est de ma faute si tu n'as aucun projet, à part sortir avec des gens friqués de chez friqués.

Spencer avait mis le doigt là où ça faisait mal.

Lola agrippa soudain son téléphone et Scarlett crut qu'elle allait le balancer contre le mur, ou contre Spencer. Au lieu de quoi elle quitta brusquement la chambre.

Le lendemain matin, Scarlett était au fond de son lit quand elle entendit Lola s'agiter. Il était à peine cinq heures du matin. Elle se retourna du côté du mur et se rendormit. Quand elle se réveilla, quelques heures plus tard, elle trouva un mot posé au pied de son réveil. Elle le prit et le lut sous la lueur faible :

J'ai besoin de prendre quelques jours de réflexion. Je saute dans le premier bus pour Boston. (J'appellerai papa et maman du bus – ne t'inquiète pas, pas la peine de les prévenir toi-même.) Ne sais pas quand je reviens. Garde un œil sur Marlène pour moi, d'accord ?

Je t'embrasse, Lola.

Elle bondit de son lit et ouvrit la porte du placard de sa sœur. Sa petite valise à roulettes avait disparu. Elle se précipita dans la chambre de Spencer, parce que ce genre de gestes – violents, inattendus –, c'était son domaine. Elle dut frapper plusieurs fois pour le réveiller. Avec ses cheveux en pétard, il avait l'air complètement ahuri.

– Lola est partie. Elle est allée à Boston.

Spencer s'écroula sur son lit et s'enfouit le visage dans les coussins.

– Bouh... bouh...

– Elle s'est enfuie en pleine nuit, insista sa sœur en le secouant par les épaules. Tu m'entends ? Elle a... fugué.

Voyant qu'il n'y échapperait pas, Spencer se retourna en se frottant les yeux.

– Il n'y a pas mort d'homme, dit-il. Elle a dix-huit ans. Elle est capable de voyager toute seule quelques heures.

– Sauf que c'est Lola. Et Lola n'est pas le genre à fuguer. Et son boulot ? Tu y as pensé ?

– Ça lui fera le plus grand bien de se lâcher. Et de perdre un nouveau boulot de vendeuse. Franchement, je ne vois pas où est le problème.

Scarlett, elle, le voyait très bien. Car Lola était tout sauf impulsive. Au contraire, elle menait une vie régulière excessivement rassurante, telle une broderie faite de points soigneux et identiques.

– Ça m'inquiète, insista Scarlett en relisant le mot. À mon avis, ça cache quelque chose.

– Écoute, tout le monde doit se révolter à un moment ou à un autre. Ça fait longtemps que Lola aurait dû faire sa crise. Partir à Boston, c'est rien. J'ai fait dix fois pire. Un jour je suis allé dans le New Jersey pour retrouver une fille que je n'avais jamais vue.

– Le New Jersey, c'est beaucoup plus proche.

– Pas quand tu y vas à vélo. Je n'avais même pas les vingt dollars qu'il me fallait pour payer le train, et d'après ce que j'avais vu sur une carte, je pensais que c'était beaucoup plus près. Tu ne me crois pas ? Je te parie qu'elle est de retour dans trois ou quatre jours pour nous emmerder avec ses histoires de serviettes de bain et me crier dessus. Après tout, c'est la preuve qu'elle va bien.

– Tu es sûr ?

Il se retourna vers le mur.

– Me suis-je jamais trompé là-dessus ?

Tentation

Au cours des deux jours suivants, Scarlett vit ses parents se creuser la tête, tels les juges de la Cour suprême face à un cas de jurisprudence particulièrement pointu, dont le verdict allait avoir des conséquences importantes sur les règles de la vie quotidienne.

Le problème était le suivant: Lola s'était enfuie en pleine nuit pour rejoindre son amoureux à Boston. À première vue, la situation était grave. Sauf qu'il s'agissait de Lola, une jeune fille raisonnable, âgée de dix-huit ans, donc majeure et vaccinée. Qui offrait ses services à la famille sans compter. Qui se trouvait dans un endroit connu, avec une personne identifiée. Qui en profitait pour rendre visite à ses amis étudiants à Boston. Et qui appelait tous les jours pour donner de ses nouvelles. Autrement dit, elle n'était pas en danger. Son escapade à Boston avait même des allures de journées portes ouvertes organisées par les universités locales. À vrai dire, les parents Martin se sentaient un peu coupables, sinon responsables, du fait que leur fille n'aille pas à l'université, même si, comme le leur avait fait remarquer Spencer, tel était le choix de Lola.

La vie de Scarlett, en revanche, était de plus en plus rude. Entre la visite inattendue de la groupie de Sonny Lavinski et la fugue de Lola, ni l'une ni l'autre n'étant de sa faute, ses parents avaient jugé qu'il était temps d'établir de nouvelles règles. Et comme elle était plus jeune que Spencer et Lola, c'est elle qui fit les frais du tour de vis que ses parents donnèrent aux horaires et au mode de vie à l'hôtel.

Jusqu'à maintenant, toutes ses activités avant dix-huit heures trente ne posaient aucun problème. Elle pouvait travailler chez Mrs Amberson, faire ses devoirs avec ses amis... Il suffisait que ses déplacements soient précédés d'un coup de fil et approuvés par ses parents. Elle prenait le métro toute seule depuis qu'elle avait l'âge de Marlène, et jusqu'à vingt-deux heures elle obtenait ce qu'elle voulait (ses demandes de sorties étant rares). Si elle allait voir un spectacle avec Mrs Amberson, elle rentrait en taxi, et quand elle travaillait sur *Hamlet* dans le sud de la ville, elle remontait toujours avec Spencer.

Hélas! cette liberté appartenait à une autre époque. Désormais, Scarlett était tenue de donner ses horaires d'entrée et de sortie, et souvent ses parents l'obligeaient à profiter du chauffeur que le studio mettait à la disposition de Spencer pour rentrer. Ce qui, avait-elle rétorqué, était pire..., car souvent son frère était la cible de poursuites. Mais ses parents avaient balayé ses objections.

Puis vint le jour où elle reçut un texto. Elle en fut très perturbée.

Salut, écrivait-il, merci mille fois pour ton aide sur Tchekhov. La soirée a lieu jeudi à vingt heures. Espère que tu peux venir. »

Hélas ! Scarlett devait attendre la fin de la journée pour montrer le SMS à Dakota, qui, évidemment, ferait la moue et lui interdirait d'y aller. Mais telle était la loi qu'il fallait qu'elle transgresse pour mériter le droit de s'y rendre, songeait-elle.

La fin des cours arriva. Elle était cachée derrière la porte avec son portable coincé dans un cahier.

– Regarde, dit-elle en le brandissant sous le nez de Dakota.

– C'est pas vrai ! s'exclama Dakota, bouche bée. Je parie que tu vas y aller.

– Sauf qu'il y a un problème. Mes parents sont devenus complètement dingues question sorties. Si je leur demande d'y aller, ils vont exiger que Spencer passe me prendre en voiture et me ramène à la maison.

– Ouais. Ton frère sait que tu as revu Eric ou pas ? Je parie qu'il serait trop content !

– Non, la question ne s'est jamais posée. Du reste, je te rappelle que je ne suis pas sortie avec Eric. Il est simplement passé à l'hôtel. Tu ne peux pas quand même m'en vouloir pour ça !

Soudain Max se pointa. Scarlett attrapa Dakota par le coude et entra dans la salle de biologie.

– Il veut que tu ailles le voir sur scène, reprit Dakota ? Pourquoi ? Parce que tu bosses pour un agent. On en a déjà parlé.

– C'est un spectacle universitaire, répondit Scarlett. J'ai besoin que tu me serves de couverture. Je comptais dire à mes parents que je travaillais chez toi…

– Hors de question.

Elle avait beau savoir que Max les écoutait, Scarlett voulait aller jusqu'au bout de son raisonnement.

– Je dirai que je suis chez toi, et ensuite je demanderai à Spencer de passer me prendre chez toi en voiture.

Voilà qui contenait juste de quoi tenter Dakota. Scarlett avait horreur d'utiliser la carte Spencer, mais cette fois-ci elle avait besoin de l'artillerie lourde.

– Je ne t'arrêterai jamais, non ? se défendit Dakota. De toute façon, il suffit que je te dise un truc pour que tu fasses le contraire, et que tu te ramasses. Est-ce que je me trompe ?

– Non.

– Très bien, conclut Dakota en se mordillant la lèvre. Mens. Sers-toi de moi comme prétexte. Mais je te préviens, c'est une mauvaise idée.

Bizarrement, Max fut d'un calme inattendu pendant tout le cours. Dehors, une averse violente se mit à tomber. Le lycée Frances Perkin était particulièrement bruyant dès qu'il pleuvait. Était-ce parce que le bâtiment était spacieux et arrondi, conçu pour des tuberculeux qui avaient besoin que l'air circule ? En tout cas, dès que la pluie s'abattait sur les fenêtres ou les vasistas du dernier étage, le son rebondissait dans tout le bâtiment et provoquait un tambourinement infernal.

Le laboratoire de biologie était situé dans une des tours, là où l'effet était le plus impressionnant. Miss Fitzweld, debout devant les élèves, essayait de leur expliquer un des aspects du système nerveux parasympathique du haut de sa voix stridente. Le vacarme ambiant était tel que le moindre geste de Max semblait une menace. Heureusement la fin du cours arriva. Il glissa de son tabouret et disparut sans un mot. Scarlett était presque vexée. Quand on harcèle une personne bien précise tous les jours que Dieu fait, on lui doit un ricanement ou autre en signe d'adieu, non ? songeait-elle.

– Espèce de bouffon, lâcha-t-elle en silence.

Le casier de Scarlett était situé près des studios de musique, et tous les jours elle entrait et sortait du lycée, bercée par les gammes ou les mélodies des élèves. Ce jour-là, elle entendit quelqu'un jouer du piano en chantant, qui se débrouillait pas mal du tout. Elle connaissait la chanson. Elle mit quelque temps à l'identifier, jusqu'au moment où elle la reconnut : c'était « Prends-moi », le tube de *La Jeune Fille en fleur*, dans une version un peu insolite, plus lente, interprétée par une voix d'homme.

Elle jeta un œil à travers la vitre. Et qui eut-elle la stupeur de découvrir ? Max, assis au piano, le regard tourné du côté de la fenêtre comme s'il savait qu'elle l'observait.

Même s'il avait un peu forcé sa voix pour chanter plus haut, une chose était claire : Max chantait, et largement aussi bien que sa sœur. En outre, il jouait du piano. Et très bien. Scarlett était aussi stupéfaite que si elle avait surpris un chat parlant au téléphone ou une volée de papillons pratiquant une opération à cœur ouvert.

Il arrêta de jouer et leva mollement la main comme s'il la défiait d'entrer.

Elle ouvrit la porte et pénétra dans la pièce.

– Arrête de me suivre, dit-il tout de go.

– Moi?

– C'est qui, Eric? poursuivit-il. Vous n'arrêtez pas de parler de ce mec, toi et ta sale copine.

– T'occupe.

– Si, je m'occupe, parce que vous en parlez tout le temps devant moi.

– Tu joues du piano, dis-moi? Et en plus tu chantes.

– Tu as remarqué? Qu'est-ce qui t'a attirée? Le piano?

– Je croyais tu n'aimais pas les artistes?

Prudente, Scarlett était restée près de la porte, la main sur la poignée, prête à décamper.

– Je ne suis pas artiste, répondit-il. Je joue pour moi. Alors, quand tu feras ton compte rendu à ma mère, je te remercie de ne pas lui en dire un mot.

– Pour la énième fois, je te répète que je ne fais aucun compte rendu. Ceci dit, je peux savoir pourquoi tu ne veux pas qu'elle le sache?

– Mystère et boule de gomme, répliqua-t-il en tendant la main vers la porte.

Il maintint sa main jusqu'à ce qu'elle sorte, et soudain claqua la porte. Puis il recommença à jouer, mais Scarlett avait la conviction que tout ce qui venait de se passer était prévu, comme si elle avait joué un rôle écrit pour elle et malgré elle.

Scarlett avait parfaitement organisé les choses. La soirée d'Eric commençait à vingt heures, et durait jusqu'à vingt et une heures trente/vingt-deux heures; elle avait donc largement le temps d'aller ensuite chez Dakota pour que Spencer passe l'y chercher vers 23 heures.

Elle partit de chez elle une bonne heure à l'avance, et arriva à New York University un quart d'heure avant le début du spectacle. Elle dut faire les cent pas un moment avant d'entrer. Hélas! à peine eut-elle franchi le seuil, elle se sentit en trop. C'était une soirée universitaire et tout le monde se connaissait. Elle devait être une des rares à ne pas être étudiante sur place. Elle s'assit sur un des fauteuils pliants, mais elle était mal à l'aise car elle n'avait personne à saluer, personne avec qui discuter ou échanger des blagues. En d'autres termes, elle n'avait rien à faire ici.

Une fille assise devant elle mentionna le nom d'Eric. Pas comme si c'était son petit copain ni rien. Elle indiqua simplement son nom sur le programme avant d'évoquer un atelier qu'ils suivaient ensemble, où ils « s'éclataient ».

Scarlett se concentra sur la scène, où deux tables en bois et trois chaises de bistro dorées à neuf formaient le décor. Si seulement elle pouvait disparaître! Qu'est-ce qu'elle fichait ici? Eric n'avait aucune envie qu'elle vienne. Il l'avait invitée par politesse. Et elle était là, seule, comme une idiote, dix fois plus jeune que tout le monde. Avec en prime un aperçu sur le défilé de filles canon qui travaillaient avec Eric. Génial!

Soudain, quelqu'un, sans doute un de leurs professeurs, apparut sur la scène et présenta la pièce, expliquant dans quel cadre les étudiants travaillaient cette œuvre de Tchekhov et pourquoi les scènes avaient été redécoupées. Eric ne jouerait donc que son fameux monologue.

Les lumières s'éteignirent, et tout de suite Scarlett fut soulagée. Elle adorait la sensation d'être enveloppée dans une couverture d'obscurité quand elle regardait un spectacle. En outre, elle eut la surprise de découvrir que la représentation était de très bonne qualité, et elle suivit le spectacle de bout en bout sans s'ennuyer, et pas seulement grâce à Eric. Personnellement, elle aurait modifié pas mal de choses. Par exemple, la deuxième fille qui jouait Nina aurait été bien mieux dans le rôle de Masha. Et la pièce dans la pièce, au début, était très mal fichue. Mais peu lui importait.

Eric était de loin le meilleur. Non seulement il avait effacé son accent du Sud et amélioré sa diction, mais il avait pris en compte tous les points dont ils avaient discuté. Il avait changé quelques détails, mais dans le bon sens.

Les lumières se rallumèrent et les acteurs saluèrent brièvement avant de rejoindre le public. Suivit une mêlée d'embrassades, de félicitations et de commentaires spontanés sur la pièce. Soudain, une fille se jeta sur Eric et l'accapara. Scarlett attendit trois ou quatre minutes, jusqu'à ce qu'elle n'en puisse plus. Elle quitta la salle, remonta l'escalier et sortit.

– Salut !

C'était Eric, debout au pied de l'escalier, levant les yeux avec un air confus.

– Tu ne me dis même pas bonsoir ?

– Ah, pardon. C'est juste que… il faut que j'y aille.

– Attends, je t'accompagne jusqu'au métro, ajouta-t-il en montant les marches. Je sais que tu as horreur qu'on te chaperonne, parce que tu es une fleur de bitume, mais je n'y peux rien, c'est plus fort que moi. Dans le Sud, ça se fait.

Scarlett aurait été incapable de dire s'il était sincère ou mû par une espèce de sens du devoir. Peu importait, elle était ravie.

– Ce fameux Sud, ça ressemble à quoi exactement? poursuivit-elle.

– Oh, rien de spécial, des camionnettes le long des routes, des groupes de blues…

– Ambiance « j'accompagne ma cousine à son premier bal » ?

– En camionnette, bien sûr.

– Tu ne prends pas ta veste? Il fait un peu frisquet, dit Scarlett avant de sortir dehors.

– Ça ira, merci.

Ils traversèrent Washington Square Park, déjà très vide, à part quelques étudiants de NYU qui faisaient du skate et des sans-abri qui se reposaient sur les bancs. Il faisait nuit, et seuls les projecteurs illuminant Washington Arch, (l'immense arche en pierre blanche qui formait l'entrée du parc) procuraient de la lumière.

Pour la première fois depuis des semaines, Scarlett sentit qu'elle pouvait avoir une conversation simple et détendue avec Eric.

– La première Nina était bien, dit-elle. Mais la seconde aurait été mieux dans le rôle de Masha.

– C'est marrant, c'est exactement ce que l'actrice m'a dit. Elle aurait préféré ce rôle.

– Le type qui jouait le médecin était impressionnant.

– Sauf que c'est un emmerdeur et qu'il m'en veut à mort.

– Pourquoi ? interrogea en toute innocence Scarlett (dont la plupart des amis détestaient Eric. Mais, eux au moins, ils avaient une raison).

– Il aurait voulu avoir mon monologue. C'est pas de ma faute s'il ne l'a pas eu.

– Ça, c'est sûr. En tout cas, vous étiez très bien chacun dans votre rôle.

– J'espère que ce n'était pas le spectacle le plus ringard de ta vie. Honnêtement, tu peux me le dire.

– Pas du tout. Tu veux que je te montre le truc le pire auquel j'ai assisté ?

Ils étaient sous l'arche. Eric s'arrêta et s'appuya contre un des piliers de pierre et l'observa avec un sourire amusé. Elle plongea la main dans son sac et sortit les invitations pour *La Jeune Fille en fleur.*

– Ça, c'est un spectacle nul et archinul. Il n'est plus pour très longtemps à l'affiche, alors, si tu veux le voir, je te conseille de te dépêcher.

– C'est ça que j'aime bien chez toi. Tu as toujours des billets pour Broadway et tu es prête à les donner aux autres.

Il y avait dans son ton une joyeuse légèreté que Scarlett ne lui avait pas entendue depuis longtemps.

– Chiche ? Prêt à aller voir cette comédie musicale ? lança-t-elle.

– Chiche.

– O.K.

– Quand ?

– Quand tu veux. Demain...

Le portable de Scarlett sonna. C'était Spencer.

– Oh non ! s'écria-t-elle.

Il était à peine vingt-deux heures vingt-cinq.

– Il y a un problème ? demanda Eric.

– Non. Il faut que je... Je...

– D'accord. Je te laisse. Il faut que tu...

Il lui accorda un dernier sourire et recula. Scarlett ouvrit son portable.

– Tu es où ? demanda son frère. Je suis assis en face de chez Dakota. Je viens de sonner et elle descend dans deux secondes. Si je comprends bien, tu n'étais pas chez elle ?

– J'avais un spectacle à aller voir. Mais papa et maman sont tellement sévères, ces derniers temps, que j'étais persuadée qu'ils ne me laisseraient jamais y aller.

– Tu aurais pu me prévenir, répondit Spencer en soupirant. Tu es où ? Dans le Centre ?

Eh non ! Elle était dans le Sud, près de NYU, en train de regarder Eric s'éloigner. Sauf que, si elle prononçait le nom NYU, il devinerait tout de suite et serait hors de lui. Elle lui avait promis de ne plus jamais lui mentir, surtout au sujet d'Eric.

Elle entendit Dakota saluer gaiement son frère en arrière-fond. Elle frémit sur place.

– On peut se retrouver devant le théâtre où ils jouent *La Jeune Fille en fleur* ? proposa Scarlett.

Techniquement parlant, ce n'était pas un mensonge puisqu'elle s'y dirigeait.

– C'est où ? Sur la Quarante-septième ?

– Oui. Tu peux me passer Dakota deux secondes ?

– Allô ! fit Dakota.

– Il faut que j'aie le temps de remonter jusqu'à Broadway. Tu peux te débrouiller pour me laisser dix minutes ?

– Je peux... ah... oui. Euh... (Rires nerveux et embarrassés.)

– Il est hors de question qu'il sache où je suis, ajouta Scarlett à mi-voix. Tu sais pourquoi. Mais il faut que j'aie le temps de remonter. S'il te plaît, tu ne pourrais pas discuter avec lui, genre dix minutes ? C'est mon frère, il ne mord pas. Tu n'as qu'à lui poser des questions sur *Crime et Châtiment*. Dis-lui que tu adores la série, ou dis-lui... je ne sais pas... ce que tu veux.

Dakota réagit en riant de telle façon que Scarlett comprit qu'un jour ou l'autre elle le lui ferait payer. En même temps elle savait que Dakota était ravie. De toute façon, elle n'en était plus à une dette près. Elle passait son temps à signer des chèques qu'elle était incapable de payer. Elle se disait qu'en avançant assez vite, nul ne regarderait où en était son compte. Certaines personnes, si elles sont assez rapides, ne remboursent jamais rien.

Étranges jeux

Le lendemain, Scarlett était dans une forme surhumaine. Son cerveau faisait des bonds de sept lieues, retenant tous les détails d'articles de relations internationales qu'elle avait lus plusieurs jours auparavant, ou un obscur verbe français qu'elle ne se rappelait même pas avoir appris. En cours d'anglais, elle fit une remarque si pertinente qu'elle permit de clore une discussion qui traînait depuis un bon quart d'heure. Elle en vint à se demander si elle ne s'était pas métamorphosée en génie.

Tout était possible. Eric pouvait l'appeler à n'importe quel moment; elle pourrait le revoir. D'accord, elle était un peu excitée, ce qui d'ailleurs ne fit que s'accroître au fur et à mesure de la journée. À tel point qu'en cours de biologie, alors qu'elle n'avait reçu ni appel ni texto, elle était incapable d'écouter ni de se concentrer pour prendre des notes, et encore moins pour être importunée par Max. Son cerveau était en ébullition.

Quand elle sortit du lycée à la fin de la journée, l'air

était moite et le ciel avait une drôle de couleur verdâtre. De toute évidence, une vraie tempête menaçait, une tornade qui lessiverait les rues et inonderait le métro. Elle hâta le pas en direction de chez Mrs Amberson. Cependant, Dakota était rayonnante. Elle avait tellement bien suivi les instructions de Scarlett la veille, que celle-ci avait dû faire le pied de grue devant le théâtre plus d'une demi-heure. Elle accompagna Scarlett jusque chez Mrs Amberson et lui fit le compte rendu détaillé de sa discussion avec Spencer. Elle ne cherchait même pas à avoir l'air détachée.

– Tu ne m'avais pas... Tu ne m'avais pas dit qu'il y avait une fille d'*Hamlet* pour qui il en pinçait pendant l'été ?

– Stéphanie, répondit Scarlett d'un air absent.

Elle avait les yeux rivés sur son portable et faillit se prendre les pieds dans une laisse de chien. Heureusement pour elle, Dakota était aussi obnubilée qu'elle, emportée par une avalanche de questions, toutes plus incongrues les unes que les autres, au sujet de Spencer. Au fond, toutes deux se sentaient coupables l'une envers l'autre.

– Ah ouais. Et qu'est-ce qu'il s'est passé avec cette fille ?

– Rien.

– Arrête de scruter ton portable, sinon je te le bouffe !

Scarlett soupira et le rangea dans sa poche.

– Il va penser que je lui mets la pression, s'entendit-elle répondre. Je n'aurais pas dû lui donner des invitations. Mais il avait l'air d'avoir envie d'y aller. Il était tout sourires.

Dakota fit un pas en avant et tendit le bras pour arrêter Scarlett.

– Je te parle en tant qu'amie de cœur. Alors soit tu arrêtes de le fréquenter, soit tu arrêtes de m'en parler. Je t'en supplie. Ton histoire me rend dingue.

– Je veux bien, mais j'avais l'impression qu'un événement énorme allait arriver aujourd'hui, se justifia Scarlett. Un truc vraiment important. Tu ne peux pas comprendre.

– Ça fait deux mois, je te ferais remarquer. J'aimerais bien retrouver la Scarlett que je connaissais avant. On ne pourrait pas changer de sujet de conversation ? Bon, il faut que... que j'aille retrouver Andy.

– C'est qui, Andy ?

– Un étudiant que mes parents ont dégoté pour me donner des cours de conversation française. J'ai rendez-vous avec lui sur la Cent onzième dans une demi-heure.

– Ah !

Dakota lui avait-elle jamais parlé de cet Andy ? Ou l'avait-elle sorti comme un lapin de sa manche ? Bizarre, bizarre...

– Je te promets que je vais faire des efforts, ajouta-t-elle.

– D'accord, répondit Dakota avec un air triste. Je sais que c'est dur.

Scarlett était à peine arrivée au quatrième étage de l'hôtel quand elle remarqua que la porte de la suite Jazz était soigneusement fermée. Ça chuchotait sec de l'autre côté.

– Je suis dans ma chambre, l'interpella Marlène.

Elle avança à pas menus jusqu'à la chambre de Marlène.

– Tu veux t'asseoir? demanda celle-ci sur un ton un tantinet guindé.

Scarlett n'était pas sûre d'en avoir envie. C'était la première fois que Marlène le lui proposait. Cela dit, elle eût été mal avisée de refuser.

Comme Spencer, Marlène avait sa chambre à elle, et en plus la sienne était la seule à avoir bénéficié d'une vraie restauration. Les murs avaient été repeints en jaune pâle parce que c'était sa couleur préférée. En outre, elle avait une montagne de coussins et d'animaux en peluche, sur laquelle elle était en ce moment même appuyée. Autant Scarlett ne savait pas très bien d'où venaient tous les coussins, autant elle le savait pour les animaux. C'est le cadeau typique que l'on offre à un enfant quand il est malade. Marlène devait en avoir près d'une centaine, dont la plupart étaient rangés au grenier, mais dont elle avait gardé les plus beaux pour en faire un étrange petit trône: une ménagerie de singes, d'ours, de poissons, de tigres et autres créatures que Scarlett voyait, écrasés sous le poids de Marlène, mais heureux d'offrir leur support à leur petite reine adorée. Laquelle avait à la main une grosse biographie de la princesse Diana agrémentée de belles photos.

– Lola est rentrée, annonça Marlène.

– Ah, lâcha Scarlett en indiquant la suite Jazz. Je comprends.

– Ça fait une heure qu'ils sont enfermés. Elle a des soucis.

– Ouais. Je m'en doutais.

Les deux sœurs étant à court d'inspiration, il se fit un bref silence tendu.

– Alors ? dit Scarlett, histoire de relancer la conversation. La princesse Diana. Tu lis ça pour l'école ?

– Je parie que si elle avait vécu quand j'étais petite, je l'aurais rencontrée. Elle a visité plein d'hôpitaux dans le monde entier. Elle allait beaucoup voir les malades.

– Peut-être, mais à mon avis, c'était plutôt des hôpitaux anglais.

– Non, de tous les pays, corrigea Marlène avec fermeté.

– J'avoue que je n'ai jamais lu sa biographie, concéda Scarlett.

– En plus elle touchait les gens qui avaient le sida, alors que la plupart des autres avaient peur. Elle voulait les rassurer.

– C'est... super.

– Le prince Charles ne l'a jamais aimée. Il l'a épousée parce qu'elle était jolie et parce que sa mère voulait qu'il se marie. Il la trompait avec cette femme qu'il a épousée après...

– Camilla.

– Oui. C'est pour ça qu'elle a consacré sa vie aux associations caritatives, parce qu'elle savait qu'elle ne serait jamais heureuse. Du coup, elle avait décidé de rendre les autres heureux.

– Ah, oui !

Marlène tripota son livre et l'ouvrit jusqu'à ce que la reliure pousse un faible gémissement.

– Quand j'étais malade, poursuivit-elle, je faisais très

bien la différence entre les gens qui venaient parce qu'ils en avaient vraiment envie, ceux qui nous faisaient juste des cadeaux, et ceux qui passaient alors que ça les ennuyait. Il y a plein de gens célèbres qui le font pour se faire photographier. Ils sont sympas et tout, mais tu vois tout de suite qu'ils veulent que ça finisse le plus vite possible. Tandis que ceux qui sont sincères, tu le sens immédiatement. Et elle, je pense qu'elle était sincère.

Elle ferma brusquement son livre et le posa.

– Il faut que j'y aille. On va voir un match des Yankees. On a le droit d'attraper le ballon pendant que les joueurs s'échauffent avant le début du match. Et toi, qu'est-ce que tu fais ce soir ? Rien ?

– J'ai du travail, répondit Scarlett en indiquant son sac plein à craquer.

Elle tenait à montrer à sa petite sœur qu'elle était non seulement plus âgée, mais élève dans un lycée particulièrement exigeant. Sinon Marlène deviendrait carrément odieuse. Vu les remarques qu'elle se permettait à onze ans, qu'est-ce que ce serait à l'adolescence ?

À peine rentrée dans sa chambre, Scarlett se précipita sur son ordinateur. Rien. Pas de messages. Elle repoussa son ordinateur. Dakota avait raison. Si elle continuait à ne penser qu'à ça, elle finirait par perdre tous ses amis. Sauf que la critique est aisée mais l'art difficile. Vu de l'extérieur, bien sûr que c'était facile d'oublier quelqu'un !

Cela dit, en y repensant, il y avait dans cette dernière discussion avec Dakota une note qu'elle n'avait jamais perçue chez son amie. Elle prit peur. Vite, elle lui envoya un texto pour s'excuser, et reçut un pardon en échange quelques secondes plus tard. Ouf! Pas de soucis de ce côté-là.

Un fracas inattendu retentit dans le couloir, suivi par le grincement des grilles de l'ascenseur qu'on refermait violemment. Ça ne pouvait être que Spencer, sauf qu'en principe il ne rentrait pas si tôt, et il était rarement aussi brusque. Quelques secondes plus tard, il apparut dans l'encadrement de la porte de Scarlett. Il avait dans les cheveux une espèce de substance brillante qui avait coulé sur son visage. Qu'est-ce que c'était? Bizarre, en tout cas le truc avait coulé le long de son épaule et de son bras pour former une grande tache rose sur sa chemise.

– Demande-moi si j'ai passé une bonne journée. Vas-y, demande-le-moi! lança-t-il.

– Tu... as passé une bonne journée? bredouilla Scarlett.

– Oui, géniale, jusqu'à il y a dix minutes exactement. Pour une fois, ils m'ont laissé sortir de bonne heure. J'avais deux ou trois courses à faire. Je comptais me balader, faire un peu d'exercice, sauver la planète... J'avais mes lunettes de soleil. Je pensais que personne ne me reconnaîtrait. Malheureusement j'avais tout faux.

Il lâcha son sac par terre, ledit sac étant couvert de l'étrange substance.

– J'étais sur Park Avenue, pas loin, quand je vois débarquer un mec au volant d'un camion Hummer qui s'arrête au feu rouge. Le type baisse sa vitre et me demande si je suis David Frieze. Je n'ai pas le temps de dire ouf qu'il me balance son milk-shake en pleine tronche. Bref, c'est pas mon jour. Et toi?

– Lola est rentrée. Elle est en train de se faire remonter les bretelles. Enfin, c'est ce que je pense.

La nouvelle calma illico Spencer. Enfin un peu de justice.

– Bon, je vais prendre une douche. Je n'en peux plus de toutes ces mouches qui me poursuivent comme si j'étais leur dieu. En plus, je ne peux pas m'empêcher de culpabiliser.

– C'est le prix de la gloire, que veux-tu ?

– Tu pourrais m'aider à apprendre trois ou quatre pages ? Le script est dans ma besace. Il faut que je répète la scène de la prison, là où je suis ligoté sur la chaise. C'est à peu près au milieu.

Il sortit de la chambre. Scarlett prit le script et lut. En effet, l'épisode était particulièrement alambiqué. De toute évidence, les scénaristes travaillaient dans l'urgence et faisaient du remplissage avant de savoir quel retournement inventer pour la suite.

L'épisode en question était une suite de séquences brèves dans lesquelles les policiers pleuraient la disparition de Sonny, picolaient, piquaient une colère parce qu'ils étaient sous le coup de l'émotion, prenaient de mauvaises décisions, et hurlaient contre les gens autour d'eux. Pendant ce temps-là, David Frieze, toujours aussi pervers, agissait discrètement dans New York jusqu'à ce qu'ils lui mettent la main dessus. Une des scènes se déroulait à l'université de Columbia, dans un laboratoire. David Frieze était en train de voler des produits chimiques quand, soudain, la police déboulait et l'emmenait au poste.

– Pourquoi tu voles ces produits ? demanda Scarlett quand son frère rentra.

– Parce que je cherche à fabriquer une bombe artisanale, je crois.

Il s'écroula par terre en ajoutant d'un air las :

– C'est n'importe quoi.

– Et pourquoi est-ce que Benzo est toujours aussi débile ? Il te bourre de coups alors que tu es menotté et ligoté sur ta chaise au commissariat.

– Ouais, je sais.

– Ça ne risque pas de... gâcher tout le procès ? Le flic qui passe à tabac l'accusé ?

– Je fais ce qu'on me dit. Je suis comédien. À mon avis, ils ont ajouté la scène parce que les spectateurs rêvent que je me fasse bastonner.

Il passa la main dans son cou comme s'il avait encore du milk-shake.

– Allez, dit-il en s'essuyant les mains. On y va. J'ai lu le script ce matin. C'est bon ? Je peux commencer ?

Ils répétaient la scène pour la quatrième fois quand la porte s'ouvrit et Lola pointa le bout de son nez.

– Salut ! On aurait besoin... euh... que... si vous pouviez venir avec nous deux minutes ?

– Besoin de nous, mais pourquoi ? répondit Spencer. C'était comment du reste, Boston ? J'espère que Chip t'a montré les beaux coloriages qu'il a faits à l'école ?

– On n'était pas à Boston.

– Ah bon ?

– Non, on était à Las Vegas.

– Un voyage à Las Vegas ? Total respect, approuva Spencer, impressionné. Pour une fois, Chip a utilisé sa carte de crédit pour un truc qui vaut le coup. Tu as marqué un point. À partir de maintenant, c'est toi qui mènes.

– Las Vegas ? reprit Scarlett. C'est plutôt... loin.

– Pas si loin que ça, en avion. On s'est décidés sur un coup de tête.

– Ça te va bien, un petit coup de folie de temps en temps, renchérit Spencer. Bientôt tu feras les lits avec des draps non repassés et tu oublieras de les humidifier.

– Spencer...

– Sérieusement. Je trouve ça super. Tu as besoin de te lâcher. Alors, qu'est-ce que vous avez fait là-bas ? Vous avez pris une chambre avec une baignoire en forme de coupe de champagne ? Vous vous êtes fait photographier comme au bon vieux temps ? Vous vous êtes déguisés en personnages de *Star Trek* ? J'adore. J'imagine trop bien Chip déguisé en Klingon.

– Je vous propose de me suivre, l'interrompit Lola en disparaissant.

Spencer et Scarlett échangèrent un long regard perplexe.

– Je n'ai jamais assisté à un vrai procès, dit Spencer. Mais peut-être qu'elle veut qu'on fasse partie du jury ?

Ils arrivèrent dans la suite Jazz, où régnait un calme un peu suspect. Les parents de Scarlett étaient installés côte à côte, tel le couple parfait. Lola, elle, était assise dans un fauteuil importé de la suite Sterling.

– Fermez la porte et asseyez-vous, commanda leur père. Il faut que nous discutions.

– C'est trop, chuchota Spencer à l'oreille de Scarlett. C'est la première fois qu'on nous fait le coup.

– Lola ? dit leur mère qui avait manifestement du mal à parler d'une voix égale et les yeux légèrement rouges. Si tu commençais ?

– On est au courant, l'interrompit Spencer. Vous êtes de nouveau ensemble. C'est bon, on a pigé. Tout ce que je voudrais savoir, c'est... est-ce que ça change la règle de base, pas touche à Chip ?

– Lola n'a jamais dit ça, intervint Scarlett.

– Traîtresse.

– Les enfants ! les interrompit leur père.

– Je croyais que c'était clair, ajouta Scarlett.

– On est censés être dans le même camp, je te rappelle.

– Les enfants !

– Alors, Lo ? insista Spencer. C'est quoi la nouvelle règle ? Soyez sympas sinon je vais devenir folle, c'est ça ? J'ai eu une journée épouvantable.

– De toute façon il faudra être sympas. Quoi qu'il arrive. Parce que...

– Quoi qu'il arrive ? répéta Spencer l'air dégoûté.

Lola jeta un regard désespéré du côté de ses parents, comme si elle implorait leur secours tandis qu'elle cherchait à faire un geste envers son frère. Quand soudain leur mère leva la main comme pour lui signifier « Vas-y ».

– Parce que..., reprit Lola, je suis mariée avec Chip.

Quand Lola plaisante

Un silence béant suivit, au cours duquel Scarlett prit conscience d'un vaisseau sanguin situé juste derrière son oreille. Un vaisseau qui produisait des élancements violents martelant son crâne endolori.

– Écoute, Lo, ne le prends pas mal, dit Spencer, mais dans la famille c'est moi qui suis le clown de service, tu vois ce que je veux dire ?

Scarlett observait tour à tour Lola, son père et sa mère. Aucun ne semblait sourire à la moindre blague. Jusqu'au moment où Lola tendit prudemment sa main gauche, où brillait un joli petit diamant.

– J'ai vu, reprit Spencer en soupirant, mais si ce bon vieux Chip t'avait offert un diam's, il serait gros comme une poignée de porte. Tu ne me feras jamais croire le contraire.

Bon point. Très bon point. Scarlett approuvait. Logique imparable.

– On n'a pas eu le choix, se défendit Lola. On l'a achetée dans une boutique de souvenirs.

Hélas! c'était fort plausible.

– J'ai pigé, confirma Spencer. Un cadeau de réparation. C'est bien. Tu m'as fait peur. Allez, j'ai un peu de texte à apprendre, tu ne m'en voudras pas?

– Ta sœur ne plaisante pas, intervint leur mère.

Le vaisseau sanguin frappa de plus belle. Scarlett entendait les voitures dans la rue et les gamins qui hurlaient et riaient, mais tout semblait étouffé comme sous l'eau. Le martèlement s'était tellement accéléré qu'elle était à la limite de l'évanouissement. Elle agrippa soudain le bras de son frère.

Qui secouait la tête en regardant fixement le plafond, sidéré qu'un tel forfait ait pu avoir lieu en toute impunité.

– Je... Nous... On voulait..., bredouilla Lola. Je l'aime, et au fond c'est ce qu'on voulait. Alors, comme on était sur place, on a juste...

Lola continua à bafouiller avant d'expliquer que tout s'était enchaîné à une vitesse folle. Ils avaient loué une limousine, ils étaient allés dans une des chapelles ouvertes vingt-quatre heures sur vingt-quatre, ils avaient engagé un témoin de location...

Et Scarlett comprit qu'elle disait vrai. Au mot près. À côté d'elle, Spencer accusait le choc. Il se laissa aller contre le mur et glissa de quelques centimètres comme s'il fondait. Les tuyaux se mirent à grincer et cliqueter de l'autre côté du mur. L'hôtel Hopewell tout entier semblait réagir à la nouvelle inattendue.

– C'est une surprise pour nous tous, confirma leur mère. Nous avons besoin de...

Les parents Martin étaient au bord de la crise

d'apoplexie. Tous les deux. Mais que dire? Eux-mêmes s'étaient rencontrés adolescents, et la famille de la mère de Scarlett s'était violemment opposée au mariage. Ils étaient donc mal placés pour porter un jugement – sauf qu'ils en portaient un, évidemment.

– Vous êtes sûrs que c'est légal? demanda Scarlett.

– Totalement légal, répondit sa sœur.

– C'est pas possible. Vous avez dix-huit ans. En plus, tu n'es pas vraiment amoureuse.

– Scarlett...

– C'est parce que c'est Las Vegas. Je suis sûre qu'ils ont une clause du genre «on avait bu et on ne savait plus très bien ce qu'on faisait», et le truc peut être annulé en un tour de main.

– On n'avait absolument pas bu.

– Je te dis que vous pouvez annuler, insista Scarlett, qui contrôlait de moins en moins le volume de sa voix. Vous avez sûrement la possibilité d'annuler. Je peux même aller vérifier tout de suite.

– Je suis désolée.

– Arrête d'être désolée. Agis, nom de Dieu!

– Scarlett! la reprit sa mère – c'était un avertissement, non pas un cri.

– Alors, voilà, c'est tout? se défendit Scarlett, refusant d'abandonner. Et vous, vous trouvez que c'est... super?

– C'est un fait, poursuivit son père, diplomate. Nous avons eu des problèmes plus graves à affronter dans notre vie.

– Oui, je sais, le cancer de Marlène. Ça vous est tombé dessus.

Le téléphone de Lola sonna. Elle jeta un coup d'œil sur l'appareil.

– C'est Chip, dit-elle en décrochant.

Suivit une conversation très calme, mais à ce stade-là Scarlett n'écoutait plus.

– Les parents de Chip aimeraient faire votre connaissance assez vite, si possible aujourd'hui, annonça Lola. Genre un verre entre adultes.

– Je vais me changer, s'excusa la mère de Scarlett.

Scarlett défaillit. Elle entendit son père demander à Spencer d'attendre le retour de Marlène pour lui commander de quoi dîner. Puis elle l'entendit s'approcher d'elle et lui demander si ça allait, et elle répondit oui, sans plus, elle n'avait rien à ajouter...

Une fois leurs parents partis, Lola, Spencer et Scarlett restèrent un long moment dans la suite Jazz, muets. Spencer s'installa dans le canapé et alluma la télévision en zappant jusqu'à ce qu'il tombe sur une compétition de lutte qu'il suivit avec une concentration sombre. Scarlett était assise à côté de lui et scrutait le mur. Et Lola attendait, patiente, prête à répondre à toutes leurs questions. Sauf que ni l'un ni l'autre ne posa la moindre question. Dehors, la tempête avait éclaté et il pleuvait des cordes.

Telle était l'atmosphère lorsque Marlène rentra une demi-heure plus tard.

– Il pleut, dit-elle comme si personne ne l'avait remarqué. Qu'est-ce qu'il se passe ?

Silence.

– C'est pas moi qui lui annoncerai la bonne nouvelle, déclara enfin Spencer.

Scarlett plongea la tête dans les mains pendant que Lola recommençait son petit laïus, adapté à des oreilles de onze ans pour qui l'idée de louer un témoin de mariage ne devait pas signifier grand-chose.

Un nouveau silence suivit.

Puis un immense cri. Un cri de joie. Un cri d'extase. Scarlett leva les yeux et vit Marlène bondir et danser de joie autour de Lola.

– Je le savais ! Je le savais ! Il est où, Chip ? Il est où ? Il est où ?

– Papa et maman sont allés voir ses parents et je dois le rejoindre tout à l'heure.

– Je veux y aller avec toi ! s'exclama Marlène en entourant la taille de sa sœur. Je rêve de voir Chip !

– Tu le verras. Attends. Il faut qu'on parle un peu.

– Mais je veux y aller !

La chambre était divisée par une ligne de démarcation très nette ; d'un côté, Lola et Marlène, tout à leur bonheur ; de l'autre, Scarlett et Spencer, muets, hébétés. Et Lola jetait sur eux un regard un chouia effrayé.

– Alors, lâcha sèchement Spencer, quand est-ce que tu pars ?

– Que je pars ? répéta Lola.

Scarlett n'avait pas eu le temps de poursuivre le raisonnement jusqu'au bout. Mais Lola mariée, ça voulait effectivement dire Lola emménageant avec Chip. Ce qui n'échappa point à Marlène, qui arrêta soudain de gigoter et recula.

– Comment ça tu pars ? demanda-t-elle sur un ton accusateur. Où est-ce que tu vas ?

– Quand les gens se marient, ils vivent ensemble,

intervint Spencer. Voilà pourquoi Lola va vivre avec Chip. Vous allez vous installer à Boston ou ici? ajouta-t-il. Vous pourriez peut-être trouver un appart dans les deux villes et faire la navette en bateau?

– Pourquoi tu dois déménager? insista Marlène. Tu peux très bien rester ici. Il y a largement de la place pour vous.

– Ce n'est pas comme ça que ça marche, répondit Lola.

– Pourquoi?

– Quand on se marie, on fonde une famille et on vit ensemble.

– Mais…

Scarlett observait sa petite sœur qui essayait de comprendre. La famille de Lola, c'était eux. En ça, elle avait raison. En tout cas jusqu'ici.

Marlène avait les joues dangereusement, quoique légèrement, rouges, comme si elle transpirait.

– Tu n'es pas obligée, se défendit Marlène, tellement crispée qu'elle postillonnait. Tu n'es pas obligée de déménager.

Lola jeta un regard à Spencer pour implorer son secours, mais celui-ci se contentait d'écouter ses deux sœurs, les bras croisés. Non, il ne lui lancerait pas de bouée de sauvetage. Quant à Scarlett, vu l'expression de son visage, elle n'en pensait pas moins. La poitrine de Marlène gonflait et dégonflait violemment alors qu'elle attendait une explication de la part de sa grande sœur adorée.

– On n'ira pas très loin, se justifia-t-elle. Tu pourras venir nous voir, et puis on sortira en bateau, on fera tout ce qu'on fait normalement…

Lola tendit les bras vers Marlène, qui soudain la gifla.

– Je te déteste ! Je ne te pardonnerai jamais de la vie si tu t'en vas. Jure-moi que tu ne partiras jamais !

À l'époque de sa maladie, Marlène était sujette à des accès de colère incontrôlables, une phase que Scarlett pensait dépassée depuis longtemps, mais il faut reconnaître que, ce jour-là, elle eut des doutes. Sa petite sœur semblait prête à tout. Lola, elle, ne fit pas un geste, attendant qu'elle se défoule. Seul Spencer réagit. Il se leva, attrapa Marlène par les bras et la tira sur le canapé. Elle avait beau se débattre, il la tenait fermement, coincée entre ses genoux. Piégée, et sous le choc, Marlène abandonna et se jeta contre sa poitrine en éclatant en sanglots. Il la tint contre elle en lui caressant la tête et en fusillant Lola du regard.

– C'est encore moi qui sème la zizanie, c'est ça ? dit-il.

ACTE IV

Gothammag.com
L'homme le plus détesté de New York

J'avais rendez-vous avec Spencer Martin dans l'entrée du petit hôtel qui appartient à sa famille, dans l'Upper East Side. J'entre, et je tombe sur lui en train de faire le poirier. Une adolescente à peine plus jeune que lui, avec une crinière de boucles blondes, se tient à ses côtés. Toujours la tête en bas, Spencer Martin me demande de patienter près du bureau de la réception.

– N'oublie pas, dit-il à la jeune fille, vas-y lentement.

La jeune fille lève un pied.

– C'est bon, l'encourage-t-il, oscillant d'un bras sur l'autre. N'aie pas peur. Qu'est-ce qu'il peut t'arriver?

Je suis sur le point de lui demander ce qu'il se passe, quand la jeune fille lance ses deux jambes et le frappe en plein visage. Que faire? Appeler à l'aide la police? Me précipiter sur elle? À vrai dire, en ce moment même, je sais que beaucoup de gens à New York se réjouissent de l'incident.

Soudain Spencer Martin s'écroule et s'étale de tout son long. Aussitôt il se redresse.

– À mon avis, ça marche, dit-il en se redressant sans la moindre égratignure.

Il passe le bras autour de l'épaule de la jeune fille et ajoute :

– Je vous présente Scarlett, ma petite sœur chérie, qui m'en veut toujours d'avoir tué Sonny.

Telle est la seule explication à laquelle j'ai droit sur la scène dont je viens d'être témoin.

Loin du personnage inquiétant et cynique qu'il interprète à la télévision, Spencer Martin est l'image même de la bienveillance. Alors qu'à l'écran il est maigre, avec des yeux perçants, dans la vraie vie c'est un jeune homme élancé et élégant, les yeux brillants de gentillesse. Il a dix-neuf ans et il sort tout juste du Lycée des arts de la scène. Avant d'être choisi pour jouer dans Crime et Châtiment, *c'était donc un de nos acteurs new-yorkais typiques, travaillant comme serveur le jour, et jouant dans de modestes productions le soir.*

Spencer Martin ne cache pas sa volonté de séduire, sans doute pour compenser la violence des réactions provoquées par son personnage.

Il a beau vivre dans un hôtel, il nous fait très vite comprendre que celui-ci n'a rien d'un Hilton ; autrement dit, l'obtention de son rôle n'est lié à aucun privilège. Un bref regard circulaire dans l'entrée confirme ses propos. Les accoudoirs des fauteuils sont usés jusqu'à la corde, quand ils ne sont pas troués. Le plancher est de guingois. Le téléphone ne sonne jamais et rares sont les clients qui franchissent la porte. Nous sommes à mille lieues du faste d'un Hilton.

– J'ai passé presque tout l'été à travailler Hamlet *dans la salle à manger à côté, nous explique-t-il. Et sur un monocycle.*

Un monocycle? Hamlet*? Dans un hôtel?*

– La mise en scène avait un côté carnaval, ou vieux film muet, se justifie-t-il. On a été obligés de jouer ici parce que... oh, c'est une longue histoire. On était deux, j'avais un partenaire, et on était un peu les bouffons.

Martin poursuit en expliquant que le rôle qu'il joue dans Crime et Châtiment *était à l'origine un second rôle, qui ne devait pas dépasser un épisode. Le script a été adapté en raison du départ de Donald Purchase; c'est ainsi qu'il a soudain été jeté sous les projecteurs.*

Alors quel effet cela fait-il d'être l'homme le plus détesté de New York?

– Je ne sais pas, répond-il. Un peu bizarre? Très bizarre? J'avoue que j'ai du plaisir à jouer ce rôle mais... les gens ont l'air très affectés par ce qu'il s'est passé. C'est pourtant de la fiction...

Hélas! pour la majorité du public, Crime et Châtiment *n'est pas une série télévisée comme les autres et les personnages ne sont pas de simples personnages, mais plutôt des vieux copains, dont le plus ancien était, bien sûr, Sonny Lavinski.*

J'ai lu suffisamment d'articles sur l'agression à coups de beignets dont Martin a été victime pour savoir que la question est un réel problème pour lui. Aurait-il accepté le rôle s'il avait su ce qui l'attendait?

– Bien sûr, répond-il tout de go. Je suis comédien. C'est mon job, j'accepte les rôles que l'on me propose.

A-t-il peur d'être enfermé dans ce type de personnage? De

ne plus trouver de travail parce qu'il est condamné à jouer le méchant ? D'avoir été presque trop bon ?

Pour la première fois depuis le début de notre rendez-vous, une ombre traverse le visage de Martin, ses joues se creusent légèrement, et j'aperçois un soupçon de la part sombre qui se cache en lui.

– Vous pensez ?

Les temps sont durs, plus durs que jamais

Les chambres de l'hôtel Hopewell avaient beau être qualifiées de « suites », toutes étaient des chambres simples, et non pas une suite de pièces. Mais telle était la tradition depuis toujours. Lorsque l'hôtel avait été restauré, avec faste, en 1929, ce mensonge avait même été gravé sur des plaques en cuivre à toutes les portes, et accompagné d'un motif d'éclair de tonnerre de style Art déco.

Personne ne s'était jamais plaint de cette dissonance. En général, les clients se plaignaient plutôt d'une télévision cassée, d'un cadre de lit qui grinçait, de taches d'humidité sur les murs, ou alors d'incidents fâcheux, tel ce pigeon qui était entré dans la suite Sterling deux ans plus tôt alors que quelqu'un avait ouvert la fenêtre pour aérer la pièce – la chambre étant heureusement vide. Le pigeon avait fait son nid dans une des appliques, mais personne ne s'en était aperçu, jusqu'au jour où un client avait allumé la lumière et le pigeon, enragé, s'était envolé, telle une chauve-souris en délire, battant furieusement des ailes autour de la pièce. De la fumée avait commencé à s'échapper du mur et, quelques secondes plus tard, la chambre était digne d'un film d'horreur.

Il faut bien avouer que, lorsqu'on a de telles questions à régler, les nuances sémantiques entre « chambre » et « suite » sont une question d'ordre secondaire. Cependant, l'atmosphère qui régnait à l'hôtel après l'annonce du « mariage » de Lola n'était pas sans rappeler ce côté flou et approximatif.

Un « mariage », songeait Scarlett. D'accord, sauf que ça ressemblait à tout sauf à un mariage. Non pas qu'elle ait de solides références en la matière. En plus, elle n'avait jamais été particulièrement fascinée par l'idée, et n'éprouvait nulle passion, positive ou négative, pour la chose. Néanmoins, elle se doutait qu'un mariage, ce n'était pas une cérémonie secrète exécutée à la va-vite, où la vie après était comme la vie avant, sauf que tout le monde était tendu et morose, comme si l'on venait d'apprendre qu'une peste noire sévissait dans le nord de la ville.

En attendant, Chip et Lola s'étaient installés dans l'hôtel huppé Peninsula. Ils passaient en général le dimanche, brièvement, mais ils avaient toujours l'air stressés. Puis c'était lundi, qui s'immisçait discrètement au cours de la nuit comme le chat du voisin déposant une souris morte au pied de votre lit.

Et ce lundi matin-là, quand Scarlett ouvrit les yeux et tomba sur le lit de Lola, vide, elle se rappela soudain ce que quelques heures de sommeil avaient effacé. Elle jeta un coup d'œil à son réveil : six heures. Il lui restait une demi-heure à dormir, mais elle sentit une légère pression. Ou plus exactement une main, qui serrait la sienne avec douceur. La main de Lola, assise de l'autre côté du lit de Scarlett, face à la fenêtre. Elle avait un chignon de danseuse tellement serré que la peau de son visage tirait sur les côtés.

– Quand est-ce que tu es entrée dans la chambre? demanda Scarlett, un peu dans le cirage.

– Il y a quelques minutes. On a rendez-vous pour petit-déjeuner en famille.

– Quoi? Maintenant?

– Dans une demi-heure. Tu as le temps de t'habiller; je vais réveiller Marlène.

Un petit déjeuner peu appétissant, essentiellement composé de bacon brûlé et de pancakes pas assez cuits, attendait les enfants sur les deux petites tables de la salle à manger. Tout le monde avait l'air endormi, et ce n'est pas ce qu'ils avaient sous les yeux qui les réveillerait. Spencer était avachi au fond de sa chaise, à peine sorti de sa douche et les cheveux trempés, avec une barbe de deux ou trois jours. Le père de Scarlett portait une de ses chemises de cow-boy achetées dans une friperie, mais il avait boutonné dimanche avec lundi. Quant à sa mère, pour une fois ses boucles étaient aussi échevelées que celles de Scarlett, et elle se leva pour passer les pancakes mous avec zèle.

– Quel bon vent t'amène? demanda Spencer à Lola. Tu n'es pas censée être en voyage de noces?

– Je suis revenue travailler. Les serviettes de bain ne se plient pas par miracle. Pour l'instant, pas de lune de miel. On a trop de choses à régler.

Spencer lâcha un rire jaune avant d'engouffrer un morceau de bacon carbonisé.

– Combien de temps vous comptez rester au Peninsula ? interrogea Scarlett.

– Encore quelques jours. Le temps de réussir à tout… organiser. Après il faut que Chip retourne à la fac. Il a déjà raté pas mal de cours.

– Tu peux toujours revenir ici, ajouta son père, un peu hésitant. Si tu veux, tu peux prendre la suite Empire.

– Je pense qu'on a besoin d'un peu plus de… d'espace.

– Tu veux dire que pour rien au monde ce brave Chip ne daignerait s'installer ici ? l'interrompit Spencer. Le standing n'est pas assez bien pour monsieur, c'est ça ?

– Pas du tout, je suis sûre qu'il serait ravi, mais je ne pense pas que toi, tu le serais.

– Bien vu l'aveugle, répondit Spencer en reculant sur sa chaise. Scarlett, si tu veux que je te dépose, la voiture passe dans cinq minutes.

– C'est bon, dit-elle en regardant le ciel gris. J'irai à pied.

Peu après, Scarlett coupa à travers Central Park en suivant son petit trajet en diagonale, louvoyant entre les coureurs, les promeneurs de chiens et les mamans poussant leur landau. Ce matin, elle s'était habillée sans faire attention, enfilant une chemise rose sur une vieille jupe bleue de Lola qui ne lui allait pas vraiment. Le temps était maussade. Nuageux, mais sans pluie. Du gris, encore du gris, toujours du gris. Les feuilles commençaient à peine à tomber. Pour couronner le tout, son petit doigt lui disait qu'elle était en retard.

Elle s'arrêta devant la grille du parc et regarda de l'autre côté de la rue. Le lycée Frances Perkin ressemblait plus que jamais à un vieil asile de fous. La journée s'annonçait mal. Elle savait qu'elle allait se planter dans son interro de relations internationales. En plus, elle avait bâclé son devoir de français.

Il ne lui restait plus qu'à... sécher.

Sauf que sécher, ça ne lui ressemblait pas : Scarlett était une bonne élève, obéissante. Elle finit par entrer dans le lycée en traînant les pieds. Elle fut aussitôt aveuglée par les écrans d'ordinateurs de l'entrée : telle activité était déplacée dans telle salle, telle classe avait achevé tel projet, le groupe de jazz jouait à l'heure du déjeuner, si d'aventure quelqu'un voulait les écouter...

La journée se déroula comme prévu, autrement dit mal, et plus elle avançait, plus Scarlett avait la migraine – le pompon étant, bien entendu, le dernier cours : biologie. Elle entra et crut qu'elle rêvait : « devoir sur table », lut-elle en toutes lettres sur le tableau.

– Tous ceux qui ont lu attentivement le programme de l'année, expliqua Miss Fitzweld, auront remarqué que la note finale sera calculée à partir des cinq examens qui auront lieu au cours de l'année, dont le premier a lieu lundi prochain.

– J'espère que tu as bossé, lui chuchota Max. Je m'assieds toujours à côté des bons élèves. Sinon je ne vois pas l'intérêt de tricher.

– Ta gueule, sinon je te tue !

– Tu viens de violer la politique de tolérance zéro face à la violence.

– Et si je te plante mon stylo dans l'œil, ça sera viol avec circonstances aggravantes.

Curieusement, Max lâcha prise. Mais il la surveilla du regard pendant tout le cours.

– Ah, mademoiselle Martin ! lança Dakota en posant la main sur son épaule après le cours. Tu as besoin d'un bon remontant. Tiens ! j'ai ce qu'il te faut. Des biscuits aux pépites de chocolat sublimes de chez Fairway.

Tout à coup, c'était comme si elle avait six ans. Dakota avait vu juste, comme d'habitude. C'était exactement ce dont elle avait besoin. Elle croqua un gros morceau de biscuit et sentit le doux chocolat fondre dans sa bouche.

– Mariés ? dit-elle en recrachant des miettes. Mariés ? Tu peux me dire ce que ça signifie, franchement ?

– Il y a des gens qui se marient à dix-huit ans. Enfin, personne que je connais, mais ça arrive. Souvent.

– Elle n'est même pas vraiment amoureuse ! Elle a rompu avec lui il y a deux ou trois mois. Mais elle s'ennuie. Tu ne te maries pas à dix-huit ans parce que tu t'ennuies, non ?

Scarlett finit le biscuit en mordant avec rage.

– Elle peut toujours revenir dessus. C'est pas comme si c'était pour l'éternité.

– Un peu, quand même. En plus, elle m'a expliqué qu'elle ne voulait pas..., tu sais, genre divorcer.

– C'est ce qu'elle dit aujourd'hui. Ça fait cinq minutes qu'elle est mariée. Mais une fois qu'elle aura compris la portée de son geste...

– Une fois qu'elle aura compris ce qu'ils ont fait, elle sera bourrée de fric. Elle l'est sans doute déjà, du reste.

C'était sorti comme ça, telle une grenouille bondissant hors de sa bouche.

– D'accord, c'est une façon de voir les choses, concéda Dakota. Mais tu penses que... Lola...

– Se marie pour l'argent? compléta Scarlett d'un air maussade. Car les mots lui faisaient mal. Elle eut même du mal à poursuivre. Non, mais... je ne vois pas d'autre raison.

Délicate, Dakota ne poursuivit pas. Sauf que la question avait été évoquée tout haut, et c'est l'hypothèse qui semblait la plus plausible à Scarlett.

– Bon, dit-elle en s'appuyant sur son casier et sentant la paroi métallique céder légèrement dans son dos, j'ai une autre nouvelle qui va te faire plaisir. J'ai failli aller revoir Chelsea sur scène avec Eric. Mais après il y a eu cette histoire de mariage et j'ai oublié de l'appeler.

– Tant mieux.

– En plus, ça fait genre la fille qui a pris ses distances. Les garçons sont censés trouver ça plus sexy, non? Ils aiment bien qu'on les maltraite un peu.

– On adore. Une bonne petite fessée de temps en temps, ça ne fait pas de mal.

C'était Max, qui se dirigeait vers son studio de musique. Il s'était posté à deux pas des filles pour écouter leur conversation. Dakota le fusilla du regard.

– Qu'est-ce que ça peut te foutre? lui lança-t-elle.

– Ne lui pose pas la question, intervint Scarlett. Il s'en fout, justement.

– CQFD, répondit Max en hochant la tête vers Scarlett.

– Casse-toi, s'écria Dakota. Je ne rigole pas. Elle est au fond du trou.

Cette fois-ci Max obtempéra.

– Tu vois ? fit Dakota. Il suffit d'y aller un peu franco. Allez, viens chez moi. On va regarder la télé.

– J'espère que je ne suis pas toujours dans un état aussi pitoyable ? Moi aussi, ça m'arrive de te soutenir le moral, non ?

– Souvent, bien sûr, répondit Dakota en l'entraînant. On a tous des moments de faiblesse.

Des moments de faiblesse… Scarlett réfléchissait. À partir de quel moment se sent-on tellement faible qu'on se dit qu'il est temps de donner un grand coup de pied dans la fourmilière ?

Ligne en pointillé

Mrs Amberson avait beau avoir dit à Scarlett qu'elle n'avait pas besoin de passer cette semaine, ce jour-là elle préféra s'y arrêter plutôt que de rentrer tout de suite à l'hôtel. Autant plonger le nez dans les dossiers de comédiens et trier les critiques de théâtre, plutôt que de subir le silence angoissant du quatrième étage. Ses parents avaient nettement relâché le suivi de ses déplacements depuis quelques jours. C'était un des rares avantages de la situation familiale tendue que Scarlett avait, sinon, du mal à supporter.

Elle entra et tomba sur Murray, le portier, particulièrement en forme, debout derrière son bureau et dévorant le plus gros sandwich qu'elle avait jamais vu.

– Hep, jeune fille ! Votre chien a encore fait des dégâts au rez-de-chaussée !

– Je vous l'ai déjà dit, ce chien ne m'appartient pas.

– Faut que vous fassiez…

Scarlett sentit chaque vaisseau capillaire de son visage vibrer, éprouvant physiquement le sang circuler sous sa peau. Quelqu'un allait payer, et ce quelqu'un, ce serait Murray.

– Vous pouvez me dire ce que vous ne comprenez pas dans la phrase «ce chien ne m'appartient pas»? Sur quoi vous achoppez, exactement? Sur la négation, «ne pas»? Sur le mot «chien»? Sur la phrase entière? Alors, je répète. Ce chien ne m'appartient pas. C'est clair? Et il n'appartient pas non plus à ma patronne. C'est un chien qu'elle a pris en dépôt et qui est fragile.

Murray émit un grognement désapprobateur, déposa son sandwich, et prit son téléphone pour prévenir Mrs Amberson que son assistante hystérique s'apprêtait à monter. Scarlett fila aussitôt, la tête basse, sans se retourner jusqu'à ce qu'elle soit au pied de l'ascenseur. Elle appuya la tête sur la paroi brillante au-dessus des boutons et vit son visage se réfléchir en gros plan. Les pores de sa peau semblaient énormes, ses yeux étaient rouges, et ses cheveux, hirsutes et complètement échevelés. Décidément, elle n'aimait pas son image. Mais elle n'aimait pas non plus la Scarlett intérieure. Du reste, elle n'aimait personne.

– C'est toi qui hurlais contre le gardien? lui demanda une Mrs Amberson intriguée quelques instants plus tard.

Elle était assise dans un des canapés blancs et suçait un morceau de mangue séchée en feuilletant un numéro de *Variety*.

– Il avait l'air très affecté au bout du fil. Rappelle-moi de t'accorder une augmentation.

– Il n'arrête pas de me bassiner à cause du chien, répondit Scarlett en se dirigeant directement vers son bureau.

– Ça va, O'Hara ?

– Oui, merci.

Elle attrapa le premier paquet d'enveloppes qui traînait et l'ouvrit avec rage, déchirant une photo au passage. Encore une actrice. Un regard de star en herbe et un sourire niais, aux dents parfaites. Le monde en était plein, de ces pauvres aspirantes à la gloire.

– O'Hara...

Elle prit une nouvelle enveloppe. Mais d'où sortaient-ils, tous ces pauvres crétins qui cherchaient un agent ? Aujourd'hui ils étaient au moins une centaine à les supplier de les représenter.

– O'Hara. Laisse tomber ces enveloppes, s'il te plaît. Viens t'asseoir ici.

– Non, il faut que j'avance.

– Ça peut attendre.

Elle abandonna et alla s'asseoir dans le canapé en face de Mrs Amberson.

– Je sens que tu as eu une journée difficile, dit celle-ci. Mais tu n'étais pas obligée de passer, ma chérie. Je sais que tu traverses une période un peu rude.

– Non, ça va.

– Mentir est très mauvais pour son karma, Scarlett. Si tu continues, tu seras complètement déstructurée dans ta prochaine vie. Tu n'es pas en forme, ça se voit. D'ailleurs, tu as toutes les raisons de ne pas l'être. La décision de ta sœur... c'est un choc.

– Je ne comprends plus personne, marmonna Scarlett, les larmes aux yeux.

Mrs Amberson réfléchit quelques instants avant de poursuivre, ce qui n'était pas particulièrement rassurant.

– O'Hara, dit-elle enfin, je te parle d'expérience, mais sache que, dans le domaine amoureux, il faut s'attendre à tout. Moi, par exemple, qui suis plutôt raisonnable, tu n'imagines pas ce dont j'ai été capable par amour. Ceci dit, je ne regrette rien, même pas ce qui n'a pas abouti.

– Vous êtes mariée ?

– Je t'en prie, ne tombons pas dans ces histoires de contes de fées. Tout ce que je voulais te dire, c'est que la seule façon d'avancer dans la vie, c'est de prendre des risques. Je serais bien incapable d'expliquer la décision de Lola, ni pourquoi, ni si c'est une bonne chose, mais dis-toi bien que rien dans ce bas monde n'est noir ou blanc.

– D'accord, mais qu'est-ce que je fais, moi ?

– Tu ne peux pas contrôler la vie des autres, Scarlett. Ta sœur et son mari vont sûrement faire des choix avec lesquels tu ne seras pas d'accord et que tu ne comprendras pas. Mais inversement, tu peux être sûre qu'ils n'ont aucun pouvoir sur ta vie à toi. Pour l'instant tu es dans une impasse. Il faut que tu saches ce que tu veux. Réfléchis. Que veux-tu, là, maintenant, tout de suite ?

– Je veux ma sœur. Je ne veux pas perdre… ma sœur.

– Comment pourrais-tu la perdre ?

– Mais elle est partie ! Elle vit à l'hôtel Peninsula et je ne sais pas ce qu'elle a en tête, ni ce qu'elle compte faire, ni…

– Tu penses que ta sœur a envie de te perdre ?

– Non.

– Tu en as parlé avec elle ? Tu l'as appelée ?

Non, elle ne l'avait jamais appelée. Elle était trop meurtrie.

– La solution est simple. Tu es capable d'être plus que franche, Scarlett. Alors, passe la voir un jour et avoue-lui que tu as peur de la perdre. Essaie de comprendre pourquoi elle a fait ce choix. Vas-y. Va droit au problème avant qu'il devienne insurmontable. Je suis sûre qu'elle a besoin de te parler, elle aussi.

Soudain Murray pointa le bout de son museau le long du canapé. Il agita son petit bout de queue fin comme une allumette en signe d'encouragement.

Lola décrocha dès la première sonnerie.

– Tu acceptes de me parler maintenant ? dit-elle.

– En tout cas, je t'ai appelée.

– Je suis au boulot. Mais tu veux qu'on se voie plus tard ?

– Au boulot ?

– Oui, je travaille tous les mercredis. Mais je vais bientôt faire une pause. Tu veux qu'on se retrouve à Central Park ? Près des bouquinistes, côté sud-est ? Dans une heure, ça te va ?

Une heure plus tard, elle apparaissait, toujours ponctuelle, et vêtue d'une jolie jupe noire et d'un T-shirt Bubble Spa. Elle avança prudemment vers sa sœur.

– Tu travailles encore ? bredouilla Scarlett, même après...

– Qu'est-ce que tu crois ? Il fallait que je rattrape les jours où j'avais la crève, tu t'en souviens, un rhume carabiné ?

C'était vraiment bizarre. Lola et Scarlett partageaient la même chambre depuis toujours, et la présence de sa sœur était la chose la plus naturelle au monde aux yeux de Scarlett. Elle était là, à côté d'elle, avec sa petite jupe noire, son T-shirt Bubble Spa et ses jolis cheveux blonds noués en un chignon savamment négligé. Comme avant, ou presque. Car quelque chose avait changé. Une barrière imperceptible s'était dressée entre elles.

– Je suis soulagée que tu acceptes de me parler, avoua Lola. Tu es la seule.

Scarlett se contenta de hausser les épaules.

– C'est dommage, Marlène commençait à aller vraiment mieux, poursuivit Lola. Quant à Spencer..., je sais qu'on donne l'impression de se détester, mais c'est juste que... je ne sais pas..., je suis trop frustrée par lui. On est le jour et la nuit. En même temps je suis fière de lui. Il joue à la télé..., mon grand frère. Je n'ai jamais pensé qu'il y arriverait, mais je reconnais que j'avais tort. En plus, il est excellent.

Elle venait d'accorder le plus beau compliment de sa vie à son frère, qui, hélas! n'était pas là pour l'entendre.

– Je ne m'attendais pas à ces réactions dans la famille, reprit-elle. Je me doutais que vous seriez un peu surpris, mais je ne pensais pas que Marlène réagirait aussi violemment, par exemple. Ni même Spencer. Papa et maman ont l'air bouleversés. Je n'avais aucune envie de blesser personne, je te promets. Mais bon, je vais me réconcilier avec tout le monde. J'en suis sûre.

– J'ai besoin de savoir une chose, intervint enfin Scarlett. Mais je veux que tu me dises la vérité.

Lola lui jeta un regard prudent avant d'acquiescer. Elle prit Scarlett par la main pour l'entraîner vers un banc sur lequel les deux sœurs s'assirent. Scarlett prit une profonde inspiration avant de demander :

– Je voudrais savoir si tu l'as épousé pour son argent. Parce que tu croyais qu'on avait besoin de... ou pour être... rassurée.

– C'est ce que vous pensez ?

– Je ne sais pas ce que les autres pensent. Je ne sais même pas ce que je pense, moi. Mais quand même..., tu te maries, tu t'installes dans un des hôtels les plus cossus de New York...

Lola retourna brusquement l'ourlet de sa jupe pour l'examiner.

– Je vais t'avouer un truc, déclara-t-elle. Mais promets-moi que tu ne diras rien à personne. C'est un secret entre toi et moi. Promis juré ?

Scarlett hocha la tête.

– Les parents Sutcliffe ne nous paient pas la chambre d'hôtel.

– Alors qui paie ?

– Un ami de la famille. Les Sutcliffe ont coupé les... vivres de Chip. Ils lui ont bloqué l'accès à son compte. Il ne peut plus utiliser ses cartes de crédit. Ils refusent de payer ses frais de scolarité. Là, au moment où je te parle, on n'a pas un sou.

Scarlett secoua la tête, un peu confuse. L'idée de Chip dépourvu d'argent, euh..., ça ne le faisait pas. Chip était synonyme de pépètes, non ? Sinon que lui restait-il ?

– La seule façon pour nous de sortir de cette impasse, reprit Lola, c'est que je signe un accord postnuptial comme quoi je renonce à toute revendication sur la fortune de la famille Sutcliffe. Ils ont fait venir un avocat et tout le bazar. Si je signe, ils reconnaissent le mariage et ils organisent une immense soirée pour l'officialiser aux yeux de tout New York. Et ils m'ouvrent un compte, à mon nom. Mrs Sutcliffe appelle ça un « compte domestique ». Autrement dit, une carte de crédit et quelques milliers de dollars par mois pour ce que je veux, plus des ardoises dans certaines boutiques pour meubler notre appartement.

– Tu veux dire… une pension ? Une super-mégapension ?

– Je n'ai rien demandé, précisa Lola. C'est l'avocat qui me l'a annoncé en me lisant le contrat. J'ai dit que je n'en avais pas besoin, mais ça fait partie de l'accord. En fait, ils estiment que leur future belle-fille doit avoir un niveau de vie minimum. Ils ont peur que j'aie épousé leur fils pour sa fortune. Mais je te promets que je n'ai pas fait ça pour l'argent.

– Mais pourquoi tu l'as épousé alors ?

– Parce que c'était pas… assez, se justifia Lola d'une voix légèrement tremblante. J'avais besoin de… de quelque chose de solide. Qui marche. Je sais que tu as du mal à le croire, mais Chip et moi, on bosse. D'accord, je suis très jeune et tout et tout. Ça ne veut pas dire que je ne sais pas ce que je veux. Il faut que tu comprennes que l'argent, c'est juste un avantage en plus.

– Tu veux dire que si Chip n'était pas Chip Sutcliffe, tu l'aurais quand même épousé ? S'il ne vivait pas dans un immense appart sur Park Avenue ? S'il n'avait pas une voiture avec chauffeur ? S'il ne pouvait pas t'offrir tous ces cadeaux hors de prix ?

– Ça n'est qu'un des aspects de sa personnalité. Il n'y peut rien. C'est pas pour ça que je l'aime.

– Dans ce cas-là, signe tout de suite.

– Mais j'étais prête à signer! répondit Lola en s'enflammant. J'avais le stylo dans la main. C'est Chip qui m'a arrêtée.

– Pourquoi?

– Parce qu'il a peur que je me sente humiliée. Il veut que sa famille m'accepte comme je suis. Il est prêt à... affronter le pire. Prêt à ce qu'ils lui coupent définitivement les vivres. Je te jure.

Lola semblait tout à fait sincère. Scarlett n'avait jamais douté des intentions de Chip. Seulement de celles de sa sœur.

– D'accord, mais... (Scarlett n'était pas fière d'ajouter ce qu'elle allait ajouter, mais il le fallait)... c'est parce qu'il ne mesure pas les conséquences. Il a encore de solides assises financières. Il ne s'est pas fait virer de la fac. Alors jusqu'à quel point peut-il affirmer que ça ne lui pose pas de problème. Comment réagira-t-il le jour où il n'aura plus un rond?

– Je comprends, j'ai réfléchi à la question. Le pire pour lui, c'est pas l'argent, ce serait d'être désavoué par ses parents. Il se sent déjà méprisé. Par Spencer, par exemple. Et par toute la famille, plus ou moins. Tu n'as rien compris, Scarlett. Sa famille à lui, c'est l'horreur. Il a toujours été jaloux de nous. On s'entend quand même bien. On s'aime. Lui, il n'a jamais connu ça. Il rêve de faire partie de notre famille, mais personne ne lui permet d'y entrer. Sauf Marlène, et encore, parce qu'elle adore le bateau.

C'en était trop pour Scarlett. Les deux sœurs restèrent un long moment muettes, observant les écureuils sautiller, les promeneurs de chien tirer sur leur laisse, et les nounous poussant leur landau. Il commençait à faire un peu frisquet. Scarlett frissonna. Elle aurait dû prendre son manteau. Elle avait froid et elle était un peu perdue.

– Qu'est-ce que tu me conseilles de faire ? poursuivit Lola. D'écouter Chip ? Mais si je refuse de signer, on va penser que je suis intéressée et rien d'autre. Ou je signe ? Chip sera furieux, mais ses parents seront soulagés et peut-être que les choses se normaliseront. Je t'avoue que je ne sais plus quoi faire.

– Qu'est-ce qui est plus important pour toi ? Choisir l'option qui donne l'impression que tu n'en veux qu'à son argent, ou prouver le contraire ?

– Prouver que je m'en fiche.

– Alors, signe.

– Mais il va m'en vouloir à mort.

– Tu es obligée de lui avouer ? Tu peux signer en demandant à ses parents de ne pas le dire à Chip. Comme ça, ils verront que tu te fiches de leur argent, et Chip pensera qu'ils auront changé leur fusil d'épaule.

Lola inclina la tête, signe qu'elle n'avait jamais envisagé cette possibilité. Au fond, elle était fondamentalement honnête. Pas comme Scarlett... finalement.

– Tu veux dire que je lui mens ? demanda Lola.

– Tu ne lui mens pas vraiment. Tu ne lui dis pas...

Scarlett s'interrompit. Elle s'était déjà laissée aller sur cette pente et elle connaissait les problèmes que cela pouvait entraîner.

– Si, vas-y, mens, déclara-t-elle néanmoins.

– Mais il s'agit du... socle de notre mariage.

– Pas du tout. Il s'agit d'une réaction débile de la part des parents Sutcliffe, et Chip s'en est vexé. Tu lui avoueras la vérité plus tard, quand les choses seront plus calmes. Pour l'instant, ils sont tous sur les nerfs, mais ça va forcément s'améliorer.

Scarlett ne savait plus ce qu'elle disait. Les mots sortaient tout seuls de sa bouche. Hélas! Lola était suspendue à la moindre de ses paroles et hochait consciencieusement la tête.

– Tu as raison, conclut-elle. Ils sont trop flippés. Il faut qu'il y ait quelqu'un qui prenne une décision raisonnable. Je suis sûre que dans quelques mois Chip aura tout oublié. Il suffit que je signe, et tout le monde sera rassuré.

– Comme tu veux, répondit Scarlett, reculant légèrement. En fait je n'y connais rien.

Mais l'idée avait fait son chemin dans l'esprit de Lola.

– Il faut que je leur prouve que je me fiche de leur argent, insista-t-elle. En plus, il faut que Chip reprenne ses études. Tu as raison... Je n'y avais pas pensé, mais tu as complètement raison.

Plus sa sœur lui répétait qu'elle avait raison, plus Scarlett prenait ses distances. Au fond, tout ce qu'elle voulait dire, c'était ça: «Les gens sont dingues. Alors un petit mensonge de temps en temps, ça n'est pas très grave.»

– Il faut que je le prouve à tout le monde, renchérit Lola en regardant droit dans les yeux sa sœur. Surtout à toi. Ce n'est pas une question de fric. Tu es la seule à connaître les dessous de l'affaire, mais... je suis contente de t'en avoir parlé.

Tu ne me détestes pas trop ? ajouta-t-elle, au bord des larmes, en prenant la main de sa sœur.

– Quoi ? Euh… non. Non, pas du tout.

Scarlett avait les larmes aux yeux, elle aussi.

– Je n'oublierai jamais les conseils que tu viens de me donner, ajouta Lola. Jamais.

Ce fut un moment exceptionnel de tendresse entre les deux sœurs. Scarlett était tellement soulagée d'être là, à côté de Lola, sûre que toutes deux s'aimaient de tout cœur, qu'elle ne réfléchit pas au fait que sa sœur disait vrai. Lola n'oublierait jamais, et Scarlett n'avait aucune idée de la portée de ce qu'elle venait de dire.

Outrageuse fortune

Le lendemain, quand Scarlett rentra chez elle, elle tomba sur une montagne de sacs de courses et de housses de vêtements dans l'entrée. Jamais elle n'avait vu une telle accumulation d'affaires depuis l'emménagement de Mrs Amberson. Il n'y avait personne à la réception, mais la porte de la salle à manger était entrouverte et on chuchotait à l'intérieur. Elle entra. Ses parents étaient en plein conciliabule avec Lola.

– On a une petite réunion de famille, annonça gaiement Lola. À propos de la soirée de mariage.

– La soirée de mariage ?

La soirée de mariage..., songea Scarlett, voilà qui promettait.

Elle devait avoir lieu au *Point Manhattan*, une boîte privée située sur les toits d'un immeuble du centre-ville. La vue, leur promit Lola, était fabuleuse, et les Sutcliffe avaient décidé de jouer le grand jeu. Un orchestre exceptionnel avait été embauché. Les menus devaient être finalisés dans la matinée. Les fleuristes s'affairaient déjà et commandaient toutes les fleurs dont ils avaient besoin dans les différents marchés de la capitale.

Les parents de Scarlett avaient fait ce qu'ils pouvaient pour que la soirée ait lieu à l'hôtel Hopewell, mais une énorme machine avait été mise en branle face à eux, et il était impossible de l'arrêter. Lola était surexcitée et caquetait comme une poule.

– Viens, s'exclama-t-elle en tirant Scarlett par la manche, j'ai plein de trucs à te montrer !

Elle entraîna sa sœur dans l'entrée et empoigna plusieurs sacs dans chaque main, avant de donner des coups de pied dans un autre pour le pousser devant elle sur le parquet. Scarlett ramassa les derniers sacs.

– Qu'est-ce que c'est que ça ? demanda-t-elle.

– Des affaires pour la soirée de mariage.

– Tu veux dire que...

– Attends, je vais te montrer quand on sera dans notre chambre.

Elles se glissèrent dans l'ascenseur en entassant les sacs autour d'elles et, à peine arrivées à bon port, poussèrent le tout dans le couloir jusqu'à la suite Orchidée. Suivit alors un feu d'artifice de papier cadeau, de papier de soie, de rubans, de couvercles de boîtes... Et quatre immenses housses de vêtements qui furent suspendues aux portes de l'armoire de Lola. Qui donna une petite chiquenaude amusée sur chacune comme pour deviner le contenu suivant le froissement produit.

– Tu as signé, si je comprends bien, dit Scarlett en poussant les paquets pour s'asseoir.

Elle observa cet étrange étalage de faste au milieu de la suite Orchidée. Étrange, mais finalement approprié.

Car, à l'origine, l'hôtel avait été fréquenté par des gens qui ne s'entouraient que des objets les plus raffinés. D'où toutes ces coiffeuses aux tiroirs secrets, ces grandes armoires en bois sculpté, ces chaises tapissées de tissus soyeux, parfaites pour se maquiller en prenant son temps...

À présent, tout ce qu'elle avait en face d'elle témoignait de la fortune des Sutcliffe. Et sa sœur n'avait plus qu'une chose à faire, signer un bout de papier certifiant qu'elle était de leur monde. Scarlett comprit qu'elle était loin de mesurer de telles conséquences la veille. Elle commença à douter de la pertinence de ses conseils. Peut-être que Chip n'avait pas tort. Peut-être que Lola aurait dû résister un peu plus longtemps et ignorer la pression des parents Sutcliffe.

– Je ne comprends pas. Vous avez organisé toute la soirée aujourd'hui ? demanda-t-elle.

– Ils savaient que je signerais, répondit Lola. Mrs Sutcliffe (Anna) a embauché quelqu'un au début de la semaine dernière pour commencer à organiser les choses en douce. Elle a un supercarnet d'adresses et elle organise très souvent des soirées de gala ou des dîners pour lever des fonds, alors inutile de te dire qu'elle connaît les meilleurs fleuristes, les meilleurs pâtissiers et les meilleurs traiteurs de la ville. C'est elle qui a choisi le gâteau...

Elle avait prononcé le mot « gâteau » avec la même inflexion de voix que lorsqu'on prononce les mots « impôt » ou « larguée ».

– Il y a un problème avec le gâteau ? l'interrogea Scarlett.

– Le truc, c'est qu'il est en forme de bateau, plus exactement de leur bateau. Et tu sais bien que j'ai horreur de naviguer.

– Alors pourquoi...

– Parce que... ils sont fous de ce bateau. Et ils croient que c'est ce qui nous a rapprochés, Chip et moi. Il a dû leur raconter notre sortie en mer le soir... le soir de la première d'*Hamlet*. Sa mère sait aussi qu'on a fait un tour en mer avant son départ à Boston. Hier, ils sont même allés prendre des photos pour les remettre à un pâtissier exceptionnel, capable de faire tout ce que tu veux, et tout est comestible. Aucun renfort ni support, ni bouts de plastique. C'est juste un énorme...

– Gâteau en forme de bateau.

– Voilà.

– Le rêve de toute jeune fille.

– C'est un peu obscène. Ça va coûter près de dix mille dollars.

Scarlett fut sans voix. Quant à Lola, elle se mit à fourrager dans les sacs pour se calmer.

– Au fond, c'est pas pour moi qu'ils organisent cette soirée, poursuivit-elle. C'est pour eux, pour en mettre plein la vue à leurs invités et pour officialiser le mariage. Tout ce qu'ils attendent de moi, c'est que je sois une jolie potiche. Heureusement, c'est moi qui ai choisi tous les vêtements que tu vois. À ce propos, tiens, regarde, c'est pour toi.

Elle attrapa une des quatre housses et sortit une robe dont Scarlett vit tout de suite qu'elle lui irait à ravir. C'était une robe en soie bleu nuit, avec un haut ajusté, une jupe ample, et une grande ceinture en soie couleur d'acier qui se nouait devant. Le bas de la robe était orné d'une bande de tulle gris argent.

– Elle fait très Grace Kelly, affirma Lola. Avec tes cheveux, ça va être sublime. Si tu n'aimes pas, je peux la rendre, mais je pense que tu..., j'espère que tu... De toute façon, j'ai une couturière qui peut faire des retouches en vingt-quatre heures, et sur place, pas besoin d'aller dans la boutique. Ceci dit, je connais ta taille, donc je pense qu'elle tombera bien, mais... Tiens, ça, c'est les chaussures... et le sac...

– Je n'en reviens pas.

– Et ça, c'est pour aller avec, ajouta Lola en lui tendant une petite boîte à bijoux bleue qui venait d'un magasin de Madison Avenue devant lequel Scarlett était passée des centaines de fois – sans jamais entrer.

Elle prit la boîte et l'ouvrit avec prudence. Elle découvrit alors une chaîne en platine avec une superbe pierre bleue en forme de cœur.

– C'est un saphir, précisa Lola. Prends-le et mets-le à la lumière. Tu vas voir!

La chaîne étant extrêmement fine, Scarlett la détacha délicatement des petites agrafes qui la fixaient à l'écrin. Elle leva le cœur devant la vitre pour laisser passer la lumière.

– Il est ravissant, non? J'étais sûre que tu adorerais. Sinon, j'en ai d'autres, mais je pensais...

– Combien a-t-il coûté?

– Ne t'inquiète pas. Tu l'aimes?

– Oui, mais... je croyais que tu avais droit à une petite pension...

– C'est autre chose. Allez, essaye la robe! Vite!

Lola tira un petit sac d'un plus grand, dont elle sortit ensuite un petit paquet emballé dans du papier de soie rose.

– Tiens, un soutien-gorge assorti, dit-elle en déroulant le papier.

Scarlett se déshabilla et le mit pendant que sa sœur ôtait délicatement la robe de son cintre. Elle passa ce vêtement autour de la tête de Scarlett qui se perdit quelques instants dans un nuage de soie bleue et de tulle argenté, puis elle le tira d'une main sûre pour l'ajuster sur ses hanches, dans le dos, avant de boucler tout ce qu'il fallait d'agrafes et de fermetures Éclair.

Scarlett jeta un regard dans le miroir légèrement poussiéreux. Topissime! Jamais elle n'avait vu une tenue aussi sublime, à tel point qu'elle avait du mal à croire qu'elle lui appartenait. C'était ce qu'on appelle une robe qui « tombe » parfaitement. Une robe qui témoigne d'un savoir-faire exceptionnel. Une robe dont la soie vous glisse sur la peau et vous métamorphose en une nouvelle personne. Une personne irrésistible, plus sûre d'elle, plus affirmée, plus...

Riche.

– Je n'y crois pas! s'écria Lola en plaquant la main sur la bouche. Je savais qu'elle t'irait bien mais... Mon Dieu! Tu es trop belle!

Scarlett caressa la soie de sa jupe ample.

– J'espère que tout le reste t'ira aussi bien! couina Lola.

Elle tournicota autour de sa sœur un moment, ajustant un petit bout de tissu par-ci, tâtant sa taille par-là, examinant l'ourlet vu du sol, vérifiant l'ajustement des épaules, et jetant un dernier coup d'œil sur la tension du tissu au niveau de la poitrine.

– Tu as un buste plus large que ce que je pensais, conclut-elle en regardant s'il y avait un peu de tissu en rab. Il va falloir élargir un chouia ici. Mais c'est rien.

Elle sortit un gros carnet de cuir bleu ciel, feuilleta plusieurs pages de notes et d'échantillons de tissu, et gribouilla deux ou trois indications.

– C'est juste une soirée, marmonnait-elle comme pour se rassurer. C'est juste une soirée...

– Si ça te stresse à ce point-là, demanda Scarlett, pourquoi tu ne leur dis pas tout simplement non ?

Lola leva les yeux en soupirant.

– Papa et maman m'ont conseillé la même chose, mais... les Sutcliffe ont besoin de marquer le coup. Ils ont besoin de dépenser une fortune et d'inviter la cour et la ville pour prouver que leur fils ne s'est pas enfui avec sa copine. Tout doit être fait dans les règles de l'art. Tiré au cordeau. Comme un spectacle dans lequel je jouerais un rôle muet. Après j'aurai la paix.

– Tu es sûre ?

Lola fut prise de court. Elle n'avait pas prévu la question. Elle ferma brusquement son carnet et attrapa un nouveau sac.

– Bon, poursuivit-elle, où est passé Spencer ? Je voudrais le voir avec ce costume. Je suis sûr qu'il lui ira comme un gant. De toute façon, sa taille de pantalon était sur e-Bay. Regarde !

Elle ouvrit une grande housse de chez Bergdorf qui cachait un costume gris à rayures fines un peu sévère.

– Et ça, c'est pour aller avec, ajouta-t-elle en indiquant

plusieurs sacs. Une chemise, des chaussures, des boutons de manchette. Le costume idéal. Genre, si tu devais en avoir un seul dans ta garde-robe, ce serait celui-là. En plus, je sais qu'il sera superbe sur Spencer, il est tellement grand et élancé ! Il faudra peut-être raccourcir le pantalon d'un centimètre ou deux, et j'ai un peu hésité pour la chemise, vu qu'il a les bras particulièrement longs, du coup j'en ai acheté trois, et on verra celle qui lui va le mieux.

– Je n'ai pas l'impression qu'il soit rentré.

– D'accord, dans ce cas-là, on va appeler... Marlène !

Une telle abondance vestimentaire rendait Lola littéralement folle. Elle avait enfin un but, un domaine qu'elle maîtrisait. Et quelque chose qu'elle pouvait partager.

Elle attrapa la housse destinée à Marlène et courut dans le couloir, oubliant que sa petite sœur lui faisait toujours la tête.

Celle-ci était allongée sur son lit avec une nouvelle biographie de la princesse Diana en main, que manifestement elle ne lisait pas.

– On dirait la princesse Diana en personne, commenta Scarlett, arrivant derrière Lola.

Marlène la fusilla du regard, prête à lui balancer la biographie de ladite princesse en pleine figure. Elle au moins, elle réagissait comme d'habitude, avec sa mauvaise humeur coutumière.

– Je t'ai acheté une robe, annonça Lola.

– Je m'en fous.

Lola accrocha la housse à la porte de l'armoire comme si de rien n'était et l'ouvrit, révélant une jolie robe dans les tons roses qui avait un petit air de danseuse. Marlène leva vaguement les yeux et replongea dans sa biographie.

– Bon ? lança Lola, pleine d'espoir.

– Ça a dû coûter bonbon, lâcha Marlène. Madame se la joue friquée, c'est ça ?

Assez. Les deux sœurs sortirent de la chambre.

Lola insista auprès de Scarlett pour attendre le retour de Spencer, qui, hélas ! réagit comme Marlène. Il jeta un long regard sur le costume déposé sur son lit, demanda s'il y avait un cadavre dans le placard et referma la porte. Lola demeura souriante de bout en bout.

– Demain, annonça-t-elle en s'apprêtant à rentrer, j'ai pris rendez-vous à seize heures avec la couturière. En attendant, tâche de persuader Spencer d'essayer le costume. Je compte sur toi. Tu es la seule dans mon camp.

Elle serra la main de sa sœur en signe de solidarité.

– Pas de problème, répondit Scarlett. Je te promets que je ferai ce que je peux.

Pulsion de violence

C'est Max qui finit par crever l'abcès – enfin ! après cette semaine si éprouvante pour Scarlett. Et il le creva en trois mots.

– C'est qui Eric ? demanda-t-il en biologie le lendemain.

– Quoi ?

– Tu n'arrêtes pas de parler de ce type depuis deux semaines. C'est qui ?

– Un comédien.

– Ah, super ! Il ne manquait plus que ça. Un nouvel acteur dans les parages.

– Comment ça dans les parages ?

– Il est sorti avec Chelsea au théâtre hier soir.

La bombe était lâchée. Miss Fitzweld éteignit les lumières et leur demanda de se concentrer sur l'écran où elle s'apprêtait à projeter des images. Une voix bourdonnait dans les oreilles de Scarlett : Chelsea, Eric, Chelsea, Eric... Comment s'étaient-ils rencontrés ? Cherchez l'erreur...

À force d'observer Sonny Lavinski à l'œuvre, Scarlett avait appris certaines techniques de déduction. Elle avait remarqué, entre autres, que l'inspecteur procédait souvent en remontant en arrière, plus exactement en démontant l'enchaînement des faits. La dernière fois qu'elle avait vu Eric, elle lui avait donné une des invitations que Chelsea lui avait laissées. Voilà le point de départ. Donc... s'il avait utilisé l'invitation, s'il y était allé sans Scarlett..., il était probable que Chelsea ait entendu dire que quelqu'un dans le public était présent grâce à l'une de ses invitations. Ils avaient sans doute fait connaissance après le spectacle. Fait connaissance et... aussitôt eu un coup de foudre réciproque en tant qu'artistes et homologues...

– J'ai l'impression que ça te pose un petit problème ? ajouta Max en se penchant vers elle.

Elle recula brusquement et lui flanqua un bon coup de coude – schack ! – qui le renversa de son tabouret.

En tant que sœur de Spencer, elle avait une certaine expérience en matière d'art de la chute. Il existait mille et une façons de tomber d'un tabouret, d'un banc ou d'une table. Hélas ! Max n'avait nul entraînement dans ce domaine, et encore moins de réflexes naturels. Pour la première fois, elle lut de la surprise dans son regard. Il ouvrit grands les yeux, chancela, s'accrocha au rebord de la table de laboratoire, et s'écrasa par terre de tout son long.

Scarlett lâcha un rire de soulagement pur et dur qui fit le tour de la pièce et mourut soudain, suivi par un long silence, alors que tous les élèves attendaient de voir la suite, chacun appréciant le geste de Scarlett en silence.

– Ça va ? demanda-t-elle.

Max se redressa, raide comme un piquet.

« Il en fait des tonnes », pensait Scarlett.

– Dehors ! déclara Miss Fitzweld. Tous les deux.

Son tabouret parut dix fois plus haut que d'habitude à Scarlett, et le déplacement jusqu'à la porte infiniment long, plombé par le silence épouvantable autour d'elle et les regards de ses camarades qui lui poignardaient le dos. Sans compter sa victime qui la suivait en boitant.

À peine se retrouvèrent-ils dans le couloir, Miss Fitzweld sortit de la salle et les interrogea, très calmement :

– Qu'est-ce qu'il se passe ? Scarlett, s'il te plaît, ne me dis pas que c'est toi qui l'as renversé de son tabouret. Parce que ça s'appelle une tentative d'agression. Autrement dit trois jours de renvoi obligatoire et passage en conseil de discipline, suivi par une série de mesures désagréables que je n'ai aucune envie de passer en revue devant toi.

Ça devait arriver. Scarlett avait craqué, cogné Max, et tout le monde avait été témoin de la scène.

– On est tous les deux responsables, intervint Max.

Scarlett pivota plusieurs fois sur place. Rêvait-elle ? Avait-elle bien entendu ?

– Comment ça, tous les deux ? reprit Miss Fitzweld.

– On était en train de blaguer et je suis tombé, poursuivit Max. J'essayais de la pousser, elle essayait de me pousser... C'est elle qui a gagné.

Miss Fitzweld comprit que c'était un mensonge. De même que Scarlett. Max était en train de lui tendre la main, mais c'est justement ce dont elle avait peur. Il lui darda un regard noir comme pour la défier de dire le contraire.

– D'accord, conclut Miss Fitzweld. Voilà ce que je vous propose. Toi, Biggs, tu files chez l'infirmière pour vérifier que tu n'es pas blessé. Ensuite tu reviens dans la salle. J'y serai parce qu'il faut que je travaille sur place pour préparer votre prochain examen. Toi, Scarlett, tu y retournes tout de suite. Comme ça vous me tiendrez compagnie, quel que soit le temps dont j'aurai besoin. Trois ou quatre heures de colle un vendredi après-midi me paraît amplement suffisant pour chacun.

Tous trois rentrèrent dans la salle. Un chuchotement lourd de tension les accueillit. Tous les élèves pensaient que les deux «coupables» avaient écopé d'une punition atroce. Et tous, sauf Dakota, eurent l'air déçus quand ils virent Scarlett et Max reprendre simplement leur place.

À peine le cours fini, Dakota se précipita vers son amie, mais Miss Fitzweld lui fit signe de sortir.

– Vous avez de la chance, je suis d'humeur indulgente, expliqua Miss Fitzweld, je n'appellerai donc pas chez vous. Vous avez cinq minutes pour le faire. Tout de suite. Ensuite je vous demande de me remettre chacun votre portable.

– C'est bon pour moi, répondit Max après avoir bafouillé quelques mots au téléphone.

Scarlett, elle, appela Lola.

– Salut, Lola! Écoute, je suis désolée, mais je ne pourrai pas être là pour l'essayage...

– Comment ça?

– Je suis collée.

– Tu es... quoi? Collée?

– Je te raconterai. Je rentrerai le plus tôt possible.

– Vers quelle heure exactement?

– Aucune idée, répondit Scarlett en jetant un regard perplexe à son professeur. Six heures ? Sept heures ?

Miss Fitzweld hocha la tête sans lever les yeux.

– Mais la couturière sera partie !

– Lola, je suis désolée, je n'y peux rien.

– D'accord. Oh, après tout, le haut de la robe te va bien. Dis-moi franchement, tu avais l'impression d'exploser ou non ?

– Ce n'est pas vraiment le moment d'en parler, répondit sa sœur en jetant un coup d'œil sur Max.

Son portable résonnant légèrement, et vu la façon dont il se retourna, il entendait sans doute une partie de leur conversation.

– Ne t'inquiète pas, tout va bien, conclut-elle.

Elle raccrocha et remit son portable à Miss Fitzweld.

– Bon, fit celle-ci. Puisque vous êtes tous les deux sur place, profitez-en pour travailler et préparer le prochain devoir sur table. Je vais être obligée de sortir régulièrement de la salle, mais le moniteur du couloir prend le relais pour vous surveiller ; alors je vous préviens, si vous faites les quatre cents coups, ça risque de barder. C'est clair ? Je vous abandonne pour aller dans la salle des professeurs. N'oubliez pas, j'ai été particulièrement indulgente avec vous.

– Hep ! appela Max à peine Miss Fitzweld eut-elle tourné les talons. Tu sais qui serait ravi d'apprendre ce qu'il vient de se passer ? *Spies of New York*. La sœur de l'assassin de Sonny Lavinski surprise en train d'agresser son voisin... Les mecs sont obnubilés par *Crime et Châtiment*.

Scarlett plongea la tête contre la surface dure et froide de la paillasse de laboratoire. Elle n'en pouvait plus. Elle avait atteint le point de non-retour. Elle était prête à éclater en sanglots, là, sur place, mais c'est tout ce qu'elle redoutait.

Elle entendit son ennemi s'approcher. Et s'asseoir à côté d'elle.

– Fous-moi la paix, croassa-t-elle.

Max ne fit pas un geste. Il demeura immobile à ses côtés, et peu à peu elle fut rassurée. Il n'avait pas l'intention de la harceler. Elle finit par lever la tête, une boucle de cheveux plaquée sur le front, et croisa son regard. Il prit son stylo et commença à dessiner des petites étoiles noires sur son poignet.

– C'est quoi ton problème? lui demanda-t-il très posément.

Il continua à dessiner des étoiles, levant de temps à autre les yeux sur elle sous sa tignasse de cheveux savamment décoiffée, façon rock-star. Il ne demandait qu'une chose: tout effacer et remettre le compteur à zéro. Qu'elle était bête!

Une fois n'est pas coutume, elle décida de lui avouer la vérité. Pas toute la vérité. Rien sur Eric. Mais l'autre partie de la vérité. Au point où elle en était, qu'avait-elle à perdre?

– Ma sœur s'est enfuie à Las Vegas et elle s'est mariée avec son copain là-bas. Elle a dix-huit ans. Elle n'est pas amoureuse de lui. Voilà ce qui me chiffonne, puisque tu veux tout savoir.

Il déposa le stylo.

– Elle est enceinte?

L'était-elle? Non, elle le lui aurait dit. Lola était du genre à avouer ce genre de choses.

– Non, répondit Scarlett.

– Alors pourquoi ?

– Aucune idée. Sans doute parce qu'elle était angoissée.

– Qu'est-ce qui l'angoisse ?

– La vie.

Max hocha la tête et s'amusa à tenter le diable en introduisant un bout d'ongle dans la prise électrique de la paillasse.

– Ça me connaît, le genre famille, je vous hais, dit-il. Mais tu sais quoi ? Tu ne peux rien y faire.

– Mais j'aime bien ma famille, moi !

Des voix retentirent dans le couloir. Vite, il bondit du tabouret et sautilla jusqu'à sa place, se rasseyant juste au moment où Miss Fitzweld rentra avec un grand café et plusieurs épais dossiers. Elle jeta un œil suspect sur Max.

– Tu en es où ? demanda-t-elle, devinant qu'il y avait eu du mouvement.

Il agita son cahier vers elle et recommença à dessiner sur son poignet.

Il était presque six heures et demie quand elle les relâcha. Scarlett quittait rarement le lycée à la tombée de la nuit. Dehors, le ciel vibrait de couleurs de feu : un immense éclair orangé brillait au-dessus des immeubles et de Central Park. Il faisait un peu frisquet. Scarlett croisa les bras contre son manteau. Il était trop tard pour qu'elle traverse le parc toute seule. Quand soudain, comme par hasard…

– Tu vas jusqu'où à pied ? lui demanda Max, l'air de rien.

– Jusqu'à la Quatre-vingt-sixième. Mais je vais prendre le bus.

Max avait au moins un avantage, il ne se croyait pas obligé de parler pour combler le silence. C'est ainsi qu'ils marchèrent – sans échanger un mot. Elle ne savait pas jusqu'où il comptait l'accompagner, mais elle s'en fichait. Ils avançaient, leur pas régulier retentissant sur le trottoir tandis qu'ils longeaient les hauts immeubles qui bordaient le nord de Central Park, croisant portiers et passants hâtant le pas pour rentrer et profiter chez eux de cette soirée de début d'automne.

Au bout d'un moment, Scarlett se dit que ça ne pouvait pas lui faire de mal de se confier un peu plus. « Famille, je vous hais », manifestement, c'était un terrain familier à Max.

– Les nouveaux... euh... beaux-parents de ma sœur ont organisé une énorme soirée demain soir. Dans une boîte superchic, le *Point Manhattan*. Je suis obligée d'y aller et d'être souriante, parce que je suis la seule de la famille qui lui adresse encore la parole.

– Pourquoi tu ne sèches pas ?

– Je ne peux pas.

– Pourquoi pas ?

– Parce que... c'est impensable.

– Tu y vas avec qui ?

– Comment ça, avec qui ?

Vu l'ambiance, jamais elle n'aurait imaginé se rendre à la soirée de mariage de sa sœur avec quelqu'un.

– Je n'ai personne avec qui y aller. En tout cas pas en ce moment, vu que ta sœur...

Elle s'interrompit soudain. Prudence.

– Tu n'as qu'à y aller avec moi, répondit très naturellement Max. J'adore observer les gens dépérir. Je suis le cavalier qu'il te faut.

Scarlett ne put s'empêcher de rire. Max avait raison. Il serait le cavalier idéal. Elle avait appris en cours d'histoire qu'à une époque on embauchait des gens pour pleurer les morts et avoir l'air affligé au cours des funérailles. Alors, pourquoi ne pas embaucher Max et lui demander d'avoir l'air éploré lui aussi ? Ça leur ferait la peau, aux parents Sutcliffe.

– Tu as raison, répondit-elle. Tu serais parfait dans le rôle. Je suis sûre que tu adores les mondanités.

Ils n'étaient plus très loin de la Quatre-vingt-sixième quand un bus ralentit devant l'arrêt le plus proche. Scarlett piqua un sprint et sauta dedans. Elle se retourna pour voir si Max l'avait suivie, mais il était immobile, pile là où elle l'avait planté. Il leva une main paresseuse pour la saluer et elle fit de même. Le bus repartit mais il ne bougea pas d'un pouce, regardant vaguement le trottoir à ses pieds. Il avait l'air brusquement perdu, comme s'il avait oublié comment rentrer chez lui.

Grand raout au Point Manhattan

Scarlett paressait sur son lit et observait une tache jaunâtre de plus en plus menaçante au plafond, qui se dirigeait de son côté. Au fond, qu'est-ce qui l'empêchait de s'installer dans le lit de Lola ? Histoire de ne plus avoir à dormir sous cette tache immonde ?

Non. Impossible. C'était le lit de Lola. Sa place à elle, c'était ici, du côté de la fenêtre. C'est ainsi que leur univers avait été partagé depuis toujours et c'est ainsi qu'il devait le demeurer.

Dans la salle de bains, quelqu'un prenait une douche qui n'en finissait pas. Bientôt Lola allait rentrer se changer pour la soirée de mariage. Elle avait rendez-vous dans un salon de beauté pour se faire coiffer, maquiller et vernir les ongles. Scarlett avait eu droit à la même invitation – une matinée entière dans un des spas les plus chics de la ville, avec une kyrielle de gens s'affairant autour d'elle tout en lui proposant des petits-fours. Niet. Elle avait refusé l'invitation. Elle préférait traînasser dans sa chambre, le regard rivé sur cette tache.

Elle songea qu'il faudrait peut-être qu'elle descende pour voir si Marlène était habillée. Sa mère était sans doute déjà passée vérifier, mais c'était son rôle de grande sœur, maintenant qu'elle était plus ou moins la fille aînée de la maison. Une promotion peu bienvenue, qui ne lui apporterait que des inconvénients et davantage de travail. Elle prit son courage à deux mains et sortit.

Marlène était assise sur son lit, fin prête, alors qu'il leur restait deux heures avant d'y aller. Elle se brossait les cheveux, ou plutôt, elle se poignardait le crâne à coups de brosse.

– Elle est jolie, ta robe, fit Scarlett en entrant.

Le fait est qu'elle était jolie. Mais Marlène avait un air de petite fille modèle qui devait la rendre folle de rage. Elle aurait sans doute préféré une tenue avec un ceinturon et un colt.

– Elle me serre, dit-elle.

– Tu veux que je t'aide?

– Elle ne me va pas trop mal?

– Tu veux dire par rapport à tes cheveux?

– Non.

Scarlett s'en tint là. Elle rentra dans sa chambre, remarquant au passage que la douche était libre. Spencer venait de finir, elle pouvait y aller. Dieu merci, il y avait encore de l'eau chaude, qu'elle utilisa jusqu'à ce qu'elle devienne glaciale, une demi-heure plus tard. Elle retourna dans sa chambre, enroulée dans une grande serviette, et tomba sur Lola.

Lola avait un atout par rapport à quatre-vingt-dix pour cent de la population : même les mauvais jours, elle avait l'air impeccable, et toujours aussi ravissante. Mais cet après-midi, en dépit de sa coiffure sublime, il faut bien avouer que son maquillage était beaucoup trop épais et la vieillissait. Heureusement elle avait l'œil (c'était une des meilleures maquilleuses quand elle travaillait chez Henri Bendel), et elle était déjà en train d'en retirer une partie. Scarlett fut surprise qu'elle ait accepté que quelqu'un touche à son visage.

– J'aurais dû m'en douter. Je vais tout enlever et j'improviserai. Je peux utiliser ton démaquillant ? Je n'ai pas mes produits avec moi.

Scarlett lui passa sa trousse sans un mot.

– Comment ça va ? demanda Lola, travaillant ses joues en opérant de soigneux massages circulaires.

Scarlett haussa les épaules.

– Ton portable a sonné pendant que tu étais sous la douche.

Scarlett prit son téléphone. Elle avait beau avoir effacé le numéro d'Eric de son répertoire, elle l'identifia aussitôt. Elle écouta le message en se détournant de Lola.

« Salut, c'est moi. J'avais juste envie de parler ; alors, si tu as ce message, est-ce que tu pourrais me rappeler ? »

Elle faillit éclater de rire. C'était le pompon. Il l'appelait pour lui annoncer qu'il avait fait connaissance de Chelsea le jour du mariage de sa sœur ! Elle fourra son portable sous ses couvertures et regarda sa sœur enfiler délicatement sa tenue. C'était une longue robe couleur crème, avec un profond décolleté en V rehaussé par de subtiles touches bleutées. Le drapé tombait parfaitement sur sa silhouette et caressait le sol, telle la toge d'une déesse grecque. Une vraie robe de mariée. Scarlett en était témoin. La vérité était là, incarnée face à elle dans toute sa splendeur.

– Allez, dit Lola, à toi, je vais t'aider à te préparer.

Scarlett se laissa faire, non seulement pour la robe, mais pour la coiffure et le maquillage.

– Regarde, dit sa sœur, les yeux brillants, regarde-toi deux secondes dans le miroir.

Elle tourna sa sœur vers leur vieux miroir légèrement déformé et tacheté. Lola avait choisi pour Scarlett une nuance bleue absolument idéale, qui faisait ressortir ses cheveux comme une couronne d'or. En outre, la robe mettait en valeur ses formes comme aucun vêtement jusqu'ici. Sous les rayons de lumière filtrant à travers la fenêtre devant laquelle tournoyaient des flocons de poussière, alors que l'après-midi était une des plus étranges et vides de sa vie, Scarlett se sentait métamorphosée. Elle aurait tant aimé qu'Eric la voie ! Il aurait aussitôt regretté son comportement.

– Il faut qu'on commence à y aller, dit Lola.

Scarlett prit sa pochette argentée mais elle n'avait rien à y mettre. Elle n'avait pas besoin de clé ni d'argent. Elle attrapa un bâton de rouge à lèvres et elle allait prendre son portable quand elle se retint. Elle le laissa sur son lit. À quoi bon ?

Une immense limousine avait été commandée, qui devait passer prendre les six membres de la famille Martin au pied de l'hôtel.

– Total kitsch, lâcha Spencer en voyant la limousine se garer.

Son costume lui allait à ravir. Lola avait décidément un œil de pro.

– *Dixit* notre star de la télé, ajouta leur père.

– Je n'ai jamais craché sur le kitsch, se défendit Spencer. Je suis étonné qu'il nous envoie une bagnole pareille. J'imagine que c'était la seule voiture assez grande pour contenir toute la famille.

– Ils auraient pu nous envoyer un break, objecta Scarlett. Ou un minibus.

Cinq minutes à peine et ils y étaient. L'immeuble était situé en face du Rockfeller Center, et presque aussi haut et impressionnant que ce gratte-ciel mythique. Derrière un cordon de velours, une rangée de personnel à l'air revêche les accueillit devant un des ascenseurs, prenant les manteaux des invités et cochant le nom de chacun sur une longue liste. Scarlett reconnut vaguement quelques têtes parmi les jeunes qui attendaient devant eux. Tous étaient habillés un peu dans le style de Chip, sauf les filles. On pouvait quasiment lire le prix sur les étiquettes de leurs vêtements.

Lola avança pour prendre la tête de la famille Martin. Elle prononça un mot, et le cordon de velours fut aussitôt mis de côté pour les laisser passer. L'employé de l'ascenseur fit entrer Lola, Scarlett et Spencer, mais il n'y avait pas assez de place pour tout le monde.

– On prendra le prochain, dit leur père.

Les portes se refermèrent, et une voix préenregistrée un peu trop forte leur souhaita la bienvenue au *Point Manhattan*. La lumière diminua pour laisser place à une lueur verdâtre projetée d'en haut. Scarlett leva les yeux et vit que le plafond de l'ascenseur était entièrement en verre, si bien qu'on voyait les câbles et les étages traversés à mesure que l'engin fusait à travers le conduit noir.

La voix préenregistrée leur vantait les merveilles qu'ils s'apprêtaient à découvrir en arrivant au sommet. Scarlett, facilement sujette au mal de cœur, avait les yeux rivés sur les rayures du costume de Spencer. L'ascenseur, bien que dix fois plus performant que leur vieil appareil qui grinçait, était trop moderne pour elle.

– Salut, Lola, lança une voix teintée de sarcasme. Pas mal, ta robe.

– Je te remercie, Boonz, répondit froidement Lola.

Boonz, l'ennemie absolue, était donc dans l'ascenseur avec eux. Scarlett aurait voulu voir à quoi ressemblait cette peau de vache, mais elle n'avait pas le courage d'abandonner l'examen du tissu de la veste de son frère.

– Je n'arrive pas à croire que vous vous êtes mariés, ajouta Boonz.

– Désolée, mais faudra t'y faire.

Un des garçons qui accompagnaient Boonz émit un léger hennissement. Pourquoi ? Scarlett n'en avait aucune idée. Son frère se retourna pour voir ce qu'il se passait. Et mince ! Elle ne pouvait plus se concentrer sur son costume pour ne pas flancher.

– Dis-moi, tu ne serais pas le mec de..., lança une nouvelle voix de fille encore plus sarcastique.

– Si, répondit Spencer.

– Mariés..., reprit Boonz. En plus il va falloir que je vous dégote un cadeau.

– Ta présence à cette soirée est amplement suffisante, répliqua Lola d'une voix douce.

– Je te remercie. De toute façon, j'imagine que vous n'avez besoin de rien. Vous êtes comme des coqs en pâte, non ?

Heureusement l'ascenseur ralentit, avant de produire une petite secousse, signe d'arrivée. Scarlett était coincée derrière Lola, qui sortit d'un pas ample et majestueux. Elle fit un pas de côté pour ajuster sa robe une dernière fois, laissant passer Boonz et sa clique qui ricanaient.

– Ce ne serait pas la bande de copains de Chip, par hasard ? murmura Spencer.

– Tu as vu à quoi on a échappé ? Lola aurait pu épouser un de ces nazes ! répondit Scarlett.

Lola cessa enfin ses prétendus ajustements et afficha un sourire parfaitement serein.

– Je préfère qu'on attende papa et maman, et Marlène, dit-elle.

Scarlett ne se faisait pas d'illusions. Sa sœur était sur les nerfs, et ce face-à-face imprévu dans l'ascenseur avait dû la bouleverser.

Quelques instants plus tard, leurs parents et Marlène les rejoignirent. Toute la famille avança jusqu'au fond du vestibule. Face à eux se dressait un grand mur de cristal illuminé en rose par une myriade de bougies placées de l'autre côté. La salle protégée par ce mur était une immense galerie circulaire, tellement grande que les dimensions étaient difficiles à évaluer. Des dizaines de tables ornées de bougies et de fleurs blanc crème étaient disposées là. De grandes baies vitrées offraient une vue exceptionnelle sur le sommet des gratte-ciel, et une paroi de verre laissait deviner un jardin sur les toits... (Cela dit, on était loin de la dame nue sur la terrasse, voisine de l'hôtel Hopewell.) L'ensemble fleurait plutôt la galerie des Glaces, au château de Versailles. Il y avait également une estrade sur laquelle un orchestre de jazz se tenait prêt à jouer face à une vaste piste de danse. Une armée de serveurs s'affairaient, passant des plateaux de cocktails aux couleurs pastel et des petits-fours assortis que Scarlett aurait eu du mal à identifier. Seule une poignée d'invités étaient arrivés.

– Lola !

Un couple s'approcha d'eux. Bien qu'elle ne les ait jamais vus, Scarlett ne s'y trompa point. Elle, Mrs Sutcliffe, avait les cheveux d'un brun profond, coupés en un dégradé mi-long un peu sévère, et un visage étonnamment sympathique, dont la peau ne semblait pas tout à fait épouser le crâne. On aurait dit qu'elle avait un masque un peu étroit retenu quelque part à l'arrière par un élastique. Elle portait une robe noire très simple, à la coupe irréprochable, avec un collier de grosses perles blanches dont chacune avait la taille d'une boule de chewing-gum. Mr. Sutcliffe, lui, avait quelque chose du renard argenté, avec son costume gris et sa peau ultra-bronzée, tendue comme du cuir de chaussure. Leur fils ne ressemblait ni à l'un ni à l'autre.

– Jésus Marie Joseph ! Tu es sublime ! s'écria Mrs Sutcliffe en jaugeant sa nouvelle belle-fille comme un cheval en vente.

Il est vrai que, pour qui ne souhaitait qu'un bon patrimoine génétique et une jolie potiche à exposer, Lola faisait l'affaire. Curieusement, Mrs Sutcliffe avait la voix très grave. Si Scarlett l'avait eue au téléphone, elle l'aurait prise pour un homme. Et barbu.

– Chip est dans le fumoir. Il t'attendait pour faire son entrée, annonça Mr. Sutcliffe.

Lui aussi s'exprimait avec une indéniable virilité, mais comme s'il était légèrement pompette. Pas vraiment ivre, mais sa voix fleurait le bon whisky, suave et hors de prix – un ou deux verres, pas plus. À vrai dire, il n'était sûrement pas éméché, mais tellement friqué que c'était sa façon de l'exprimer, conclut Scarlett. Il offrit son bras à Lola et disparut avec elle.

– Venez voir le gâteau, leur proposa Mrs Sutcliffe de sa voix grave.

Le fait est qu'il y avait au bord de la piste de danse une espèce de sculpture qui ressemblait à une grosse maquette de bateau. Longue, noire, extrêmement soignée, avec tous les détails, y compris les bouées de sauvetage. Un truc immonde, vraiment ignoble.

Spencer se lécha les babines en souriant, mais s'abstint de tout commentaire.

– Un bateau ! s'extasia leur mère. Quelle idée originale !

– Oui, c'est notre bateau. Mon mari et moi, nous avons voulu faire plaisir à Chip et Lola, car ils y sont très attachés.

Les parents Martin admirèrent le fameux bateau, main dans la main en signe de solidarité. C'était typique chez eux, ce genre de geste légèrement cucu. D'habitude c'était un peu répugnant, mais ce soir-là, « ce main dans la main » était plutôt le signe de leur profond malaise.

– Je vous ai réservé une table un peu plus loin, ajouta Mrs Sutcliffe en les entraînant… pas vraiment au centre.

La table en question était même nettement de côté, près du buffet de sushis.

Là-dessus, leur charmante hôtesse les abandonna sans plus de façons. Il ne leur restait plus qu'à regarder le défilé des nouveaux invités chiquissimes et un tantinet guindés qui se précipitaient sur les Sutcliffe.

– Il n'y a que des vieux, marmonna Marlène.

Soudain, Mrs Amberson apparut, vêtue d'une extraordinaire robe longue de lamé or, glissant vers eux d'un pas gracieux. La mère de Scarlett l'accueillit poliment mais chaleureusement, soulagée par l'arrivée d'un nouveau membre venu renforcer leur équipe.

– Vous aimez ? demanda Mrs Amberson en caressant ses hanches. J'avais peur de ressembler à un Oscar, mais mon cher Billy, plutôt avare de compliments, m'a dit qu'elle était sublime. J'ai toujours pensé qu'il faut avoir des amis honnêtes et francs, et pas seulement des amis qui ne vous disent que ce que vous rêvez d'entendre. À propos d'amis... O'Hara, je suis tombée sur un jeune homme au rez-de-chaussée à qui les hôtesses cherchaient des poux parce qu'il n'avait pas d'invitation. Je suis montée avec lui.

– Un de mes... ?

Max ! qui s'avançait en ce moment même vers elle, affichant exactement la même expression qu'en biologie. Il n'avait pas fait le moindre effort pour s'arranger. Ses mèches rebelles flottaient autour de sa tête, telle une tignasse de rock-star. Il portait un costume avec une cravate mal nouée et des baskets.

– C'est moi, annonça-t-il en arrivant à la table des Martin.

Scarlett ne pouvant décemment pas lui balancer « Qu'est-ce que tu fous ici ? », elle se contenta d'un vague sourire. Loin de se démonter, Max justifia aussitôt sa présence inattendue.

– C'est Scarlett qui m'a invitée quand on était en colle, hier.

Quoi ? Il était fou ? Jamais elle ne l'avait invité. Elle avait juste lancé une petite vanne. Une vanne, pas une invitation officielle pour la soirée de mariage de sa sœur.

Toute la famille Martin se tourna vers Scarlett en entendant le mot « colle ». Mais au point où ils en étaient, ils abandonnèrent, repoussant la discussion à plus tard.

– Si tu nous présentais ton ami ? suggéra la mère de Scarlett.

– Je vous présente Max. Max Biggs.

– Le frère de l'autre ? réagit Spencer. L'autre cliente de…

– Chelsea, précisa Mrs Amberson.

– Marlène, intervint leur père, déplace-toi un peu pour que Max puisse s'asseoir à côté de Scarlett, s'il te plaît.

Loin de rouspéter, Marlène semblait ravie, les yeux rivés sur ledit Max, inconnu au bataillon et surgissant comme un diable, et lié à une histoire de colle avec Scarlett. Elle se déplaça aussitôt de côté. Une ronde de présentations rapides suivit.

– Alors, tu es un des camarades de classe de Scarlett ? commença la mère de Scarlett.

– On partage notre paillasse de laboratoire en biologie, répondit Max en posant sa serviette sur ses genoux.

– Pourquoi vous avez été collés ? poursuivit Marlène. Vous avez triché ?

– Non, répliqua Max. Tentative d'agression.

Mrs Amberson ne put s'empêcher de glousser. Spencer, manifestement mal à l'aise, jeta un coup d'œil discret sur Max pour évaluer l'intrus.

– Tu nous expliqueras ce qu'il s'est passé plus tard, ma chérie, ajouta leur mère en tâchant de ne pas perdre son sang-froid. (Il faut bien avouer que ses nerfs étaient mis à rude épreuve.)

– Je peux vous répondre tout de suite, insista Max en se penchant en arrière pour que le serveur puisse passer les entrées (« une salade au chèvre chaud "roulé dans la cendre" », annonça celui-ci). Elle m'a renversé de ma chaise, précisa Max.

– Chut ! fit Marlène.

Le père de Scarlett était accablé.

– C'était un accident, corrigea Scarlett.

– Ouais, ajouta Max en plantant sa fourchette dans son assiette. Un accident, mais pas vraiment discret ; du coup, on s'est tous les deux chopé une colle.

Une fois de plus, Max était venu à son secours, songeait Scarlett. Et ses parents avaient l'air de tout gober. En revanche, Marlène et Spencer n'y croyaient pas une seconde. Qui sait comment ils allaient réagir ? Car tous deux avaient le sang chaud.

– D'après ce que m'a dit ta mère, tu suis aussi des études artistiques, intervint Mrs Amberson. Tu es musicien ?

– Nan, répondit-il, la bouche pleine.

Puis il se tut. Mrs Amberson en profita pour mobiliser la parole un long moment. Après la salade de chèvre chaud, suivit une ribambelle de plats tous plus sophistiqués les uns que les autres, accompagnée par un changement permanent de verres et de couverts, et d'ajustement de vins. Les plats étaient impressionnants : pigeon rôti et laitue braisée, flétan et œufs de caille pochés, assortiment d'artichauts violets, de lardons, de foie gras et d'échalotes marinées... Il n'y avait pas un plat qui n'ait « son » velouté, « son » confit ou « son » émulsion. Les deux serveurs attachés à leur table tournoyaient autour d'eux, déplaçant toujours les accessoires au moment où Scarlett s'y attendait le moins. Comme s'ils n'étaient là que pour semer la confusion dans l'esprit des invités, un peu nerveux, hésitant avant d'oser le moindre geste. L'orchestre jouait une douce musique de fond, égrenant des mélodies de toujours et de vieilles chansons de Sinatra.

– On se fait chier, lâcha Marlène.

– Je t'interdis de parler comme ça ! la corrigea sa mère, sans conviction.

Sous la table, la jambe de Max cogna brusquement celle de Scarlett. Elle ne se fit pas d'illusions. Ça n'avait rien d'un accident. Surtout quand il recommença. Il était donc venu pour se venger et pour lui déclarer une guerre de jambes le soir du mariage de Lola ? O.K. Il allait voir ce qu'il allait voir. Elle enroula discrètement une fourchette dans sa serviette sous la table, prête à l'attaque. Max demeura de marbre, mais à la façon dont il recula brusquement, elle comprit qu'elle avait gagné. Pas au point de le blesser, mais juste assez pour qu'il capte le message.

Quant à Spencer, pas bête, il avait deviné leur petit jeu et jeta un regard à sa sœur qui signifiait : « Qu'est-ce que tu fiches ? » Elle se contenta de secouer la tête.

L'orchestre entonna une mélodie un peu plus enlevée, une version swing de «Cabaret».

– Ça me rappelle une nuit au Studio 54, ne put s'empêcher de commenter Mrs Amberson. Liza Minelli venait d'enlever son…

La famille Martin, un peu élargie, formait un îlot au milieu d'un océan d'étrangers. C'était pourtant la famille de la mariée, mais ils étaient perdus au milieu d'une foule de banquiers, de politiciens, de membres de la haute qui se connaissaient et avaient mille propos à échanger. De l'autre côté de la salle trônaient Chip et Lola, assis seuls à table. Les amis de Chip n'arrêtaient pas d'aller le voir pour bavarder avec lui. Lola, elle, observait cette immense pièce, posant souvent son regard sur les siens et croisant celui de Scarlett en essayant de sourire.

– … moi j'ai dit oui, on pouvait sûrement faire entrer le cheval. Sûrement pas par la salle de bains, mais plutôt par les éviers et…

Les deux serveurs revinrent une énième fois, cette fois-ci en les menaçant de gigantesques raviolis à l'ananas servis dans un sirop mentholé. L'orchestre passa à la vitesse supérieure, comme pour signaler que le bal pouvait commencer. Scarlett vit l'un des serveurs attraper son collègue par la manche en montrant du doigt Spencer. Suivit un échange de chuchotis, de hochements de tête et de regards furtifs.

– Tu as des fans, murmura Max en se penchant vers Spencer, la fourchette plantée dans un gros ravioli.

Spencer fusilla du regard les deux serveurs, qui, paniqués, se concentrèrent sur de nouvelles assiettes à empiler sur leur plateau.

– Il n'y a pas qu'eux, ajouta Max. Les gens qui sont derrière toi, là, te zyeutent depuis le début du dîner et prennent des photos dans ton dos avec leur portable. C'est le prix de la gloire, non ?

– Il faut que j'aille... quelque part, répondit Spencer en se levant.

De nombreuses têtes se tournèrent pour le suivre du regard alors qu'il traversait la salle pour regagner le vestibule.

– Désolé, fit Max.

– Ce n'est pas de ta faute, le rassura la mère de Scarlett.

– Je crois que je connais ce type, là-bas, dit Mrs Amberson en indiquant un homme un peu plus âgé en costume (comme tous les hommes autour de lui). Ça m'agace, je ne sais plus où je l'ai vu. Excusez-moi.

Le dîner achevé, tout le monde se leva pour aller errer dans la salle, jusqu'au moment où les parents Sutcliffe proposèrent aux parents Martin de les suivre.

– On peut vous laisser ? demanda leur père à la petite troupe.

– Pas de problème, répondit Scarlett.

– Je parie que c'était pas un accident, reprit Marlène dès que ses parents se furent éloignés. Le jour où elle t'a cogné, je veux dire.

– Non, admit Max. C'est elle qui m'a renversé.

– Qu'est-ce que tu as fait ?

– Rien.

– Il ment, intervint Scarlett.

– J'ai eu un cancer, ajouta Marlène.

– Quel type ?

– Leucémie.

– Tu es guérie ?

– Oui. Quand tu disais que tu n'étais pas musicien, tu mentais aussi ?

– Ouais.

– Vous voulez peut-être que je vous laisse seuls ? lança Scarlett.

– Si tu allais retrouver Spencer ? répliqua Marlène.

– O.K., répondit sa sœur en se redressant, abandonnant la seule place qui lui semblait plus ou moins sûre dans cette vaste salle. Amusez-vous bien.

– T'inquiète, répondit Max. J'ai plein de trucs à raconter à ta petite sœur.

Les yeux de Marlène brillaient comme jamais. Elle était amoureuse. Pauvre Scarlett ! Il ne manquait plus que ça.

Danse macabre

Scarlett trouva Spencer assis devant l'un des bars installés autour de la salle. Il avait volontairement choisi l'endroit le plus sombre et le plus reculé. Il avait en face de lui un grand verre à vin plein de... rien, sinon des cerises à la liqueur d'un rouge inquiétant. Et il était en train de descendre tranquillement le petit tas de cerises, relâchant les queues une par une après avoir mangé les fruits.

– C'est qui ce mec, nom de Dieu ? Ton cavalier ?

– Un certain Max, que je n'ai jamais invité.

Le barman s'approcha pour retirer le verre de cerises mais Spencer l'en empêcha.

– Elles sont à moi, se défendit-il. C'est mon trophée. Laissez-les-moi et apportez-m'en de nouvelles.

– Très bien, monsieur.

Spencer balança trois cerises dans sa bouche pendant que le serveur s'éloignait.

– Qu'est-ce que tu fiches ? demanda sa sœur.

– J'ai décidé de bouffer toutes les cerises – je dis bien

toutes. Ils en ont des pots entiers sous le bar, je te jure que je suis chiche. Sinon je dévore tous les petits parapluies en papier.

Les nouvelles cerises apparurent. Spencer plongea la main dans sa poche, sortit son porte-monnaie et déposa un billet de vingt dollars dans la coupelle de pourboire.

– Tu comptes passer la soirée au bar ? demanda Scarlett.

– Qu'est-ce que tu veux que je fasse ?

Un début d'agitation avait lieu sur la piste de danse. Un long murmure parcourut la foule des invités : Mr. Sutcliffe était en train de... non pas tirer, mais forcer par la main sa belle-fille pour qu'elle danse. Et la pauvre Lola résistait, tout sourires, parfaitement polie, tout en sachant qu'elle n'y échapperait pas.

– Oh, non ! s'exclama sa sœur.

L'orchestre, compatissant, entonna une version ralentie de « You Are The Sunshine of My Life ». Chip et Lola étaient là, seuls au milieu de la piste, quand celle-ci agrippa le bras de son jeune mari, et tous deux commencèrent à chalouper avec maladresse au rythme de la musique.

Il faut bien avouer que le spectacle valait son pesant d'or, car Lola était infichue de suivre la cadence. Et la bande de copains de Chip ne se privaient pas de ricaner dans son dos.

– Je croyais que tu lui avais appris deux ou trois pas de base ? demanda Scarlett.

– J'ai essayé.

– Je la plains, ça doit être une vraie torture pour elle.

Spencer tendit le cou pour voir et secoua la tête.

– C'est trop, je ne peux pas la regarder, il faut que je fasse quelque chose, se défendit Scarlett.

– Quoi ?

– Si tu allais danser avec elle ?

– C'est toi qui viens de dire que tu étais prête à voler à son secours, je te ferais remarquer.

– On ne peut pas la laisser seule !

– Écoute, j'ai accepté de venir à cette soirée, mais je refuse d'adresser la parole à Chip, à sa famille et à ses copains, et il est hors de question que je fasse semblant de m'éclater. Ne compte pas sur moi pour aller tenir le crachoir à cette bande de crétins ni pour discuter de Sonny Lavinski. Pareil pour la danse : je n'irai pas sous prétexte que je suis le seul à savoir aligner trois pas en rythme.

– Une danse ne signifie pas que tu es ravi de la soirée. Tu ne vois pas qu'elle est aux abois ? Et regarde-moi ce gâteau ! Grotesque ! Tu penses qu'elle avait envie de ça ? Tu trouves que la soirée lui ressemble ? Trois minutes, et tu lui sauves sa soirée de mariage.

– Je n'y peux rien si elle est aux abois. C'est elle qui l'a voulu.

– Ces gens n'en ont rien à cirer d'elle. Ils se payent sa tronche, c'est tout.

Spencer ne moufta pas. Il avait les yeux rivés sur ses cerises qu'il continuait à picorer.

– J'ai pigé, conclut Scarlett.

Elle se dirigea vers la piste de danse, mais à quoi bon ? Elle ne pouvait pas interrompre Chip et Lola, si cauchemardesque qu'ait été cette gigue pour sa sœur. Heureusement, comme s'ils avaient pitié d'elle, les musiciens mirent fin à la mélodie. Hélas! sa mise à l'épreuve ne faisait que commencer. Les amis de Chip se précipitèrent sur la piste et firent cercle autour d'elle. Certains prirent Chip par le bras pour le déplacer de côté, tandis que Boonz et une autre fille coinçaient Lola au centre. Vu de loin, on aurait dit une mêlée un peu confuse, mais Scarlett ne s'y trompait pas: c'était une véritable agression, une tentative d'humiliation avérée. Une atteinte à la dignité de Lola.

– Salauds! s'écria Marlène qui venait de rejoindre Scarlett.

Elle avait beau porter une robe de petite fille modèle, elle ne rigolait pas. Elle fonça tête baissée vers la piste. Scarlett ferma les yeux, craignant le pire. Quand elle les rouvrit, elle crut voir ses deux sœurs dans les bras l'une de l'autre, mais pas du tout, Lola était en train d'étouffer Marlène, la main plaquée sur sa bouche, tandis que celle-ci mordait tout ce qu'elle savait pour se libérer! Pendant ce temps-là, Boonz bondissait autour de Lola pour l'encourager à frapper. Lola était au bord des larmes.

C'est alors qu'il apparut: Spencer, bondissant de l'autre côté de la piste. Il poussa les invités, saisit le bras de Lola et l'obligea à adopter une position de départ, un bras dans son dos, ferme, et une main dans la sienne, tendue face à eux. Il chuchota quelques mots à son oreille, deux ou trois conseils pour démarrer, et Lola se redressa.

Et ils dansèrent.

Scarlett ne se faisait pas d'illusions, c'est Spencer qui menait, tenant sa sœur d'une main sûre, soit pour la tirer, soit pour la porter, mais peu importe, l'effet était le même. Lola se détendit aussitôt, rayonnante, chaloupant à travers la piste, rassurée par la main de son frère. Les invités, impressionnés, se pressaient autour de la piste pour admirer ce pas de deux inattendu.

– Pourvu qu'il ne la lâche pas, marmonna Marlène à peine Scarlett eut-elle retiré sa main de sa bouche.

L'orchestre ralentit pour clore la mélodie avant d'entamer un air un peu plus enlevé. Spencer pivota sur-le-champ et relâcha Lola en la faisant tournoyer le long du bras vers Scarlett et Marlène qui, hop! la rattrapèrent, quand soudain Lola éclata de rire alors que la foule applaudissait autour d'elle. Vite, le photographe s'agenouilla à leurs pieds pour immortaliser cet instant de bonheur entre les trois sœurs.

De son côté, Spencer desserra sa cravate et jeta sa veste au pied de l'orchestre.

– Qu'est-ce qu'il fait? demanda Lola, essoufflée et en plein fou rire.

– Toi qui voulais qu'il danse, à mon avis c'est parti! répondit Scarlett.

En effet, c'était bel et bien parti.

Spencer écarta gentiment la foule en frappant du pied en rythme, et tous lui laissèrent le champ libre, ravis. L'orchestre semblait lui aussi ravi d'avoir trouvé un danseur à sa mesure, et le batteur tambourinait sur sa basse, épousant le rythme de Spencer qui se concentrait en tapant toujours du pied, évaluant tous les éléments autour de lui: la qualité du sol, plus ou moins glissant, le tempo, la musique... Il avança au centre et commença par un préambule à la manière de Fred

Astaire. Spontanément, les gens s'écartèrent pour faire place à ce divertissement improvisé plus que bienvenu au milieu de cette soirée convenue. Une partie du public, appréciant manifestement le swing et la danse, accompagnait Spencer en hochant la tête et gigotant vaguement, prêts à le suivre. Soudain, la mélodie se fit plus nette. Le trompettiste pencha la tête en arrière et entama un grand solo, et Spencer se lança dans une série de pirouettes au rythme de plus en plus rapide.

Rapide, trop rapide... Jusqu'au moment où il perdit le contrôle de ses mouvements.

Seule Scarlett s'en aperçut. Trop tard, elle n'avait plus le temps de crier pour l'arrêter, il ne lui restait plus qu'à intervenir. Elle fit un pas devant Lola pour la pousser contre le mur, mais déjà Spencer vacillait, chancelait... et valsa dans les airs. Catastrophe ! Un mètre de gâteau à dix mille dollars explosa en une immense gerbe de glaçage et de crème au beurre, semant une confusion totale. Suivit une mêlée de cris, de souffles coupés et de « Mon Dieu ! ».

L'orchestre hésita, perdu, puis cessa. Un lourd silence suivit, soudain rompu par un immense cri strident sorti de la bouche de Boonz !

Spencer avait atterri tête la première dans le gâteau. Seules dépassaient ses jambes dans le pantalon rayé... Dix ou vingt secondes passèrent avant qu'il commence à bouger et se dégage peu à peu, le torse couvert de crème et de génoise, et le visage à peine visible. Il balança délicatement ses jambes de côté et se rassit en se frottant les yeux. Très calmement, il remit en place ses manches, comme si de rien n'était, et se redressa, debout, dérapant légèrement sur le tapis de crème. Il jeta un regard ahuri autour de lui, comme s'il cherchait un improbable chat qui lui aurait fait un sale croche-patte.

– Je crois que j'ai glissé, dit-il très poliment.

Spencer et Scarlett étaient à présent sur la terrasse, réfugiés derrière un joli massif d'arbustes qu'ils avaient repéré. C'était un petit coin de verdure avec un banc et une vue sublime sur les toits de la ville. La pleine lune de l'équinoxe d'automne luisait au-dessus d'eux, et les lumières de la ville les enveloppaient. Ils admiraient les hauts immeubles, les toits des voitures, les passants, et surtout, ils étaient à la même hauteur que tous les gratte-ciel ! Le point de vue était tellement inouï qu'on avait l'impression d'être un demi-dieu gouvernant la ville et ses habitants.

Le repaire où ils s'étaient nichés avait sans doute été conçu pour les amoureux, ou les prétendants demandant sa main à leur belle, ou au contraire pour les hommes d'affaires puissants qui pouvaient signer des accords faramineux à l'abri des regards. Spencer et Scarlett, protégés par un mur d'arbres en pots, entendaient à peine le bruit de fond de l'orchestre qui revenait doucement à la vie, et les tables que l'on déplaçait pour nettoyer les dégâts. Spencer retirait de lui des couches entières de crème qu'il jetait dans un arbuste impeccablement taillé. Au bout d'un certain temps, il eut enfin l'air à peu près présentable.

– Tu veux que je t'aide ? eut la présence d'esprit de lui proposer Scarlett. Ou tu comptes enduire ce pauvre arbuste de crème au beurre jusqu'à l'aube ?

– C'est bon, je m'en tiendrai à ce malheureux arbrisseau.

– Remarque, on dirait du dentifrice sur une brosse à dents naturelle. À propos, tu savais que le gâteau leur a coûté près de dix mille dollars ?

– Dix mille ? Pour un gâteau ? En forme de bateau ?

Il arracha de son épaule un morceau de glaçage rebelle et le fourra dans une poche de son pantalon.

– J'ai intérêt à en garder au moins un bout, ajouta-t-il. Déjà cinquante dollars en poche, tu imagines !

Un bruissement retentit derrière eux, du côté des arbres en pots, quand soudain apparut Max, comme s'il venait de nulle part.

– Tu ferais mieux de décamper, conseilla-t-il à Spencer. Si tu veux, j'ai repéré une porte de sortie.

Scarlett se leva pour aller regarder. Effectivement, il y avait derrière le mur d'arbustes une porte de service, sans doute prévue pour le personnel.

– Prends cette porte, poursuivit Max, et tu tomberas sur un ascenseur de service qui va direct au garage. Tu verras, il y a une sortie qui donne dans la rue. Les invités pensent que tu as disparu comme par enchantement, ou que tu as sauté de la terrasse.

– Bon plan, approuva Spencer.

– Ouais, honnêtement, je te déconseille de rentrer. Les gens ont perdu la boule.

– Tu viens avec moi ? demanda Spencer à sa sœur.

– Il vaut mieux que je reste.

– D'accord. On se retrouve à la maison.

– Mais tu as vu dans quel état tu es ?

– Je me débrouillerai.

Spencer hocha la tête vers Max en signe de remerciement et fila, disparaissant par la porte magique.

– Eh ben dis donc ! s'exclama Max. Au moins ça décoiffe, dans ta famille.

– Je préférerais qu'on ne nous voie pas.

C'est tout ce que Scarlett trouva à répondre.

– Dans ce cas-là, cache-toi. Il y a un peu de place là-bas, derrière.

Certes, c'était un peu bizarre d'aller au mariage de sa sœur pour finir cachée derrière une rangée d'arbustes, mais au point où elle en était ! Elle se faufila derrière les arbres, et Max la suivit de près, sans un mot.

– Pourquoi tu es venu à ma rescousse ? demanda Scarlett. En biologie ?

– Qu'est-ce que j'aurais fait s'ils t'avaient renvoyée ? Tu es ma seule amie, je te rappelle. À moins que tu ne me dises le contraire. Dans ce cas-là je suis seul au monde. Il ne me reste plus qu'à aller voir un psy.

– Si je comprends bien, tu ne veux pas me dire pourquoi.

Max se détendit.

– Je pensais que tu étais comme les autres, le genre à se laisser manipuler par les parents pour amuser la galerie. Ton frère joue dans une série télévisée. Tu travailles pour un agent. J'étais sûr que c'était ton truc. J'ai horreur de ce milieu. Mais je me suis trompé. Tu es différente. Tu es comme moi. Tu résistes. Et ta famille est carrément branque.

Scarlett était sur le point de défendre ses frère et sœurs, mais il valait mieux laisser tomber.

– Tu trouves qu'on se ressemble ? dit-elle simplement.

– Ouais. Et je parie que ça te fait horreur.

– Non, ça m'amuse.

Elle n'en revenait pas : elle était là, sur les toits, à côté de Max, et pour la première fois depuis des semaines, elle se sentait en sécurité. Max avait raison. Non seulement ils se ressemblaient, mais parfois il était le seul à incarner la voix du bon sens. Avec une certaine rugosité, certes. Mais au moins il était franc.

Elle éprouva alors... Était-ce une montée d'adrénaline ? La vue qui s'étendait à leurs pieds ? Les étoiles ? Les lumières de la ville ? Ou le fait d'être cachés derrière une rangée d'arbustes avec un garçon le soir d'une cérémonie un peu guindée... ?

Elle sentit d'abord le bras de Max se poser sur son épaule. Mais elle ne réagit pas. Puis tous deux se rapprochèrent, lentement, Scarlett ignorant les gens qui sortaient sur la terrasse en les appelant. Comme s'ils étaient poussés par ces appels, jusqu'au moment où elle se retrouva plaquée contre sa poitrine. De longues minutes passèrent... Elle se pressait contre lui, rassurée par sa présence, et lui par la sienne.

– Max ?

– Oui ? répondit-il, parfaitement calme.

Elle lui prit doucement le visage entre les mains et guida ses deux lèvres contre les siennes.

Acte V

Spies of New York. *Exclusif!*

On est comme tout le monde, on adore les noces de gosses de riches. On adore le spectacle de ces New-Yorkais débilissimes et pétés de thune qui se réunissent pour être sûrs qu'ils appartiennent au même monde. Comme tous les gothas de la planète, ce petit monde oublie de remarquer que notre mère Nature regarde d'un mauvais œil ce type d'endogamie, mais avouons que nous, cela nous amuse. Sans compter que, grâce à eux, on profite de bars ouverts à tous et débordant des meilleurs alcools.

Régulièrement, nous recevons le récit exceptionnel de certaines de ces soirées extravagantes et anti-darwiniennes à souhait. Comme il y a quelques jours, quand notre boîte e-mail a failli exploser de messages au sujet d'un mariage qui aurait eu lieu samedi dernier, entre Charles, dit Chip, Sutcliffe III, âgé de 18 ans, et une certaine Lola Martin, âgée de 18 ans elle aussi.

Honnêtement, cette nouvelle nous réjouissait. En outre, alors que nous traînions sur Google récemment, nous avons découvert que ledit Chip était classé n° 98 sur le site Gothamfrat.com *du classement des « Cent élèves les plus branchés des lycées privés de New York ». Divine surprise! Ces petits salauds de gosses de riches se classent entre eux.*

Mais notre histoire ne s'arrête pas là... Car il se trouve que la jeune épousée n'est autre que la sœur de Mr. Cible-à-Beignets, j'ai nommé Spencer Martin, alias *David Frieze, l'assassin de notre cher et regretté Sonny Lavinski. Sérieusement. Il était de la noce! Et une fois de plus, le public en a eu pour son pognon.*

En effet, et pour des raisons qui n'appartiennent qu'à lui, notre ami s'est lancé sur la piste de danse pour effectuer un numéro en solo fort inattendu, qui s'est achevé en vol plané suivi d'un atterrissage dans l'immense gâteau de mariage de sa sœur.

Jamais nous n'aurions cru ce récit s'il n'était accompagné de dizaines de photos que nous avons passé des heures à regarder la nuit dernière. Était-ce pour se libérer de la tension qu'il subit depuis le meurtre de saint Sonny? Ou Spencer Martin en avait-il assez que les passants lui jettent de la nourriture, décidant soudain d'inverser les rôles en aspergeant tout le monde de crème?

Nos spéculations, hélas! ont été interrompues... par des nouvelles de Spencer Martin encore plus sidérantes. Notre contact, présent sur le plateau de Crime et Châtiment, *vient de nous appeler pour nous annoncer que son nom a mystérieusement disparu de la feuille de tournage, sans que personne puisse lui fournir d'explications. Mystère, mystère...*

Toutes vos informations sont plus que bienvenues. Entre-temps, ne vous privez pas du plaisir de visionner les photos de cette soirée de mariage inénarrable. Une liste de prix a été établie pour récompenser les meilleures légendes que vous nous proposerez.

L'aube des désespérés

Le lendemain, dimanche, fut une journée maussade. Et trouble. Le ciel avait cette couleur de peinture diluée que Scarlett obtenait sans le vouloir à l'époque où elle faisait de l'aquarelle ; chaque coup de pinceau laissait une trace de pigment laiteux jusqu'à ce qu'elle obtienne un affreux gris terne. La robe qu'elle portait la veille était étalée, flasque, sur le lit de Lola. Quant au sien, il était couvert de tout ce qui était lié à son examen de biologie : bouts de notes désespérément jetés sur des morceaux de papier et sur son ordinateur, cahiers de devoirs, polycopiés... À vrai dire, elle avait déjà enregistré la plus grande part de ce qu'elle avait sous les yeux, mais en fragments qu'elle avait du mal à relier.

Et la fin de la journée approchait.

Elle pouvait toujours appeler Dakota. Elle aussi potassait son examen chez elle, mais elle était meilleure, et elle avait deux professeurs de biologie à disposition chez elle (ses parents). Scarlett prit son téléphone, quand soudain elle se dit qu'elle ne pourrait pas échapper au récit de la soirée de mariage. Elle renonça.

Cela dit, il y avait des personnes pires que ses amis qui risquaient d'appeler pour qu'elle leur raconte la soirée rocambolesque... Qui sait si Mrs Amberson n'allait pas se manifester pour lui demander un service au dernier moment ? Ou Chelsea, qui aurait envie de lui raconter son aventure avec Eric ? Ou même Eric ? Pour lui avouer tout ce qu'il avait sur le cœur ?

Ou... Max. C'était le moins probable, mais c'est ce qu'elle redoutait plus que tout. Et s'il appelait pour commenter ce qui s'était passé la veille ?

De fait, que s'était-il passé la veille sur la terrasse ?

Pas grand-chose, finalement : ils s'étaient simplement et longuement embrassés, presque une demi-heure, derrière un mur d'arbustes. Jusqu'au moment où ils avaient été interrompus par une fille qui avait débarqué avec un plateau, et hurlé, tant elle avait été surprise.

Il ne lui restait plus qu'une solution. Se débarrasser de son portable.

Elle prit son téléphone et alla du côté de la chambre de ses parents. Il y avait devant leur porte une espèce de vide-linge qui plongeait au milieu des quatre étages et donnait directement dans la cave. C'est là qu'on jetait tout le linge sale de l'hôtel, qui atterrissait dans un grand bac à roulettes. Scarlett ouvrit le vide-linge et jeta son téléphone. Il suffisait que quelqu'un ait déplacé le bac près de la machine à laver pour que son téléphone soit mort. Elle plongea la tête dans le goulot humide qui sentait le rance, mais n'entendit rien, en tout cas rien qui prouve que son appareil ait explosé. Il était donc encore vivant quelque part au sous-sol. Du reste, qu'aurait-elle fait s'il avait été pulvérisé ?

Sans doute aurait-elle demandé à Lola de lui en offrir un nouveau. C'est peut-être comme ça que les choses marcheraient entre elles désormais.

Elle rentra dans sa chambre et tomba nez à nez avec Spencer qui sortait de l'ascenseur. Il avait l'air un peu confus lui aussi.

– Tu n'as rien réceptionné par hasard ? lui demanda-t-il.

– Comment ça réceptionné ?

– Mon script. Il n'est pas encore arrivé. J'ai appelé et ils m'ont dit qu'il est en route. Ils refusent de me donner mes horaires pour la semaine par téléphone.

– Ah ? C'est dommage.

– Je viens de déposer mon costume chez Mrs Foo, ajouta Spencer, passant du coq à l'âne. Tu n'imagines pas comme elle était excitée quand elle a vu dans quel état il était. C'est un sacré défi pour une blanchisseuse. Et toi ? Qu'est-ce que tu fais ? Tu as l'air un peu flippée.

– Je travaille. J'ai un examen de biologie demain.

Spencer frotta son menton mal rasé puis s'enfonça un doigt dans l'oreille.

– Je crois que j'ai encore du glaçage à l'intérieur, dit-il. Je n'entends pas très bien.

Là-dessus, ils se séparèrent et chacun rentra dans sa chambre. Scarlett s'assit sur son lit et ferma les yeux pour voir quelles images apparaissaient dans son esprit, dans quelle direction son cerveau la menait...

Or son cerveau la menait vers... Max, et il n'avait qu'une envie, jouer et rejouer la scène de la veille.

Vite, elle rouvrit les yeux et agrippa son manuel pour se rassurer. Elle avait du taf, et ni l'espace ni le temps pour quiconque dans son esprit.

Le lendemain matin Dakota l'attendait au pied des marches du lycée.

– Tu pourrais faire un truc pour moi? lui demanda-t-elle brusquement. Tu pourrais m'expliquer... ça?

Elle brandit son téléphone sur lequel était affichée une photo de Spencer couvert de crème.

– Ah, oui, c'est Spencer... Il a ... oui... le gâteau. À la soirée de Lola, pardon, je ne t'en ai pas...

– Tu as dormi cette nuit?

– Pas vraiment.

– Je m'en doutais. Regarde ce que je t'ai apporté, répondit-elle en révélant un gobelet de café.

C'était typique de Dakota, une vraie amie, une fille qui pensait aux autres et avait toujours ce qu'il fallait sur elle.

Scarlett commença à siroter le bon café brûlant. La matinée était superbe. Jusqu'au moment où elle eut une drôle de sensation, comme s'il manquait quelque chose sur son corps.

– Je rêve! s'exclama-t-elle. Je crois que j'ai oublié de mettre une culotte. Pourtant, je me rappelle en avoir enfilé une... Dakota... Tu imagines, si j'avais oublié?

– Tu ne la sens pas?

Non. Elle se concentra, mais en vain.

– Passe la main derrière pour voir, l'encouragea Dakota.

Scarlett glissa discrètement la main sous la ceinture de sa jupe jusqu'à ce qu'elle sente le bord de l'élastique.

– C'est bizarre, pourquoi est-ce que je ne sens rien ?

– Ne t'inquiète pas. Bois ton café. Je vais te poser deux ou trois questions de biologie. Ça va aller.

– Je suis sortie avec Max.

Dakota retira la main du bout de queue-de-cheval qu'elle tripotait et se mit à jouer avec l'élastique en l'étirant entre ses doigts.

– Quand vous étiez collés ? demanda-t-elle au bout d'un moment.

– Non, à la soirée de Lola.

– À la soirée de mariage de Lola ?

– Il s'est plus ou moins invité.

– Et vous êtes sortis ensemble ?

– En gros, oui.

Dakota étira son élastique à la limite de la rupture.

– J'ai toujours été comme ça, ajouta Scarlett.

– Si tu veux dire impulsive, la réponse est oui.

Scarlett sortit ses notes pour y jeter un dernier œil, mais les mots valsaient sous ses yeux.

– Oui, c'est ce que je voulais dire. Mais peut-être… peut-être qu'il va sécher l'examen.

Pas du tout. Max se présenta en temps et en heure.

Il portait un pull et un jean noirs, et il était un peu plus soigné que d'habitude. Il entra sans un mot. Et sans un regard pour Scarlett. Il feuilleta ses notes jusqu'à ce que Miss Fitzweld leur demande de les ranger, les mit sagement de côté, puis fixa le faux embryon posé dans le coin de la salle.

Scarlett brûlait d'envie de lui parler, mais soudain Miss Fitzweld lui balança sous le nez huit pages de questions et d'exercices, l'air de dire « Je ne sais pas ce que tu as ce matin, mais il est temps que tu reprennes tes esprits».

Elle parcourut les huit pages et paniqua. Elle ne comprenait rien. Jusqu'au moment où, page trois, elle tomba sur une question à laquelle elle crut pouvoir répondre. Ensuite, page quatre, le schéma du fœtus de porc aurait dû être relativement facile, mais elle confondait les différentes parties: les reins, le pancréas, l'aorte...

Elle venait de passer à la page cinq (un questionnaire dont il fallait remplir les blancs), quand elle sentit Max se rapprocher subrepticement. Elle faillit cacher sa feuille, alors qu'elle n'avait même pas commencé à répondre, mais il ne cherchait pas à copier. Au contraire, il lui proposait de copier sur lui, qui répondait avec assurance à chaque question.

Elle fut prise d'un léger vertige et sentit une faible pulsation au-dessus de son œil gauche.

Elle tâcha de se concentrer et de ne pas regarder sur la copie de Max. Peu à peu les choses lui revenaient en mémoire, et au milieu de l'examen, elle avait tout en tête: vite, elle revint en arrière pour remplir le plus de blancs et cocher le plus de cases possible. Trop tard. La sonnerie retentit.

– J'attends vos copies, déclara Miss Fitzweld.

Max glissa de son tabouret sans un mot, remit la sienne et sortit de la salle. Prêt à balayer ce qui s'était passé entre eux la veille avec sa brusquerie coutumière. Remarque, peut-être lui ficherait-il enfin la paix.

– C'était quoi le truc page six? demanda Dakota avant de sortir.

– Aucune idée, répondit Scarlett.

– Il ne t'a pas trop embêtée? ajouta Dakota en indiquant la place vide.

– Non. Il a fait comme si de rien n'était.

– Dieu merci!

Scarlett était loin d'être insensible à l'indifférence de Max. Comment pouvait-il s'en aller comme ça, sans un mot, alors que la veille il l'avait si longuement embrassée? Et – mais ça, elle ne l'avouerait jamais à Dakota – embrassée avec une si grande douceur? Au pire, il lui devait un minimum de mépris et de sarcasme, non? Ou était-ce trop lui demander?

– Ouais, reprit Scarlett avec un sourire forcé. Tu imagines si je sortais avec un type que tu détestes encore plus qu'Eric?

– Arrête, c'est pas drôle. Avec toi, tout est possible. J'aurais horreur d'avoir à te trucider. Une belle fille comme toi!

Peu après, Scarlett rentrait dans sa chambre et tomba sur... Lola, qui fouillait dans sa commode. Un tas de vêtements étaient posés sur le lit de Scarlett: deux pulls, un pyjama, une écharpe, un bonnet, et plusieurs produits que Lola avait récupérés quand elle travaillait dans son spa et au rayon maquillage d'un grand magasin, qu'elle rangeait dans ce qu'elles appelaient le «tiroir des mystères».

Scarlett comprit tout de suite. Sa sœur voulait se débarrasser de ses vieilles affaires. De ses vieux vêtements. De tout ce qui était un peu cassé et minable dans l'hôtel. Finis les échantillons de crème hydratante et les flacons-tests de lotions de luxe à moitié vides.

– Salut ! s'exclama Lola. Je fais juste un peu de tri. Tu as passé une bonne journée ?

Scarlett s'assit sans répondre et observa les petits tas nets des affaires de sa sœur.

– Tu... Tu reviens dormir ou tu... Au fait, tu vis où maintenant ?

– Chip est reparti à Boston ce matin, répondit Lola en pliant un pull. Je pense que je vais passer trois ou quatre jours par semaine avec lui à Boston et le reste ici. Il doit changer de fac au prochain semestre. Ça me laisse jusqu'au mois de décembre pour trouver un appartement. Ses parents nous le... nous l'offrent. Pas très grand, l'appart, remarque.

Sauf qu'au centre de Manhattan, un appartement, même pas très grand, ça valait au moins un ou deux millions de dollars, surtout suivant les critères de Mr. et Mrs Sutcliffe. Polie, Scarlett s'abstint de tout commentaire.

– À ce propos, reprit Lola, désormais cette chambre est entièrement à toi. Je te promets que je ne débarquerai plus jamais à l'improviste. Soit je te préviendrai, soit j'irai dormir dans une autre chambre.

– Non, c'est toujours ta chambre, en tout cas quand tu habites à l'hôtel. Je n'ai pas l'intention de retirer tes affaires.

Lola répondit par un regard embarrassé et se mordilla la langue. Elle secoua le pull qu'elle venait de plier afin de recommencer l'opération.

– Allez, il faut que j'aille chez les Sutcliffe. On a pas mal de cadeaux à ouvrir.

– Alors, quel effet ça fait de recevoir des cadeaux de

la part des amis des parents Sutcliffe ? Un peu comme les archéologues qui ont découvert les tombes des pharaons ? Aveuglés par tant d'or ?

– Un peu, oui. Mais après je reviens dîner. Je crois que les parents ont prévu de commander des pizzas. Tu ne veux pas demander à Spencer ce qu'il veut sur la sienne ? Je l'ai entendu rentrer.

Scarlett obéit et alla trouver son frère. Il était penché sur son bureau, la tête plongée dans les mains au-dessus d'un script.

– Alors, ils ont fini par te l'envoyer ?

Silence.

– Je suis chargée de te demander quel genre de pizza tu veux pour ce soir.

Silence.

– Tu as encore de la crème dans les oreilles ?

Soudain il bondit sur elle en lui brandissant le script sous les yeux, ouvert à la dernière page. Scarlett lut :

Benzo

Je viens d'avoir l'avocat de Frieze au bout du fil. On l'a retrouvé par terre, battu à mort. Ce fils de pute est mort. *Ce fils de pute est mort.*

Nouvelles surprises

Était-ce la panique à l'idée de ce qui l'attendait en cours de biologie ? En tout cas, le lendemain Scarlett était dans une forme intellectuelle exceptionnelle. En cours d'anglais, elle fut sidérée de découvrir que le poème de Keats, « Ode sur une urne grecque », non seulement n'était pas complètement détaché de la vie réelle, mais était particulièrement pertinent, surtout dans la mesure où elle l'avait lu en chemin, juste avant d'arriver au lycée. Cela dit, plus la journée avançait, plus elle redoutait le cours de biologie qui la couronnait. D'abord il faudrait qu'elle affronte Max. Ensuite Miss Fitzweld leur rendrait leur examen.

Celle-ci commença donc par leur remettre leur devoir de la veille. Scarlett comprit tout de suite, à voir le visage de Miss Fitzweld, que ses résultats n'étaient pas fameux.

– Ça ne te ressemble pas vraiment, commenta son professeur. Si tu fais mieux au prochain examen, peut-être que je remonterai un peu la note de celui-ci. Je ne sais pas ce qui se passe entre toi et Biggs, mais si tu penses que ça perturbe ton travail...

– Non, ça va, répondit Scarlett.

Elle jeta un coup d'œil sur son résultat. 70 %. Son plus mauvais score. Ce fut comme une chute libre, une libération terrifiante. Elle retourna sa copie pour ne plus avoir sous les yeux ce chiffre humiliant. Max n'était pas encore arrivé. Sa copie l'attendait à deux doigts d'elle. Discrètement elle la tira avec un stylo et souleva le coin. 94 %. Elle laissa tomber car il rentrait dans la salle.

Une fois de plus, il ne dit rien. Il s'assit, prit sa copie et la fourra dans son sac sans regarder ses résultats. Et pendant quarante-cinq minutes, il demeura tranquille à côté d'elle, sans se balancer sur sa chaise ni jouer avec la prise électrique. À peine la sonnerie retentie, il sortit en silence. Cette fois-ci elle décida de le suivre. Il se dirigeait vers le studio de musique. Dès qu'il entra, elle se glissa derrière lui. Mais elle n'avait aucune idée de ce qu'elle voulait lui dire ! Heureusement c'est lui qui prit la parole.

– O.K., tu as peur que ta copine malveillante te voie avec moi, dit-il en déposant ses affaires avant de s'installer au piano. Tu as honte de moi, c'est ça ?

– Merci pour ma « copine malveillante ». Elle s'appelle Dakota, je te rappelle.

– Peu importe. Tu veux que je te fasse une confession ?

– À moi... ?

À elle ? Non, enfin... oui..., elle ne savait plus. Et s'il voulait lui avouer quelque chose de désagréable ? Elle n'aurait jamais dû le suivre jusqu'ici.

– J'ai l'oreille absolue.

Elle s'attendait à tout sauf à ça.

– Comment ça ?

– L'oreille absolue. Chelsea ne l'a pas et ça la rend folle. C'est mon professeur de musique qui a découvert ça quand j'étais môme. Ma mère était tellement grisée qu'elle m'a tout de suite inscrit dans une école de musique. À huit ans, j'avais huit heures de cours de musique hebdomadaires en plus, sans compter les gammes et les exercices quotidiens. Et ça n'a fait qu'empirer. À l'origine, avant cet âge-là, j'adorais jouer… J'adorais, vraiment. Mais j'ai fini par détester la musique à cause de cette école. Les profs étaient tout le temps en train de me regarder jouer et de me dire ce qu'il fallait que je fasse. J'ai horreur qu'on me dise comment jouer. Je le sais d'instinct.

– Jusqu'au jour où tu lui as annoncé que tu arrêtais ?

– Tu connais ma mère. Tu crois qu'elle m'a écouté ? Elle savait que je détestais cette école, mais elle répétait partout que c'était moi qui l'avais choisie. Que j'avais fait des pieds et des mains pour y entrer. Comme avec Chelsea. Sauf qu'avec moi, ça n'a pas marché. À partir d'un certain âge, j'ai refusé d'aller en cours. Du coup, quand elle me déposait le matin, je séchais : j'allais dans les toilettes et je jouais à des jeux vidéo. Un jour elle a compris et elle m'a confisqué ma console. Alors j'allais aux toilettes et je glandais. Puis elle a fini par m'accompagner jusqu'à la porte de la salle de classe avant de s'asseoir dans le couloir. Ce petit manège a duré deux ou trois semaines, jusqu'à ce que le lycée me renvoie. J'avais gagné. Mais plus jamais je ne jouerai devant ma mère. Voilà, tu sais tout.

– Je suis désolée pour toi.

– Oh ! peu importe. Je m'en fous.

Le fait est qu'il affichait une indifférence absolue. Il retira une mèche de son front et se lança dans quelques gammes rapides au piano.

– Et Chelsea ? demanda Scarlett. Pourquoi a-t-elle choisi ce parcours puisque c'était toi, le vrai musicien ?

– J'imagine que ma mère s'est dit que si elle avait un enfant prodige, elle en avait peut-être un second. En fait, ce n'est pas le cas. Elle a inscrit ma sœur à tous les cours pour voir là où elle était le plus douée : chant, danse, théâtre... Quand on te botte le cul, tu finis toujours par y arriver.

– Arrête, ça me fait culpabiliser.

– Surtout pas. Heureusement pour moi, je m'en suis sorti, et Chelsea aurait pu si elle le voulait. Sauf qu'il faut avoir un peu de colonne vertébrale, et elle n'en a aucune.

– Et ton père ?

Max haussa les épaules et tapota sur son clavier en silence.

– Un peu irresponsable. Ma mère pousse ma sœur depuis toujours ; elle l'a accompagnée à New York pour toutes ses auditions jusqu'au jour où elle a décroché sa première publicité. Là, elle a arrêté de travailler pour se consacrer à plein temps à la carrière de Chelsea. Ç'a pris quelques années, mais elle a fini par arriver à Broadway. Et là... tu connais la suite.

– Mais qu'est-ce que vous allez faire puisque la comédie musicale s'arrête ?

Max ricana légèrement.

– Ma mère n'abandonnera pas de sitôt. Tu n'as pas idée de ce dont elle est capable. Elle va rendre ta patronne dingue et exigera que Chelsea passe toutes les auditions possibles et imaginables. Tu n'en as pas fini avec moi, je te préviens...

C'était la première fois que Max faisait une allusion laissant penser qu'ils pourraient discuter de ce qu'il s'était passé le soir du mariage. De toute façon, Scarlett n'oserait jamais aborder la question. Pour l'instant, Max recommença tranquillement à jouer, et elle en profita pour se faufiler dehors.

À peine rentrée à l'hôtel, elle se rappela qu'elle n'avait jamais récupéré son portable. À vrai dire, il ne lui manquait pas vraiment, mais comme elle passait devant l'entrée de la cave, autant aller voir. C'est là qu'elle tomba sur son frère, étalé de tout son long au pied des marches. Et sans doute blessé. Loin de hurler, de s'évanouir ou d'appeler un numéro d'urgence, elle se plaqua contre la porte et murmura :

– Je t'en supplie, dis-moi que tu fais semblant.

Aussitôt Spencer se releva et s'épousseta. Il s'assit sur la machine à laver avec un air maussade et commença à frapper du pied contre le tambour.

– J'essaye d'améliorer une chute que je faisais ici il y a quelques années. Tu te rappelles cet été-là, je crois que c'était un an avant que Marlène ne tombe malade ? J'avais un vieux matelas qui traînait ici. Je passais mon temps à me jeter dessus. C'est comme ça que j'ai appris à tomber du haut d'un escalier.

Scarlett s'en souvenait parfaitement. C'était l'époque

– désormais révolue – où la vie était un long fleuve tranquille. Spencer venait d'être accepté au Lycée des arts de la scène et s'entraînait, car il voulait arriver avec quelques numéros à présenter dès la rentrée. Elle avait dix ans, elle était libre comme l'air, dévorait *Harry Potter* et mangeait des sorbets. Ils passaient des heures dans la cave, et elle adorait regarder son frère s'entraîner, pour lui donner des conseils. C'est quand même assez drôle d'encourager quelqu'un à se précipiter contre un mur de telle ou telle manière et de voir la personne en question s'exécuter !

– Et c'est ce que tu viens de faire ? Mais sans matelas ? demanda-t-elle avec une grimace.

– Ouais, répondit-il en gloussant. Je suis trop bête. J'ai de la chance, j'ai échappé de peu à la catastrophe.

– Tu es sûr que ça va ? Ne t'inquiète pas, tu vas décrocher un nouveau rôle.

– J'attends que ta patronne fasse le point, comme elle dit. Tant qu'elle ne me confirme pas que je suis renvoyé, je suis à l'abri d'une attaque de panique.

Scarlett alla près du panier de linge sale. Son portable était là, au pied du vide-linge, sur une petite pile de draps. Batterie à plat, mais intact.

– Je ne sais pas ce qu'il se passe là-haut, mais ils sont excités comme des puces, ajouta Spencer en levant les yeux vers le plafond.

– Excités pourquoi ?

– Un truc qui concerne Marlène. À mon avis, ils attendaient que tu rentres.

– Super ! Voilà qui me semble de bon augure.

– Autant monter pour voir, non ?

Le fait est qu'une certaine agitation régnait au quatrième étage. La mère de Scarlett était au téléphone dans sa chambre. Son père et Marlène étaient enfermés dans la suite Jazz. Et Lola tournait comme un lion en cage dans la suite Orchidée.

– Que se passe-t-il ? lui demanda Scarlett.

– Il faut qu'on attende une confirmation, répondit Lola, un peu fébrile.

– Confirmation de quoi ? Dis-nous ! On a eu assez de surprises comme ça, intervint Spencer en pointant son nez à la porte.

Lola lui fit signe d'entrer puis referma soigneusement la porte.

– Marlène vient d'être nommée Powerkid de l'année.

– Quoi ?

– Ça veut dire qu'elle est le porte-parole officiel... à partir de janvier prochain ! C'est elle qu'on verra sur toutes les pubs, elle qui rencontrera les donateurs...

– Genre la gamine sur les affiches ? poursuivit Spencer.

– Exactement !

Spencer jeta un œil suspicieux à Scarlett – qui ferma les yeux.

– Ça n'a pas l'air de franchement vous réjouir, dit Lola. Pour elle c'est important. Il y a des centaines de gamins qui se portent candidats.

– Je m'en doutais, répondit Scarlett, elle préparait un coup. Son amabilité. Ses bouquins sur la princesse Diana. Comme si elle s'entraînait à être gentille. Tout ça pour ça !

– Attends, l'interrompit Spencer. Ce superconcours...,

comme par hasard elle l'emporte quelques jours après ton mariage. Tu es intervenue ?

Lola se concentra sur les dernières affaires qui lui restaient dans sa commode.

– Les gens qui étaient à la soirée de ton mariage, poursuivit Scarlett, il y en a plein qui sont dans des œuvres caritatives, non ? Ou à la tête de toutes sortes d'entreprises ? Alors, c'est grâce à toi ?

– Non, je n'ai rien fait, se défendit Lola d'une voix à peine audible. Elle a été sélectionnée, c'est tout. Mais... vous me promettez que vous ne direz rien ?

– Comment ça s'est passé exactement ? insista Spencer.

– Les parents de Chip connaissent les gens qui dirigent les Powerkids, mais ça n'a pas vraiment compté C'est plus ou moins une coïncidence.

– Tu viens d'affirmer le contraire, rétorqua Scarlett.

– Vous ne vous rendez pas compte, c'est superimportant pour Marlène ! Vous avez vraiment envie de tout lui gâcher ?

– Tu es sérieuse ? répliqua Scarlett.

– C'est d'accord, lâcha Spencer. On ne lui dira pas que, grâce à Chip, elle est devenue reine des Powerkids comme par enchantement.

Quelques instants plus tard, Marlène pointa son nez dans la chambre. Loin de jubiler, elle affichait un calme qui paraissait mauvais signe à Scarlett.

– Je leur ai dit, avoua Lola d'un air contrit.

– C'est bon, répondit Marlène sur un ton très formel. Ça ne commence pas tout de suite. J'ai l'intention de m'investir à fond dans les projets de promotion de la lecture. Tu sais, pour encourager les gens à lire. Il y a beaucoup à faire de ce côté-là...

Marlène se lança dans le programme détaillé de ses futures obligations qui, de toute évidence, avait un petit côté princesse Diana : rendre visite aux malades dans les hôpitaux ; rencontrer des gens célèbres ; incarner la face avenante du cancer ; avoir son visage sur l'autocollant des Powerkids en vacances ou sur des objets de collection.

– Bon, il faut que j'appelle mes amis, conclut-elle en brandissant son portable et sortant de la chambre avec un air bravache.

– N'oublie pas, dit Spencer en s'adressant à Lola. Dans quelques mois, n'oublie pas que c'est toi qui auras été à l'origine de cette idée géniale.

– Écoute, Spencer...

– Tu n'es plus obligée de vivre ici, lâcha Scarlett.

C'était sorti tout seul, et sur un ton particulièrement glacial. Comme d'habitude, Lola balaya la remarque en gloussant, mais son gloussement sonnait un peu faux.

L'offensive

Cinq heures du matin. Le téléphone de Scarlett sonna. Elle bondit dans son lit et tâtonna autour de son oreiller, de sa table de chevet, de ses couvertures, à la recherche de son appareil avant qu'il ne réveille Lola...

Qu'elle était bête! Lola n'était plus là. Elle était bel et bien seule dans la pénombre nacrée, avec un lit vide à côté du sien. Elle retrouva son portable par terre et le plaqua, un peu violemment, contre son oreille.

– O'Hara! l'interpella Mrs Amberson. Ma chérie, j'ai un petit service à te demander.

Scarlett mit quelques instants à revenir sur terre.

– Tu es là? la relança Mrs Amberson.

– Vous... oui? Quelle heure...?

– J'ai besoin que tu passes chez moi...

– Oh non! gémit Scarlett.

– J'ai besoin que tu trouves les serre-livres en forme de chiens Foo que j'ai sur mes étagères, près de la vitre. Tu les reconnaîtras, ils sont chinois, ce sont des chiens avec une tête de lion, des deux côtés de la section consacrée au théâtre futuriste et expressionniste. Tu prends le serre-livres le plus proche de la fenêtre et tu...

– Non !

– ... tires sur la tête, continua Mrs Amberson sans se démonter. Ne t'inquiète pas, elle se retire très facilement. Je ne te demande pas de casser un bloc de marbre en frappant de toutes tes forces. Mais il faut tirer fort. Tu trouveras à l'intérieur une liasse de billets. Prends-les, saute dans un taxi et demande au chauffeur de te déposer devant le palais de justice, celui de *Crime et Châtiment,* devant lequel ton frère a tué le fameux Sonny.

À peine entendit-elle les mots « palais de justice », Scarlett sursauta et se réveilla pour de bon.

– Entre et va voir la fille, adorable, du bureau de la réception. Dis-lui que tu viens de ma part. Elle te donnera des instructions. Ah oui, j'oubliais, Murray a besoin qu'on le sorte et qu'on le nourrisse à un moment dans la journée. Je sais que tu dois aller au lycée mais, si tout se passe bien, tu en as pour une heure au maximum. Je te laisse, il faut que j'y aille ! Je compte sur toi, O'Hara. Je file. Je viens de rencontrer une amie formidable qui veut me parler.

Clac.

Scarlett se pencha pour tirer un bout de rideau violet et jeter un coup d'œil sur le ciel gris et anémique qui voilait la ville endormie.

Courageuse, elle se leva. La journée était mal partie.

Le portier qui surveillait l'immeuble de Mrs Amberson de minuit à huit heures du matin était nettement plus amorphe que Murray. Il agita une main molle en direction de Scarlett, sans lever les yeux de son journal. Il avait l'habitude de voir défiler les femmes et les hommes de ménage et tous les représentants du personnel de maison, autrement dit, les gens qui se lèvent tôt et triment, et il devait penser que Scarlett était une employée.

Elle entra dans l'appartement. Murray (le chien) était recroquevillé en boule sur le canapé blanc et profitait du calme. Il fut tellement surpris par l'arrivée de Scarlett qu'il sursauta et fusa au plafond. Quelques secondes plus tard, en voyant Scarlett prendre le gros chien Foo sur l'étagère, le coincer entre ses deux jambes et tirer sur sa tête, il n'avait pas l'air beaucoup plus rassuré. Il prit de l'élan pour sauter du canapé mais s'emmêla les pattes entre les deux coussins. Plus il se débattait, plus il s'enfonçait.

Scarlett prit la liasse de billets soigneusement cachée dans le serre-livres. Elle compta rapidement le tout, histoire de savoir combien elle aurait sur elle. Sept cents dollars, essentiellement en coupures de cent. C'était la réserve d'urgence de Mrs Amberson.

Une demi-heure plus tard, un taxi la déposait au pied du palais de justice. Mrs Amberson l'attendait en haut des marches. Ses cheveux hérissés étaient un peu raplapla, mais elle portait une belle robe noire dont le contraste sur les marches et la pierre blanches du bâtiment était saisissant. On aurait dit une tache noire au beau milieu du visage de la Justice.

Elle fumait frénétiquement, comme si elle avait peur qu'on lui arrache sa cigarette.

– Je sais, je sais, dit-elle en voyant approcher Scarlett,

je suis censée avoir arrêté. Mais j'en avais vraiment besoin.

Elle tira une dernière bouffée sur sa cigarette, jeta un regard de dégoût sur le mégot et le balança derrière elle.

– Alors, que se passe-t-il ? demanda Scarlett.

– Finalement, le juge a été compréhensif. Ils m'ont relâchée sous caution personnelle. Désolée, je t'ai fait venir pour rien.

– D'accord, mais... pourquoi vous ont-ils arrêtée ?

– À cause d'une altercation en public.

– Une altercation ?

– Tu sais ce qui est arrivé au personnage joué par ton frère ?

– Oui. Oh... non !

– J'ai demandé à la production d'avoir une réunion pour faire le point, et hier soir j'ai pris un verre avec un des producteurs. Manifestement Spencer était apprécié, comme personnage et comme personnalité. Mais le public réclame que justice soit faite. En plus, il y a des problèmes avec les scénaristes, des histoires de scripts déjà écrits... le foutoir habituel... La seule solution qu'ils ont trouvée pour que l'histoire avance, c'est qu'il soit tabassé jusqu'à ce qu'il meure.

– Attendez, je reprends : vous avez vu le producteur, vous...

– J'ai fini par lui flanquer un verre à la figure, ce qui n'était pas vraiment recommandé, vu le bar où nous étions. Je me demande si je ne l'ai pas aussi un peu frappé. En tout cas, j'ai enfreint la loi. Mais tout ça était voulu, O'Hara. Pour leur montrer qu'avec l'AAA, on ne rigole pas. Pas mal comme devise, non ? Ah, Seigneur !

je suis épuisée. Finalement ça ne s'est pas si mal fini. Ce n'est pas la première fois que je passe la nuit en garde à vue. Enfin..., la dernière fois, c'était dans les années 1970. J'ai été arrêtée avec sept copains qui avaient enduit leur corps de peinture dorée. Ils étaient tellement cassés qu'ils croyaient qu'on était dans une nouvelle boîte qui s'appelait *La Taule* et dansaient en se jetant contre les barreaux. Certains ont essayé d'acheter de l'alcool aux gardiens. Bon, j'arrête, il faut que tu ailles au lycée.

Mrs Amberson se redressa, trahissant une légère raideur que Scarlett ne lui avait jamais vue. Elle héla un taxi, entra et s'affala sur l'épaisse banquette en vinyle, fermant les yeux, à la fois en signe de lassitude et de bonheur.

– La bataille n'est pas gagnée, dit-elle en étouffant un bâillement. Ça ne va pas être facile, mais on va y arriver.

– Spencer est connu, maintenant. Vous pensez qu'il peut jouer dans une autre série?

– Tu as raison, O'Hara, cette soudaine célébrité pose un problème. Ça va être difficile de lui trouver un nouveau rôle, au moins pendant un certain temps. Il est désormais David Frieze, l'homme le plus haï de tout New York. Même cette histoire de gâteau a fait le tour des médias. J'aurais du mal à l'envoyer jouer dans *Sesame Street*.

– Je croyais que la mauvaise publicité n'existait pas.

Mrs Amberson esquissa un sourire.

– Bien vu, dit-elle. Tu as raison. Il y a toujours moyen d'en tirer parti.

Mrs Amberson s'assoupit jusqu'au moment où le taxi ralentit en arrivant devant le lycée Frances Perkin.

– Seigneur ! s'exclama-t-elle en se frottant les yeux. C'est ton lycée ? On dirait le décor d'une comédie romantique qui se passe en Italie.

Elle baissa la vitre pour admirer les deux tours au toit conique qui encadraient le bâtiment.

– J'avoue que je suis sans voix devant la force symbolique de cet édifice.

Scarlett allait déjeuner quand elle sentit la petite bosse formée par les sept cents dollars qu'elle avait sur elle. La liasse de billets était accidentellement sortie de sa poche alors qu'elle faisait la queue pour avoir des tacos. (« Les tacos du vendredi » étaient un tel succès que la cantine venait d'instituer « les tacos du jeudi ».) Elle remit les billets en place, un peu nerveuse, sous les yeux d'un élève de troisième qui vit tout. Et elle passa le reste de la journée sur le qui-vive, à la fois effrayée de les avoir sur elle et trop méfiante pour les ranger dans son casier. Pendant ce temps-là, son portable n'arrêtait pas de sonner : Mrs Amberson avait besoin qu'elle passe immédiatement après ses cours.

Heureusement, la fin de sa journée fut moins catastrophique que celle de la veille – puisqu'ils avaient parlé. Max se comporta comme à son habitude, faisant tout pour l'agacer. Et surtout, tout pour que Dakota soit témoin de ce comportement. Et après le cours, il retourna dans le studio de musique, situé derrière son casier. Scarlett hésita... puis, soudain, ouvrit la porte, impulsive.

– Il faut que j'aille voir ma chef, annonça-t-elle. Elle m'a laissé des tonnes de messages dans la journée. Je voulais juste te dire au revoir.

– C'est sympa de me prévenir, mais qu'est-ce que j'en ai à faire ?

– À plus, monstre.

– Hum.

Elle pivota et saisit son reflet dans le miroir. Il souriait. De même qu'elle.

Elle approchait de l'immeuble de Mrs Amberson quand elle vit débouler Spencer, dérapant sur son vélo. Lequel était un peu moins instable qu'auparavant, mais à peine.

– Toi aussi, elle t'a convoquée ? demanda-t-il.

– Ouais. Elle doit avoir des infos importantes. À propos, ton biclou a l'air un peu mieux.

– Un peu, oui. J'ai passé la journée à le réparer. Je n'avais que ça à faire.

Il descendit de son vélo, qu'il attacha à une grille décorative devant l'immeuble.

– Elle m'aurait manqué, ma bonne vieille bécane, si elle avait disparu, avoua-t-il. À mon avis, elle est liée à autre chose chez moi, mais je ne sais pas quoi. Peu importe. J'y suis ultra-attaché.

– Hep !

C'était Murray, qui venait de sortir sur le trottoir pour surveiller son territoire.

– Quésaco ? répondit Spencer.

– Il est interdit d'attacher un vélo ici.

– Et pourquoi ?

– Il est interdit d'attacher quoi que ce soit devant l'immeuble que je surveille.

– Mais j'ai rendez-vous avec quelqu'un qui habite ici.

– Il est interdit d'attacher un vélo ici.

– Laisse béton, chuchota Scarlett. Il ne lâchera pas

Spencer hissa son engin à hauteur d'épaule en soupirant. Vu d'en bas, le vélo avait l'air particulièrement minable, avec sa roue voilée. Mais une fois de plus, Murray leur bloqua l'entrée.

– Vous n'avez pas le droit d'entrer avec une bicyclette dans mon immeuble !

– Ce vélo appartient à l'appartement 18D, répliqua Scarlett. Donc ce vélo entrera. Nous sommes entre dix-huit heures et vingt et une heure, je vous le rappelle.

Furieux que quelqu'un ose retourner son propre règlement contre lui, Murray fit néanmoins un pas de côté.

– Fortiche ! s'exclama Spencer dans l'ascenseur. Je vais te confier toutes mes négociations, si ça continue.

– J'ai eu une journée épuisante.

Mrs Amberson les attendait devant la porte de l'ascenseur. Pauvre Murray (le chien), il faillit avoir une attaque en voyant cet étranger débarquer avec un engin inconnu entre les bras.

– Entrez, dit Mrs Amberson. Il faut que je vous parle à tous les deux.

La sobriété de l'accueil de Mrs Amberson n'était pas de bon augure. Scarlett s'attendait au pire. Elle s'assit sur le canapé tandis que son frère commençait à faire les cent pas dans la pièce.

– J'ai parlé au producteur de *Crime et Châtiment* cet après-midi, annonça Mrs Amberson.

– Le type à cause de qui vous avez été arrêtée ? Celui à qui vous avez balancé un verre en pleine tronche ? répliqua Scarlett.

– Quoi ? fit Spencer.

– Combien de fois faudra-t-il que je te répète de tourner sept fois ta langue dans ta bouche avant de parler, O'Hara ? Il y a deux ou trois jours, j'ai discuté avec des membres un peu plus jeunes de l'équipe de *Crime et Châtiment*. Apparemment, le producteur est connu pour avoir un faible pour… comment dire, les femmes qui en ont ? Ça ne sert à rien de parler tranquillement avec lui, il vaut mieux y aller franco. Pour lui, c'est un signe de forte personnalité.

– Vous voulez dire qu'il a apprécié que vous lui balanciez votre verre en pleine figure ? Vous l'avez fait exprès ?

– Les gens sont un peu tordus, O'Hara. Surtout dans le monde du spectacle.

Mrs Amberson alla devant la baie vitrée qui offrait une si belle vue sur la ville. Scarlett se vautra au fond du canapé, suivant du regard un avion qui volait dans le ciel bleu cristallin. Vu du canapé, on aurait dit qu'il traversait la tête de Mrs Amberson, entrant par la mâchoire à gauche et sortant par l'oreille à droite.

– L'une de vous aurait-elle la gentillesse de m'expliquer ce qu'il se passe ? lança Spencer.

– Figure-toi qu'ils sont en train de faire le casting pour le rôle de la fille de Lavinski, Daisy, répondit Mrs Amberson. Quinze ans. Ils veulent une comédienne qu'on n'ait jamais vue devant une caméra depuis sa petite enfance. Le rôle est important pour le déroulement de la série. Ils ont adoré Chelsea.

– Moi je suis viré et elle est embauchée ?

– J'ai bien peur que oui. Je voulais te l'annoncer personnellement avant que ce soit officiel.

Mrs Amberson accorda quelques instants à Spencer pour qu'il accuse le choc. Il fit plusieurs fois le tour de la pièce, les yeux rivés sur Murray qui se tortillait au sol, avant de réagir :

– Vous savez ce qui me tue, sans vouloir faire de jeu de mots ? C'est que j'aurais pu jouer la dernière scène. Je suis superbon pour me faire tabasser à mort. En plus le public en rêve. Je suis sûr qu'après les gens m'auraient adoré.

Scarlett eut soudain une intuition. Douze manières de mourir. Quand Spencer préparait son audition pour la démo sur la sécurité dans les avions.

– Tu peux encore mourir, dit-elle.

– Qu'est-ce que tu racontes ? l'interrogea son frère.

– Propose-leur de mettre en scène ta mort.

– Quoi ?

– En fait… Plus elle y pensait, plus Scarlett s'emballait. En fait, tu n'as pas besoin de la série télé pour mourir. Tu n'as qu'à le faire toi-même en public, comme avant… mais en plus grand. Tu t'es fait agresser en pleine rue. Tu as atterri dans un gâteau, les quatre fers en l'air. Alors, c'est quoi, une mort, à côté ? Douze façons de mourir, tu te rappelles ? Avec la cravate ? Fais-toi tabasser à mort en public. Je veux dire… en scène. Les gens savent que le personnage doit mourir. Fonce !

– C'est bien, O'Hara. Continue, l'encouragea Mrs Amberson.

– On n'aurait aucun problème à rassembler les gens où on veut, reprit Scarlett en ouvrant son ordinateur à la page *Spies of New York*. Ils ont une boîte e-mail qui recueille toutes les suggestions. Ça m'étonnerait qu'ils passent à côté d'une occasion pareille. Au contraire, l'info serait diffusée partout. Tu meurs en public, dans une mise en scène spectaculaire que tout le monde pourra voir.

– Il faudrait que je meure en souffrant un maximum.

– Un max, oui.

– Fastoche. Là-dessus, je suis bon.

– Un lieu, ajouta Mrs Amberson en se levant. Il faut qu'on trouve le lieu adéquat pour mettre en scène cette mort.

– Et j'ai besoin d'un partenaire, un bon, confirma Spencer.

Scarlett répondit spontanément, et presque sans douleur :

– Eric.

– Oui, c'est lui qu'il me faut.

Une fois de plus, Scarlett prit peur ; elle venait de lancer une idée dont la réalisation allait la dépasser…

Oh, après tout, c'était peut-être ça, la vie ? Imaginer les plans les plus fous et être obligé de les mener à bien.

La mort de Spencer Martin

L'annonce fut rédigée par Scarlett :

Spies of New York. *Exclusif:*

Nous venons de recevoir dans notre boîte e-mail une nouvelle sidérante, qui nous a réveillés de notre coma de fin de matinée. D'où vient-elle? Comment l'interpréter? En tout cas, c'est une bombe qui nous semble suffisamment intéressante pour que nous la reproduisions ici même: Suite au dernier épisode de Crime et Châtiment, *le public pourrait avoir la satisfaction de voir l'histoire se dénouer sur les lieux mêmes où Sonny Lavinski a trouvé la mort.*

Il faut le voir pour le croire. Sonny serait-il prêt à ressusciter des morts? Mais où se trouve Spencer Martin, puisqu'il n'a plus sa place dans la série? Arrêtons-nous là. Nous nous égarons. Mais il faut bien avouer qu'à part Internet, nous menons des vies un peu tristounettes. Alors pourquoi ne pas aller jeter un coup d'œil sur place? Chiche? Et si vous vous joigniez à nous?

Scarlett avait mis un certain temps à rédiger son annonce, mais elle était assez fière du résultat. Le texte fut envoyé à *Spies of New York* à vingt heures exactement, une heure avant le début de l'événement.

Scarlett et Mrs Amberson attendaient au pied des marches du palais de justice. Une quarantaine de personnes tournicotaient déjà sur place et d'autres étaient en train d'arriver, par deux ou trois. Le palais de justice n'étant pas un lieu particulièrement attirant, Scarlett ne doutait pas qu'ils viennent pour assister au spectacle. Pourvu qu'il n'y ait pas trop de barjots dans la foule ! songeait-elle, mais il était difficile de l'évaluer en un coup d'œil.

– J'espère que personne ne va essayer de le... tuer, murmura-t-elle à Mrs Amberson. Comme c'est moi qui ai eu l'idée, je...

– Tout va bien se passer O'Hara. La police est au courant.

Trois officiers traînaient effectivement non loin, nonchalamment appuyés contre des barrières destinées à prévenir les débordements et qui sont si présentes dans les rues de New York. Un fourgon de police était garé à quelques mètres, sans personne au volant. Les policiers étaient sans doute en train de patrouiller dans le quartier. Il n'y avait donc que trois officiers qui, certes, avaient l'œil sur le petit rassemblement en cours, mais qui étaient surtout plongés dans une conversation manifestement beaucoup plus intéressante.

– Qu'est-ce que tu as raconté à tes parents ? demanda Mrs Amberson.

– Je leur ai dit que j'allais voir *Songe d'une nuit d'été* parce qu'on étudiait la pièce en cours.

– Bon. Non pas que je trouve bien de mentir à ses parents, mais les circonstances sont exceptionnelles. La semaine a été particulièrement éprouvante pour eux, ils ont dû faire face à une incroyable avalanche de surprises.

– S'ils savaient, là, ajouta Scarlett en croisant nerveusement les bras, ils seraient capables de nous enchaîner aux radiateurs pour nous empêcher de sortir.

Mrs Amberson avait emmené le petit Murray avec elle. Régulièrement, il pointait le bout de son museau hors de son sac pour observer la scène avec ses yeux ronds comme des billes. Puis il se réfugiait au milieu des bâtonnets à l'huile d'arbre à thé et des bouts de papier qui traînaient au fond du sac de Mrs Amberson, écœuré par ce monde de brutes.

– Spencer ne t'a pas donné les détails sur le déroulement de l'opération ? reprit Mrs Amberson.

– Non, il m'a simplement dit qu'ils avaient trouvé comment s'en sortir, que ça commençait à dix heures deux pile, et qu'on avait rendez-vous ensuite un peu plus haut, à deux pâtés de maisons d'ici.

De plus en plus de gens sortaient du métro et se dirigeaient vers le palais de justice. Scarlett reconnut une silhouette familière, plus ou moins cachée par un capuchon de sweat-shirt.

– Tiens, voilà Max, annonça Mrs Amberson. Franchement, O'Hara, tu en fais un peu trop avec lui. Quand je pense qu'au début, tu répugnais à l'idée de le surveiller...

– Je n'ai jamais surveillé personne.

– D'accord, mais tu vois ce que je veux dire.

Toutes deux se turent en voyant Max approcher. Mrs Amberson prit son portable et s'éloigna pour appeler. Consciente qu'elle voulait la laisser seule avec Max, Scarlett était d'autant plus mal à l'aise.

– Tu te débrouilles toujours pour qu'on puisse te suivre à la trace, lui lança tout de go Max. Tu me dragues, ou quoi ?

Ses paroles auraient eu un tout autre sens s'ils ne s'étaient embrassés quelques jours plus tôt. Scarlett n'y aurait perçu que de la moquerie. À présent, elles étaient chargées d'autre chose. Il fallait qu'elle trouve une repartie... Se rendant compte qu'elle était en panne d'inspiration, elle fit comme si de rien n'était.

– On attend encore trois ou quatre minutes, et ensuite on y va, dit-elle simplement.

– Qui « on » ?

Scarlett n'eut pas le temps de répondre. Brusquement, une Mercedes noire – que Scarlett ne connaissait que trop bien – s'arrêta pile en face d'eux.

– Merde, lâcha-t-elle.

Marlène descendit, suivie par Lola et leurs parents. Marlène n'avait pas posé le pied par terre qu'elle avait déjà l'index pointé sur elle.

– Je vous l'avais dit ! Je vous l'avais dit ! hurlait-elle.

– Je croyais que tu étais au... théâtre ? questionna sa mère.

– Je...

– Max ! Mais qu'est-ce que... Vous sortez ensemble ou quoi ? s'écria soudain Marlène, non sans un certain dégoût, voire un brin de jalousie.

Mrs Amberson se retourna pour voir ce qu'il se passait et mit subitement fin à sa conversation téléphonique pour se précipiter vers eux.

– Marlène ! s'exclama-t-elle. On venait de sortir du théâtre, là, tout de suite, quand j'ai reçu un message de la production qui nous a demandé de venir ici le plus vite possible.

Les parents de Scarlett lui jetèrent un regard sceptique.

– Alors ? dit la mère de Scarlett. Tu pourrais avoir la gentillesse de m'expliquer ce qu'il se passe ?

– Je ne sais plus, bafouilla Scarlett. On vient de... tu sais... le... et on...

– Tu pourrais être un peu plus claire, ma chérie ? intervint son père. S'il s'agit de Spencer, tu sais comme moi ce qu'il en est. Mais mon petit doigt me dit que ce micmac a plus ou moins été monté par toi. C'est grâce à toi qu'on a eu *Hamlet* à la maison cet été, non ?

– Moi ? Euh... Je...

– Scarlett n'a rien à voir avec ce micmac, intervint soudain Mrs Amberson. Honnêtement, elle n'était pas au courant, pour Spencer. Votre fils me l'a annoncé en tête à tête, de façon très professionnelle, de client à agent. Il s'agit simplement d'un petit numéro pour ses fans.

– Dix heures deux, murmura Scarlett.

Une rumeur sourde se fit entendre, quand, tout à coup, Spencer apparut de nulle part et fendit la foule en bondissant sur les marches du palais. Face à lui, ses ennemis les plus acharnés l'attendaient, beignets en main, et se mirent à le bombarder. Agile et rapide comme l'éclair, il évita tous les beignets, qui s'écrasèrent sur les marches en un feu de confiture et de morceaux de pâte plus ou moins cuits. Plusieurs personnes faillirent se jeter sur lui.

– Oyez, oyez, bonnes gens de New York ! s'écria-t-il du haut du perron. Je suis sûr que vous êtes venus pour me voir ce soir, n'est-ce pas ?

Suivit un chœur de sifflets, de cris furieux et d'étranges encouragements.

– Je vous ai compris, poursuivit-il. J'ai parfaitement conscience que vous avez été profondément choqués par la disparition d'un certain… Sonny. C'est pourquoi j'ai décidé de…

Soudain, Eric (sans doute caché derrière une des colonnes grecques qui portent le fronton du palais de justice) se précipita sur le dos de Spencer, et la foule hurla de joie. Les deux garçons commencèrent à se battre, exploitant tout ce qu'ils savaient faire : coups de poing, saltos avant et arrière, pirouettes… La chorégraphie était particulièrement spectaculaire. Spencer prenait presque tous les coups et n'arrêtait pas de tomber et de se relever comme s'il en redemandait.

La mère de Scarlett grimaçait et se cachait régulièrement les yeux, atterrée par la violence du spectacle.

– Tout va bien, il contrôle la situation, murmura-t-elle en parlant toute seule.

Les officiers de police s'étaient rapprochés tout en discutant entre eux ou dans leurs talkies-walkies, tout sourires, prêts à faire durer le plaisir tant que les spectateurs demeuraient plus ou moins calmes. Un homme fit un pas vers Eric et fut immédiatement intercepté par l'un d'eux. Quelques secondes après, Eric saisit Spencer au collet et le plaqua contre une des colonnes en frappant sa tête contre la pierre. Spencer vacilla, à moitié sonné. Il jeta un dernier regard sur la foule et... s'écroula, dégringolant une dizaine de marches – exactement comme dans la cave, là où Scarlett l'avait retrouvé.

– Seigneur ! glapit Lola. Je ne supporte pas ces cascades ! Pourvu qu'il ne soit pas mort.

Eric brandit les bras en signe de victoire et fit un petit tour de piste au sommet des marches, quand Scarlett eut la surprise de voir Hamlet et Laërte surgir hors du public. Ils se précipitèrent sur Spencer, jetèrent un grand drap sur son corps et le prirent dans leurs bras. Spencer pendouillait, flasque. La foule s'écarta spontanément pour laisser passer le cortège, quelques illuminés en profitant pour brandir un beignet rageur. Un homme à côté d'eux avait le bras levé, prêt à frapper, quand soudain la mère de Scarlett fit un pas devant lui.

– Je vous ferai remarquer que le jeune homme qui vient de mourir est mon fils, s'écria-t-elle. Vous vouliez l'achever, c'est ça, hein ?

Eric bondissait triomphalement parmi la foule en tapant dans les mains des uns et des autres. Il ralentit en passant devant la famille Martin, signe de respect minimum, puis fila. Lola et son père étaient en train de spéculer sur les éventuelles blessures de Spencer, mais vu la façon dont le père imitait certaines des pirouettes du fils, il avait apprécié son numéro.

– À partir de ce soir, tu es interdite de sortie, déclara sa mère à Scarlett. C'est toi qui as tout organisé, je parie ?

– Plus ou moins, oui. Interdite combien de temps ?

– Je n'y ai pas encore réfléchi. D'ailleurs, je ne suis même pas sûre d'encore autoriser l'un de vous à sortir à partir d'aujourd'hui.

Sa voix ne trahissait pas la moindre colère. Au contraire, on aurait dit qu'elle félicitait sa fille.

– Il m'attend au coin de la rue, répondit Scarlett. Je veux dire... euh... Max. Un copain du lycée. Il voulait me demander quelque chose au sujet du cours de biologie... Je peux aller le voir... cinq minutes ?

Scarlett regarda vers Max ; il était de nouveau pris en otage par Marlène.

– J'ai été élue Powerkid de l'année, l'entendit-elle annoncer.

– Je suis désolé mais je ne sais pas ce que c'est, répondit Max.

– Cinq minutes, répondit sa mère. J'ai bien dit cinq, pas six. Et montre en main. Le temps de passer un bon savon à ton frère.

Mrs Amberson se fit un plaisir de guider la famille Martin hors de la foule, non sans se retourner pour lancer un coup d'œil complice à Scarlett, intimidée. De son côté Max, semblait aussi embarrassé. Il se mit à tripoter le cordon de son capuchon, à le resserrer jusqu'à presque faire disparaître son visage, avant de le desserrer d'un coup pour dégager toute sa figure. Scarlett attendit qu'il se calme avant de prendre la parole.

– Marlène en pince pour toi, je crois.

– Merci, j'avais remarqué. Je comptais lui demander de sortir avec moi. Ça te gênerait ?

– Bon courage. Elle te bouffera tout cru.

Nouveau silence. Scarlett se creusait la tête pour

relancer la conversation, quand elle reconnut une voix qui l'appelait.

– Salut !

C'était Chelsea, qui courait vers eux sur le trottoir, en parfaite joggeuse.

Scarlett s'attendait à tout sauf à ça. Certes, les lecteurs de *Spies of New York* étaient nombreux et variés, mais de là à toucher Chelsea !

– Ouf, j'arrive au dernier moment ! s'exclama-t-elle, à bout de souffle. J'ai entendu parler de l'événement pendant la pause et...

Brusquement, elle reconnut la silhouette encapuchonnée qui venait de se détourner. Elle haussa les épaules, la présence de son frère étant à mettre au compte de ses multiples tentatives pour lui pourrir la vie.

– Quoi qu'il en soit, poursuivit-elle, Eric m'a envoyé un SMS pour me prévenir. Dommage que j'aie tout raté. Au fait, vous vous êtes revus pour parler ?

Pauvre Chelsea. Elle n'avait décidément aucune idée de la façon dont fonctionnaient les relations humaines. Personne ne lui avait sans doute encore expliqué qu'il était assez maladroit de se précipiter sur une jeune fille à peine remise d'un chagrin d'amour pour lui annoncer la bonne nouvelle comme quoi c'est elle qui avait pris le relais dans le rôle de petite copine officielle.

– Non, répondit froidement Scarlett. Je n'ai aucune envie de lui parler.

– Pourquoi pas ? Tu devrais lui donner l'occasion de s'expliquer.

– Écoute, je suis très bien comme je suis. C'est clair ?

Évidemment, Scarlett mentait, mais elle fut surprise par l'aplomb avec lequel elle venait de se défendre, à tel point qu'elle eut des doutes sur sa propre sincérité. Elle eut même l'audace d'ajouter avec une bienveillance exemplaire :

– J'espère que vous serez heureux ensemble.

Loin d'avoir l'air rassurée, Chelsea perdit contenance. Elle fusilla du regard son frère en l'accusant :

– Qu'est-ce que tu lui as raconté ? Qu'est-ce que tu as encore foutu ?

– Rien, bredouilla-t-il. Tu m'as dit que vous vous étiez vus. C'est tout ce que j'ai dit. C'est la vérité. Je ne connais même pas le mec dont vous parlez...

– Ne l'écoute pas, se défendit Chelsea. Oui, on est sortis ensemble, mais pas dans le sens auquel tu penses. Eric est venu voir la comédie musicale. J'ai compris qui c'était, vu qu'il avait utilisé une de mes invitations ; du coup, on en a profité pour discuter un peu après le spectacle. Il m'a beaucoup parlé de toi ; il est très blessé parce que tu l'as laissé tomber. Apparemment, ça fait des jours qu'il essaie de te joindre mais tu ne réponds jamais. Je lui ai dit qu'on était amies, que tu m'avais soutenu le moral quand j'avais appris qu'ils arrêtaient la comédie musicale. Moi aussi, j'avais envie de t'aider. Il est très attaché à toi, je te promets. Si tu savais comme il était excité à l'idée de te voir ce soir...

Plusieurs rouages se remirent en marche dans le cerveau de Scarlett, reliant peu à peu toutes ces infos : Eric et Chelsea ne sortaient pas ensemble. Eric était attaché à elle. Et Max...

Max s'éloignait discrètement en direction du métro.

– Quel salaud ! s'exclama sa sœur. Désolée qu'il t'ait fait un coup pareil. Il…

Scarlett n'entendit pas la suite. Elle se précipita vers Max qui hâtait le pas.

– Où vas-tu ? lui demanda-t-elle, essoufflée.

– Où penses-tu que j'aille ?

– C'est toi qui viens de me planter, je te ferai remarquer ! Alors qu'on discutait !

– Parle pour toi.

– Mais pourquoi est-ce que tu m'en veux autant ? Qu'est-ce que je t'ai fait ?

Max s'arrêta brusquement et se tourna vers elle. Il dégageait une telle présence que Scarlett sentit son cœur battre la chamade.

– D'accord, déclara-t-elle en levant les mains. Puisque c'est comme ça, ne réponds pas.

– Tu ferais mieux d'y aller. Apparemment, ton petit comédien chéri t'attend. Vas-y. Fonce !

La situation était d'une telle absurdité, d'une telle puérilité, que Scarlett ne put s'empêcher de rire. Max tourna les talons et reprit son chemin vers la bouche de métro.

– À demain ! lui lança-t-elle.

Elle n'aurait su dire s'il l'entendit. Son dos était un mur blanc, impossible à déchiffrer.

Elle retourna vers Chelsea qui l'attendait patiemment.

– Ne t'inquiète pas pour lui, dit celle-ci. Je me vengerai à la maison. Je suis désolée qu'il t'ait menée en bateau. Quoique… ça ne m'étonne pas tant que ça de sa part.

Scarlett se mit mollement en route pour aller rejoindre sa famille un peu plus haut. Chelsea bavardait à ses côtés, racontant tout ce qu'Eric lui avait dit à son propos. Elle en rajoutait sans doute un peu, mais le message était clair : Eric ne demandait qu'une chose, se réconcilier avec elle. Pour de bon. Et sortir avec elle. Pour de vrai. C'était tout ce dont elle avait rêvé, et enfin l'occasion s'en présentait. Pourtant, une partie d'elle-même n'avait qu'une envie : fuir, courir rejoindre Max et le secouer comme un cocotier. Jamais elle n'avait éprouvé des sentiments d'une telle... violence envers quelqu'un.

Elles tournaient au coin de la rue, quand elle reconnut ses parents qui discutaient avec les acteurs dont ils avaient fait la connaissance quelques semaines plus tôt. Mrs Amberson était accrochée à son portable, fidèle à elle-même. Spencer se frottait le bras et riait. Et Eric agita une main timide pour l'accueillir.

– Tu vois ! lui chuchota Chelsea. Allez. Va le voir.

Elle n'avait pas encore traversé la rue mais elle entendait ce que Mrs Amberson racontait au téléphone :

– Tu verras, va surfer sur Internet dès demain matin... Tiens, on a été interrompues ? Oui, c'est une colonne d'alimentation, ma chérie. Je sais, parfois ça bloque... Non, pas toi, Carmine. Je te propose d'en reparler demain matin, je pense que c'est une occasion à ne pas rater... Surtout ne mange pas de cette pizza immonde ! Je t'en supplie. Et évite les produits laitiers !... Surtout toi, Carmine. Allez, on se retrouve pour un café à dix heures et on parlera de l'avenir...

La roue n'en finissait pas de tourner.

Scarlett jeta un dernier regard derrière elle. Max avait bel et bien disparu. Elle traversa la rue avec Chelsea pour rejoindre la petite troupe.

Loi n° 49-956 du 16 juillet 1949
sur les publications destinées à la jeunesse
Maquette couverture : Clément Chassagnard
PAO : Françoise Pham
Imprimé en Italie par L.E.G.O. Spa - Lavis (TN)
Dépôt légal : janvier 2011
N° d'édition : 173838
ISBN : 978-2-07-063254-1